医薬品承認申請ガイドブック 2019-20

公益財団法人
日本薬剤師研修センター　編集

薬事日報社

はじめに

　本書は，2019 年 7 月 1 日及び 5 日に東京及び大阪において開催された，独立行政法人医薬品医療機器総合機構と公益財団法人日本薬剤師研修センターとの共催による「第 25 回医薬品承認申請実務担当者研修会」の講演内容をもとに編纂したものです。

　研修会では，独立行政法人医薬品医療機器総合機構の業務である承認申請等の受付業務，原薬等登録原簿（マスターファイル）の登録申請手続，要指導・一般用医薬品及び医療用後発医薬品の申請実務についての説明がありました。

　本書は，講演内容とともに関連通知類の一覧表を掲載し，申請実務担当者の座右の書として役立つよう配慮しております。

　申請業務は，法律の改正などによって新たな対応を求められていきますが，まずは本書により現時点における承認申請の事例とその対処方法をよくご理解いただき，正確で分かりやすい申請書や届出書を作成して頂くことを期待いたします。

　　2019 年 12 月

　　　　　　　　　　　　　　　　　　　　公益財団法人　日本薬剤師研修センター

　　　　　　　　　　　　　　　　　　　　　　　理事長　豊島　聰

目　次

第1章　医薬品医療機器総合機構について ………………………………… *1*

　1．法人概要　*1*
　2．救済業務　*7*
　3．審査関係業務　*9*
　4．安全対策業務　*21*
　5．RS センターの機能　*24*
　おわりに　*28*

**第2章　医薬品医療機器総合機構による承認申請の受付業務等
について** ……………………………………………………… *29*

　1．受付の案内　*29*
　2．受付における留意点　*32*
　3．新医薬品の承認申請についての留意点　*33*
　4．GMP 適合性調査申請の留意点　*35*
　5．医薬品等外国製造業者認定申請の留意点　*38*
　6．届出の留意点　*44*
　7．簡易相談　*48*
　8．手数料　*55*
　9．承認書等の交付　*86*
　10．申請・届出に関する問い合わせ　*88*
　11．PMDA ホームページの掲載内容　*90*

第3章　原薬等登録原簿（マスターファイル）の登録申請 ………………… *91*

　1．原薬等登録原簿とは　*91*
　2．MF を利用するときの承認審査の流れ　*94*
　3．MF 登録対象品目　*98*
　4．MF の申請，届出　*99*
　5．書類等作成上の留意事項　*104*
　6．再生医療等製品の MF の利用　*126*
　7．その他の留意事項　*128*

8．MF の公示　*130*

9．申請・受付等業務実施要領　*132*

10．お願い　*132*

11．PMDA ホームページの掲載内容（MF 関連）　*133*

おわりに　*135*

第4章　要指導医薬品・一般用医薬品－事例に基づく実務説明－　……… *136*

1．「一般用医薬品」とは　*136*

2．審査の概略　*138*

3．申請区分と添付資料の範囲　*141*

4．承認申請に際しての留意事項　*149*

5．承認申請書の作成における留意事項　*164*

6．承認申請添付資料等についての留意事項　*177*

7．第十七改正日本薬局方，第一追補及び第二追補の制定
　に伴う承認申請等の取扱い　*183*

8．相談業務　*185*

9．要指導・一般用医薬品の適正使用と薬剤師の役割　*189*

10．その他　*190*

第5章　医療用後発医薬品－事例に基づく実務説明－　………………… *191*

1．医療用後発医薬品の承認申請と審査の流れ　*191*

2．承認申請上の留意点　*194*

3．書面適合性調査　*230*

4．その他の留意点　*232*

5．GCP 実地調査　*234*

6．相談制度　*238*

おわりに　*243*

参考　関連通知等一覧　…………………………………………………… *244*

　本書は，2019 年 7 月 1 日（東京：日本消防会館ニッショーホール）及び 7 月 5 日（大阪：エル・おおさかエル・シアター）に開催された「第 25 回医薬品承認申請実務担当者研修会」の内容に加筆・再編集を施したものである。

第1章

医薬品医療機器総合機構について

1. 法人概要

(1) 法人の業務概要

　独立行政法人医薬品医療機器総合機構（以下，「PMDA」という）では，医薬品・医療機器の審査，安全性の対策及び万一これらによって被害を受けた場合の救済という3つの業務を実施しており，これらの業務が総合的に国民を中心にして遂行されるという意味で「セイフティ・トライアングル」と呼んでいる（図1，図2）。

① 健康被害救済業務
　医薬品の副作用又は生物由来製品を介した感染等による健康被害の救済を行う。

② 審査関係業務
　医薬品や医療機器等の承認のために必要な，安全性，有効性やその品質に係る審査や調査，及び治験相談や申請前の相談を行う。

③ 安全対策業務
　安全性情報の収集とその評価・分析，医療関係者や消費者への情報提供を行う。

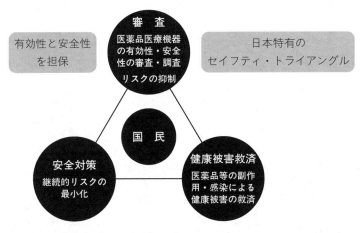

図1．審査，安全，救済の「セイフティ・トライアングル」

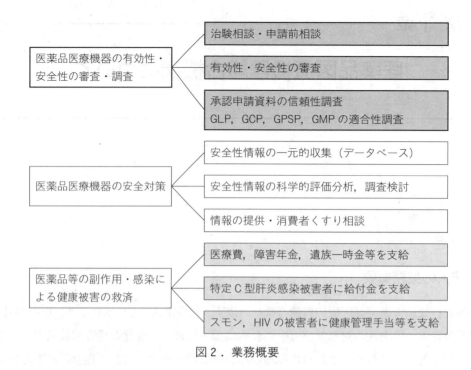

図2. 業務概要

⑵ PMDA の変遷

　PMDA の組織の変遷については，以前，国で実施していた承認審査業務や安全対策業務と，医薬品副作用被害救済基金が実施していた業務を引き継ぐ形で，2004（平成16）年に独立行政法人として発足した（図3）。

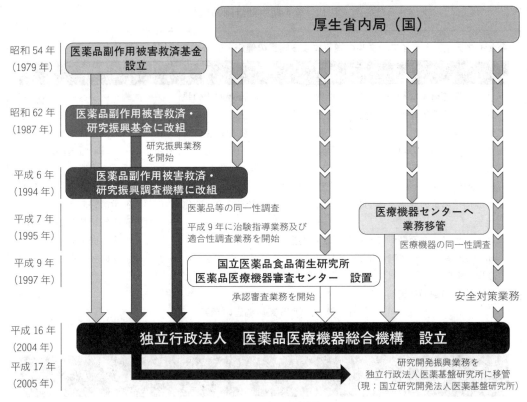

図3．PMDAの変遷

(3) 5ヵ年中期計画

　PMDAは，発足から今年で16年目を迎えており，5年ごとに策定している中期計画の単位でみると，2019（令和元）年度は第4期中期計画の初年度になる。

図4．5ヵ年中期計画（第1期～第4期）

表１．第４期中期計画の概要

◆セイフティ・トライアングルの遂行による国民の健康・安心への積極的な貢献

健康被害救済給付業務等	審査業務	安全対策業務
・救済制度の確実な利用に結びつけるための広報及び情報提供の拡充 ・迅速な請求事案の処理 ・審査，安全対策部門との積極的な連携 ・保健福祉事業の充実と適切な実施 ・スモン患者，血液製剤によるHIV感染者，血液製剤によるC型肝炎感染者等に対する給付業務等の適切な実施	・世界最速レベルの審査期間の堅持と一層の質の向上 ・先駆け審査指定制度や条件付き早期承認制度の適切な運用 ・ジェネリック医薬品，要指導・一般用医薬品，医薬部外品，体外診断用医薬品の審査の迅速化と一層の質の向上 ・RS戦略相談等の実施 ・リアルワールドデータ（RWD）等の申請資料への活用に向けた対応 ・GMP，QMS実地調査の充実	・医療情報データベース（MID-NET®）を活用した薬剤疫学調査に基づく安全性評価の推進 ・副作用・不具合報告の迅速な整理・評価の実施 ・医療機関報告の充実，患者からの副作用情報の活用 ・添付文書の新記載要領への対応とその情報提供 ・安全性情報の医療現場での活用推進

◆セイフティ・トライアングルを支え，さらに発展させる組織横断的な取組みの推進

レギュラトリーサイエンス(RS)の推進による業務の質の向上	国際化の推進	業務運営
・ホライゾン・スキャニング手法の確立 ・次世代評価手法の活用推進 ・MID-NET®の活用を通じたベネフィット・リスク評価の質の向上 ・MID-NET®の利活用推進に向けた体制の構築	・国際的リーダーシップの発揮 ・二国間関係の強化，アジア医薬品・医療機器トレーニングセンター（PMDA-ATC）の充実強化 ・活動内容の世界への積極的な発信	・PMDAの役割，社会的立場をふまえたガバナンス・コンプライアンス体制の構築 ・優秀な人材の確保・育成の推進と業務品質の一層の向上 ・薬害の歴史展示コーナーの運営 ・財務ガバナンスの強化

⑷ 業務実施体制

　業務実施体制については，審査，安全，救済の３つの業務を全体で28部２支部４室等の体制で実施している。支部については関西支部及び北陸支部を設置している。また，図５に示したものの他に，管理部門として，経営企画部，総務部，財務管理部等が設置されている。

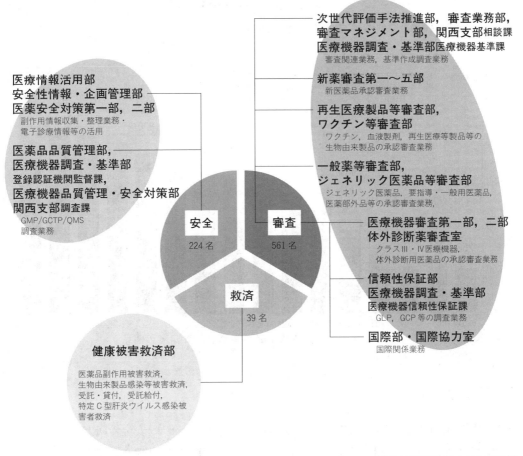

(人数は平成31年4月1日現在)

図5．業務実施体制

⑸　人員体制の推移

　PMDAの人員について，平成16年4月の発足当時の常勤役職員の在籍数は256名であった．その後，審査，安全部門の体制の整備・強化等を行い，2019（平成31）年4月1日現在では，936名が在籍している（表2）．このうち，審査部門は全体の約6割にあたる561名の職員が在籍している．

表2．人員体制の推移

【PMDAの常勤役職員数の推移（平成31年4月1日時点）】

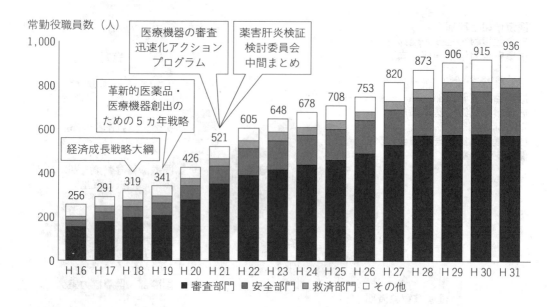

(6) PMDAの理念

「PMDAの理念」とは，PMDAが国民の生命を守り，健康・安全の向上に積極的に貢献していくための，職員各自の業務の適切な遂行に関する行動理念を定めたものである（表3）。

表3．PMDAの理念

> わたしたちは，以下の行動理念のもと，医薬品，医療機器等の審査及び安全対策，並びに健康被害救済の三業務を公正に遂行し，国民の健康・安全の向上に積極的に貢献します。
>
> ・国民の命と健康を守るという絶対的な使命感に基づき，医療の進歩を目指して，判断の遅滞なく，高い透明性の下で業務を遂行します。
>
> ・より有効で，より安全な医薬品・医療機器をより早く医療現場に届けることにより，患者にとっての希望の架け橋となるよう努めます。
>
> ・最新の専門知識と叡智をもった人材を育みながら，その力を結集して，有効性，安全性について科学的視点で的確な判断を行います。
>
> ・国際調和を推進し，積極的に世界に向かって期待される役割を果たします。
>
> ・過去の多くの教訓を生かし，社会に信頼される事業運営を行います。

2．救済業務

医薬品・医療機器は，人の健康や生命を守るために欠かせないものである。

これらが用いられるためには，その有効性と同時に安全性が確保されていなければならない。また，これらを正しく使用することも有効性と安全性を確保するためには大切なことである。

しかし，十分な注意を払って正しく使用していたとしても，副作用の発生や生物由来製品等による感染などを完全に防ぐことは大変難しいとされている。

病気の治療などの際に使用した医薬品などによる副作用や，感染などで発生した疾病などの健康被害に対しては，迅速に救済を行う必要がある。PMDAではこれを目的として，健康被害救済制度（「医薬品副作用被害救済制度」及び「生物由来製品感染等被害救済制度」）を設けている（図6）。

これらは，副作用や感染などによる疾病（入院治療を必要とする程度）や，一定程度の障害（日常生活が著しく制限される程度以上）が発生した場合，医療費，医療手当，年金

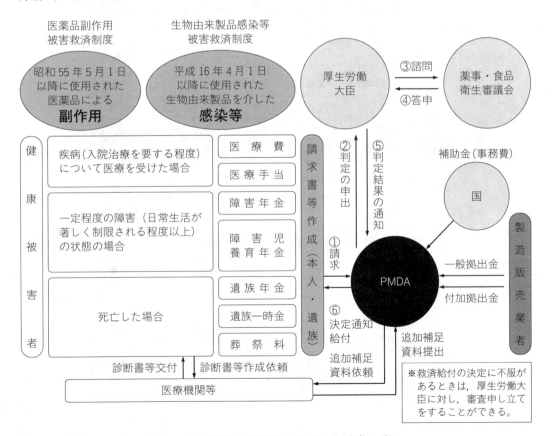

図6．健康被害救済制度の仕組みと請求の流れ

表4．救済給付件数と支給額の年次推移

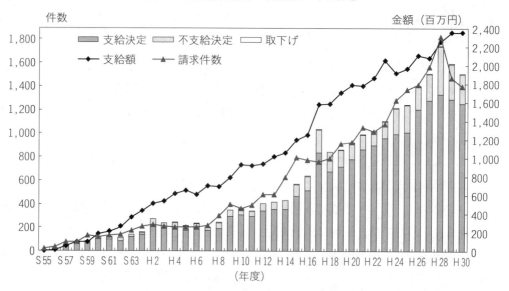

【副作用被害救済の実績】

年　度（平　成）	26年度	27年度	28年度	29年度	30年度
請　求　件　数	1,412件	1,566件	1,843件	1,491件	1,419件
決　定　件　数	1,400件	1,510件	1,754件	1,607件	1,519件
支給決定	1,204件	1,279件	1,340件	1,305件	1,263件
不支給決定	192件	221件	411件	298件	250件
取下げ件数	4件	10件	3件	4件	6件
処理中件数[*1]	922件	978件	1,067件	951件	851件
達　成　率[*2]	61.9%	60.6%	67.4%	69.3%	65.7%
処理期間（中央値）	5.7ヵ月	5.6ヵ月	5.3ヵ月	5.3ヵ月	5.4ヵ月

【感染等被害救済の実績】

年　度（平　成）	26年度	27年度	28年度	29年度	30年度
請　求　件　数	3件	6件	1件	3件	7件
決　定　件　数	7件	2件	5件	2件	7件
支給決定	6件	1件	3件	2件	6件
不支給決定	1件	1件	2件	0件	1件
取下げ件数	0件	0件	0件	0件	0件
処理中件数[*1]	1件	5件	1件	2件	2件
達　成　率[*2]	42.9%	50.0%	20.0%	50.0%	85.7%
処理期間（中央値）	6.3ヵ月	7.5ヵ月	10.0ヵ月	10.2ヵ月	4.6ヵ月

[*1]「処理中件数」とは，各年度末時点の数値。
[*2]「達成率」とは，当該年度中に決定されたもののうち，6ヵ月以内に処理できたものの割合。

の給付によって救済を行うものである。

なお，これら2つの救済制度における医療費等の救済給付に必要な費用（原資）については，医薬品製造販売業者又は生物由来製品等製造販売業者が納付する拠出金により賄われており，PMDAの事務費の1/2相当額については，国からの補助金により賄われている。

救済制度に関する認知度の向上もあって，医薬品等の副作用による健康被害者からの請求件数は年々増える傾向にあり，それとともに支給件数も増加している。

平成30年度の請求件数は1,419件で，1,519件を処理し，そのうち事務処理期間が6ヵ月以内の処理件数は全体の65.7%（目標は60%以上）となっており，引き続き迅速な事務処理に努めていきたいと考えている。

3．審査関係業務

⑴　第4期中期計画のポイント

審査関係業務における第4期中期計画のポイントは次のとおりであり，このために必要な体制強化を図ることとしている。
・世界トップレベルの審査期間の堅持と一層の質の向上。
・先駆け審査指定制度や条件付き早期承認制度の適切な運用。
・レギュラトリーサイエンス（RS）戦略相談等の実施による適切な助言。

⑵　海外との比較

PMDAは，新有効成分において，2011年から世界最速レベルの審査期間を維持し，2014（平成26）〜2016（平成28）年には，3年連続で主要規制当局の間で世界最速の新有効成分の審査期間（中央値）を達成した（表5上）。

また2011（平成23）年以降，PMDAの審査期間は25%タイル値と75%タイル値に大きな差がなく，予見性をもった審査を継続している（表5下）。

表5．海外との比較

2009-2018 年における新有効成分の審査期間（中央値）の比較
New active substance (NAS) median approval time for six regulatory authorities in 2009-2018

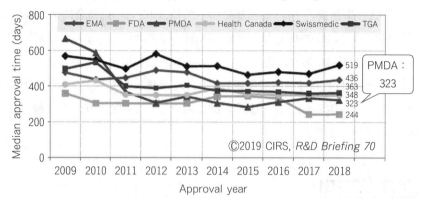

Approval time is calculated from the date of submission to the date of approval by the agency. This time includes agency and company time. EMA approval time includes the EU Commission time.

In 2018, FDA (CDER and CBER) approved the highest number of NASs (60), followed by EMA (40), Health Canada (32), PMDA (32), Swissmedic (31), and TGA (29).

PMDAは2011年から世界最速レベルの審査期間を堅持。
2014〜2016年には，3年連続で，PMDAが新有効成分の審査期間（中央値）世界最速を達成。

Centre for Innovation in Regulatory Science (CIRS), 2019, R&D Briefing 70

2009-2018 年における新有効成分の審査期間（25-75％タイル値）の比較
NAS approval time for six regulatory authorities in 2009-2018

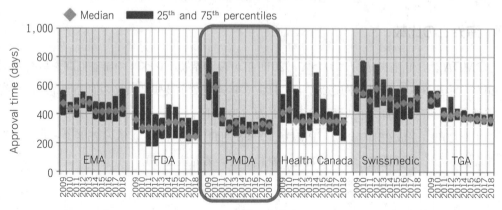

Approval time is calculated from the date of submission to the date of approval by the agency. This time includes agency and company time. EMA approval time includes the EU Commission time.

2011年以降，PMDAの審査期間は25％タイル値と75％タイル値に大きな差がなく，予見性をもった審査を継続。
第4期中期目標期間では，審査の「質」の向上にも注力。

Centre for Innovation in Regulatory Science (CIRS), 2019, R&D Briefing 70

⑶ 審査ラグ「0」の実現

　新医薬品の審査期間（中央値）について，第3期中期計画では，新医薬品の総審査期間の目標を優先品目9ヵ月，通常品目12ヵ月を維持することとし，これらの目標達成率を，従来の50％（中央値）から，平成30年度までに段階的に80％タイル値に引き上げ，目標を達成した。

　第4期中期計画においても，第3期中期計画の目標を維持しつつ，各年度の達成率を80％タイル値とすることとし，これにより多くの申請品目が目標期間内に審査されることを目指している。

　また，第3期中期計画の実績においては，表7にも示したように優先品目，通常品目とも，設定した目標審査期間を達成している。

表6．医薬品・医療機器の審査ラグ「0」の実現

世界トップレベルの審査期間の堅持と一層の質の向上

新医薬品に係る数値目標

総審査期間*の目標値：各年度の達成率80％**

※参考：第3期の目標

総審査期間の目標値：達成率50％（中央値）から80％へ

年　度	タイル値	総審査期間	
		優先品目	通常品目
平成 25 年度	50%	9ヵ月	12ヵ月
平成 30 年度	80%	9ヵ月	12ヵ月

*平成16年4月1日以降に申請され,各年度に承認される医薬品の申請から
　承認までの標準的な総審査期間

**80%タイル値とは,審査期間を短いものから並べた場合に,80%目に位置
　する品目の審査期間

表 7．新医薬品に係る数値目標と実績

◆新医薬品（優先品目）の審査期間

【目標】

年　度	タイル値	審査期間
平成 26 年度	60%	9 ヵ月
平成 27 年度	60%	9 ヵ月
平成 28 年度	70%	9 ヵ月
平成 29 年度	70%	9 ヵ月
平成 30 年度	**80%**	**9 ヵ月**

【実績】

審査期間	承認件数
8.8 月	44 件
8.7 月	37 件
8.8 月	38 件
8.9 月	38 件
8.6 月	47 件

◆新医薬品（通常品目）の審査期間

【目標】

年　度	タイル値	審査期間
平成 26 年度	60%	12 ヵ月
平成 27 年度	70%	12 ヵ月
平成 28 年度	70%	12 ヵ月
平成 29 年度	80%	12 ヵ月
平成 30 年度	**80%**	**12 ヵ月**

【実績】

審査期間	承認件数
11.9 月	73 件
11.3 月	79 件
11.6 月	74 件
11.8 月	66 件
11.9 月	66 件

⑷　新しい審査方式の導入等

①　先駆け審査指定制度

　平成 27 年 4 月 1 日に，革新的医薬品・医療機器・再生医療等製品を日本で早期に実用化すべく，世界に先駆けて開発され，早期の治験段階で著明な有効性が見込まれる医薬品・医療機器等を指定し，各種支援による早期の実用化（例えば，医薬品・医療機器では通常の半分の 6 ヵ月間で承認）を目指す「先駆け審査指定制度」が創設された。

　本制度は，「『日本再興戦略』改訂 2014」（平成 26 年 6 月 24 日閣議決定）及び「先駆けパッケージ戦略」（平成 26 年 6 月 17 日厚生労働省　世界に先駆けて革新的医薬品等の実用化を促進するための省内プロジェクトチーム（先駆け PT））に基づき，世界で最先端の治療を最も早く患者に提供することを目指し，一定の要件を満たす画期的な医薬品・医療機器等について，開発の比較的早期の段階から「先駆け審査指定制度」の対象品目に指定し，相談・審査において優先的な取扱いの対象とすることにより，迅速な実用化を目指すものである。

第1章 医薬品医療機器総合機構について 13

表8．先駆け審査指定制度

世界に先駆けて，革新的医薬品・医療機器・再生医療等製品を日本で早期に実用化すべく，世界に先駆けて開発され，早期の治験段階で著明な有効性が見込まれる医薬品・医療機器等を指定し，各種支援による早期の実用化（例えば，医薬品・医療機器では通常の半分の6ヵ月間で承認）を目指す「先駆け審査指定制度」が平成27年4月1日に創設された。
※平成30年度もひき続き試行的に実施。

指定基準 ※医薬品の例

1．治療薬の画期性：原則として，既承認薬と異なる作用機序であること（既承認薬と同じ作用機序であっても開発対象とする疾患に適応するのは初めてであるものを含む）。
2．対象疾患の重篤性：生命に重大な影響がある重篤な疾患又は根治療法がなく社会生活が困難な状態が継続している疾患であること。
3．対象疾患に係る極めて高い有効性：既承認薬が存在しない又は既承認薬に比べて有効性の大幅な改善が期待できること。
4．世界に先駆けて日本で早期開発・申請する意思（同時申請も含む）。

指定制度の内容 ☐：承認取得までの期間の短縮に関するもの ┈┈：その他開発促進に関する取組

| ① 優先相談 〔2ヵ月 → 1ヵ月〕 ・資料提出から治験相談までの期間を短縮。 | ② 事前評価の充実 〔実質的な審査の前倒し〕 ・事前評価を充実させ，英語資料の提出も認める。 | ③ 優先審査 〔12ヵ月 → 6ヵ月〕 ・総審査期間の目標を，6ヵ月に。 ※場合によっては第Ⅲ相試験の結果の承認申請後の提出を認め，開発から承認までの期間を短縮。 |

| ④ 審査パートナー制度 〔PMDA版コンシェルジュ〕 ・審査，安全対策，品質管理，信頼性保証等，承認までに必要な工程の総括管理を行う管理職をコンシェルジュとして設置。 | ⑤ 製造販売後の安全対策充実 〔再審査期間の延長〕 ・通常，新有効成分含有医薬品の再審査期間が8年であるところを，再審査期間を延長し，最長10年までの範囲内で設定する。 |

なお，平成30年度末までに，医薬品，医療機器等あわせて34品目が指定され，そのうち7品目が承認されている。

② 医薬品条件付き早期承認制度

平成29年10月に，厚生労働省から「医薬品条件付き早期承認制度」の実施が公表された。概要については図7のとおりである。PMDAでは厚生労働省とともにこの制度に取り組んでおり，「医薬品条件付き早期承認品目該当性相談」を実施し，優先審査品目として審査期間を短縮する等の役割を担っている。

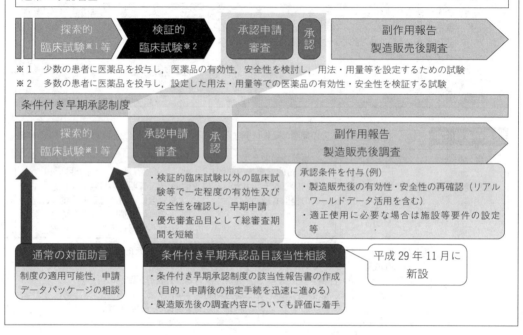

図7．医薬品の条件付き早期承認制度

(5) ジェネリック医薬品等

　表9は，第4期中期計画期間中におけるジェネリック医薬品の審査期間の目標値である。ジェネリック医薬品の使用推進に貢献するため，迅速な審査を実現し，予見可能性が向上できるよう，行政側審査期間のタイル値を段階的に引き上げることとしている。

　なお，第3期中期計画の数値目標と実績については，新規申請，一部変更承認申請（一変申請）とも，平成30年度までに目標としていた標準的事務処理期間（タイムクロック）を達成している。

第1章 医薬品医療機器総合機構について　15

表 9 ．ジェネリック医薬品等に係る数値目標と実績

ジェネリック医薬品等に係る数値目標（バイオ医薬品を除く）

① ジェネリック医薬品の新規申請の審査期間

【目標】

年　　度	タイル値	行政側期間
令和元年度	50%	10ヵ月
令和 2 年度	55%	10ヵ月
令和 3 年度	60%	10ヵ月
令和 4 年度	65%	10ヵ月
令和 5 年度	70%	10ヵ月

③ ジェネリック医薬品等の一部変更申請（通常品目以外）の審査期間

【目標】

年　　度	タイル値	総審査期間
令和元年度	51%	6ヵ月
令和 2 年度	52%	6ヵ月
令和 3 年度	53%	6ヵ月
令和 4 年度	54%	6ヵ月
令和 5 年度	55%	6ヵ月

② ジェネリック医薬品等の一部変更申請（通常品目）の審査期間

【目標】

年　　度	タイル値	総審査期間
令和元年度	51%	10ヵ月
令和 2 年度	52%	10ヵ月
令和 3 年度	53%	10ヵ月
令和 4 年度	54%	10ヵ月
令和 5 年度	55%	10ヵ月

④ ジェネリック医薬品等の一部変更申請（迅速審査品目）の審査期間

【目標】

年　　度	タイル値	総審査期間
令和元年度から4 年度まで	50%	3ヵ月
令和 5 年度	53%	3ヵ月

第 3 期の数値目標と実績：①～③について，平成 30 年度までに 50％タイル値（中央値）で目標を達成する。

① ジェネリック医薬品の新規申請の審査期間

【目標】

品　　目	行政側期間
新規ジェネリック医薬品	10ヵ月

【実績（平成 30 年度）】

行政側期間	承認品目数
6.0 月	620 件

② ジェネリック医薬品等の一部変更申請（通常品目）の審査期間

【目標】

年　　度	総審査期間
平成 26 年度	15ヵ月
平成 27 年度	14ヵ月
平成 28 年度	13ヵ月
平成 29 年度	12ヵ月
平成 30 年度	10ヵ月

【実績】

総審査期間	承認品目数
15.5 月	586 件
13.0 月	701 件
11.7 月	537 件
11.7 月	559 件
8.1 月	336 件

③ ジェネリック医薬品等の一部変更申請（②以外の品目）の審査期間

【目標】

品　　目	総審査期間
一変申請（試験法変更など）品目	6ヵ月
一変申請（迅速審査）品目	3ヵ月

【実績（平成 30 年度）】

総審査期間	承認品目数
4.6 月	1,087 件
2.8 月	221 件

注：承認品目数は，平成 16 年 4 月以降申請分。また，一部変更申請の承認品目数は，一部変更申請中の一部変更申請を除いた数。

(6) 再生医療等製品

再生医療等製品については，平成26年11月25日に施行された改正薬事法（現・「医薬品，医療機器等の品質，有効性及び安全性の確保に関する法律」（以下，「医薬品医療機器法」という））により新たに定義され，均質でない再生医療等製品について，有効性が推定され，安全性が認められれば，特別に早期に条件及び期限を付して製造販売承認を与えることが可能となった。この新たな早期承認制度を適切に運用し，審査を迅速・円滑に進めるため，各種相談制度の周知徹底を図り，申請前に相談を受けられるよう努めることとしている。第4期中期計画では，各年度に承認される再生医療等製品の総審査期間の目標を，中央値で優先品目9ヵ月，通常品目12ヵ月としている。

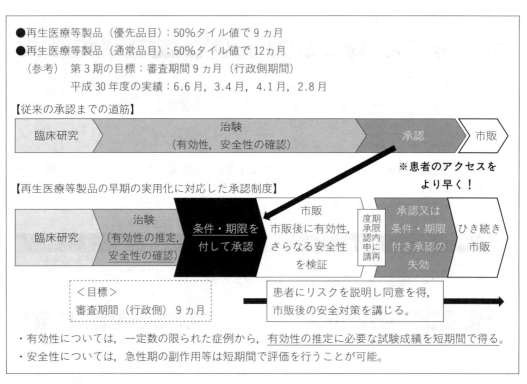

図8．再生医療等製品に係る数値目標

(7) イノベーション実用化支援に係る体制整備

平成28年7月29日に公表された「『医療のイノベーションを担うベンチャー企業の振興に関する懇談会』報告書」を受け，PMDAでは平成29年度に，「イノベーション実用化支援業務調整役」及び「イノベーション実用化支援・戦略相談課」（薬事戦略相談課を改組したもの）を設置した。さらに，平成30年4月から，レギュラトリーサイエンス総

合相談に「イノベーション実用化連携相談」の区分を設け，厚生労働省医政局経済課ベンチャー等支援戦略室と連携して医薬品医療機器法及び医療保険上の相談に対応している。

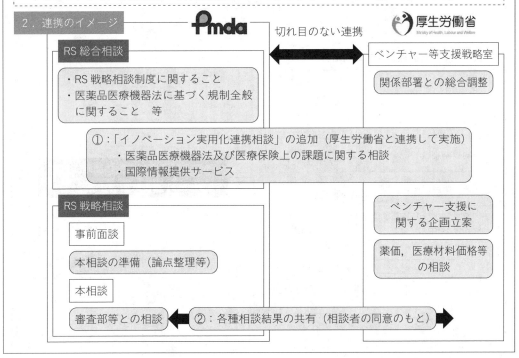

図9．イノベーション実用化支援の取組み状況（イノベーション実用化連携相談の導入等）

⑻ 関西支部テレビ会議システムを用いた対面助言の実施

　大阪府や大阪医薬品協会（現・関西医薬品協会）等の関係団体からの要望により，平成28年6月から関西支部においても，テレビ会議システムを利用したレギュラトリーサ

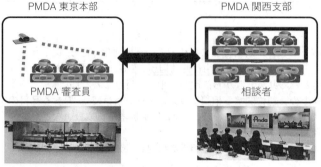

PMDA関西支部テレビ会議システム

PMDA東京本部と関西支部を接続したテレビ会議システムを利用したRS戦略相談・対面助言の実施
平成29年11月からは安全対策相談でも同システムを利用可能

※1 RS戦略相談：主に臨床開発初期試験に至るまでに必要な試験・治験計画策定等に関する相談への指導・助言
※2 対面助言：新医薬品等の治験相談ほか，各種相談

大阪府の事業により，利用者全員を対象とした利用料の減免措置（全額もしくは半額）がある。

テレビ会議システム利用状況

平成28年度	41件
平成29年度	59件
平成30年度	105件

精細な映像・クリアな音声により，対面と比較しても遜色なし!!
■交通費の削減 ■移動時間の短縮 ⇒ コスト削減の実現!!

※詳しくは，PMDAホームページへ
関西支部テレビ会議システムの利用方法 [検索]

◆関西支部テレビ会議システム利用料

相談区分	1申込当たりの相談手数料
医薬品戦略相談[※1]	1,541,600円（154,100円）[※2]
医療機器戦略相談[※1,3]	874,000円（87,400円）[※2]
再生医療等製品戦略相談[※1]	874,000円（87,400円）[※2]
再生医療等製品等の品質及び安全性に係る相談[※1,4]	1,541,600円（154,100円）[※2]
開発計画等戦略相談[※5]	73,600円
その他各種相談区分あり	
関西支部テレビ会議システムを利用	RS戦略相談・対面助言 +280,000円
	安全対策相談[※6] +70,000円

※1：1回当たりの相談時間は2時間程度。
※2：別に定める低額要件を満たす大学・研究機関，ベンチャー企業の場合は相談手数料を9割減額。
※3：体外診断用医薬品は，医療機器戦略相談にて対応。
※4：1申込で複数回の対面助言が可能。
※5：1回当たりの相談時間は30分程度。
※6：平成29年11月より関西支部テレビ会議システムが利用可能。

PMDA関西支部支援体制確立事業（平成31年度大阪府予算事業）

※平成31年度の関西支部テレビ会議システム利用料については，以下のとおり負担が軽減される

対象	減免	利用者負担
大学・研究機関，ベンチャー企業のRS戦略相談及び対面助言	全額	28万円 → 0円
上記以外のRS戦略相談及び対面助言	半額	28万円 → 14万円
安全対策相談	半額	7万円 → 3.5万円

図10．関西支部テレビ会議システムを用いた対面助言の実施

イエンス戦略相談や対面助言を実施することが可能となった。

対象となる相談枠については PMDA ホームページにて確認すること。なお，システム利用料については図 10 のとおりとなっている。

⑼ アジア医薬品・医療機器トレーニングセンター

これまでアジア諸国において，欧米で承認された医薬品は簡略審査制度等の対象となっていたが，日本の製品は欧米と同等の位置づけとされていない国が多い状況にあった。PMDA ではアジア諸国の capacity building に貢献し，欧米同様の地位を獲得すべく，平成 28 年 4 月にアジア医薬品・医療機器トレーニングセンター（アジアトレセン（PMDA－ATC））を設置し，アジア主要国に赴いた研修を含め，アジア規制当局から要望のあった分野について，審査・査察等の能力に応じて，講義資料を用いた研修（座学）のほか，ケーススタディやグループワーク，実地見学などを取り入れ，効果的なトレーニング機会を提供している（平成 30 年度は年間で計 10 回セミナーを実施し，31 の国・地域からのべ 267 人が参加した）。

アジアトレセンを通じて実施したセミナーの実績に基づき，平成 29 年 2 月に PMDA は，APEC より国際共同治験/GCP 査察領域及び医薬品安全性監視領域の 2 領域における優良研修センター（Center of Excellence）に承認され，国際的に高く評価されることとなった。また，平成 31 年 2 月にも PMDA は新たに医療機器領域の優良研修センターにパイロット認定されている。

なお，ASEAN 加盟国の受講者を多数受け入れたことにより，日・ASEAN 保健大臣会合での共同宣言（平成 29 年 7 月）では，アジアトレセンの活用などによって，ASEAN 各国の医薬品・医療機器規制を改善する旨が明記され，アジアトレセンの取組みが広く認識されるとともに，期待されていることが裏付けられた。

図11. アジア医薬品・医療機器トレーニングセンター（PMDA－ATC）

⑽ PMDA北陸支部及びアジア医薬品・医療機器トレーニングセンター研修所

　PMDAでは平成28年6月，富山県庁内にPMDA北陸支部を設置するとともに，同支部内にアジア医薬品・医療機器トレーニングセンター研修所を開設した。PMDA北陸支部では，富山県と協力してアジア各国の規制当局担当者に対し，富山県を拠点とする医薬品の製造所において，アジアトレセンが行うGMP調査に関する研修を提供している。

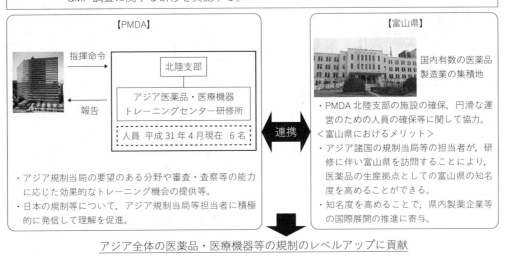

図12．PMDA北陸支部及びアジア医薬品・医療機器トレーニングセンター研修所

4．安全対策業務

　図13は，添付文書改訂のケースを中心に安全対策業務の概要を示したものである。

　医薬品等による副作用・感染症の情報は，国内だけで年間約62,000件，海外からは約490,000件，研究報告で約1,100件，措置報告で約1,500件が報告されている。

　これらの報告については，それぞれの内容を評価・分析し，厚生労働省と連携して製薬企業へ添付文書の改訂をはじめ，緊急を要する事項であればイエローレター（緊急安全性情報）やブルーレター（安全性速報）を作成して情報提供するよう指示を行っている。また，この他にも厚生労働省が毎月発行する「医薬品・医療機器等安全性情報」等の安全性情報のPMDAホームページへの掲載，医療機関等へのメール配信（PMDAメディナビ（登

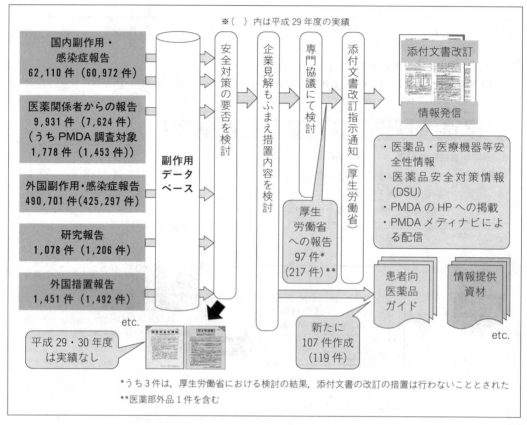

図13. 医薬品安全対策業務の流れと平成30年度実績（医薬品添付文書改訂のケース）

録件数は17万件超））による情報提供など，さまざまな方法で安全対策業務に取り組んでいる。なお，PMDAメディナビについては診療所の登録がまだ少なく，診療所の医師を重点訴求対象として登録の推進を図っているところである。

また，平成25年4月1日以降に製造販売承認申請される新医薬品とバイオ後続品については「医薬品リスク管理計画（RMP：Risk Management Plan）」の策定が求められている。

RMPとは，個別の医薬品について現時点でわかっているリスク，わかっていないリスクを特定する「安全性検討事項」，市販後に実施される情報収集活動をまとめた「医薬品安全性監視計画」，医療関係者への情報提供等，医薬品のリスクを低減するための取組みである「リスク最小化計画」を，1冊の冊子としたものである（図14）。

RMPは順次概要も含めてPMDAのホームページで公表されており，医療関係者及び製造販売業者が市販後のリスク管理の内容を広く共有することによって，安全対策の一層の充実・強化が図られることが期待される。

表10. PMDAメディナビ普及・活用の促進

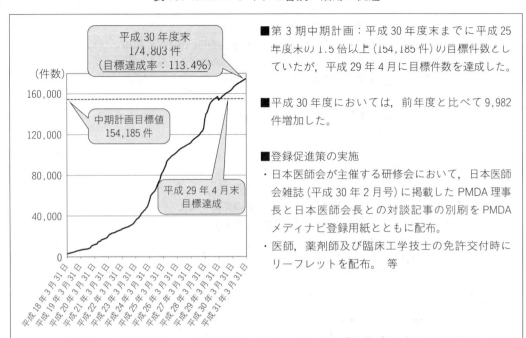

図14. 医薬品リスク管理計画（RMP）

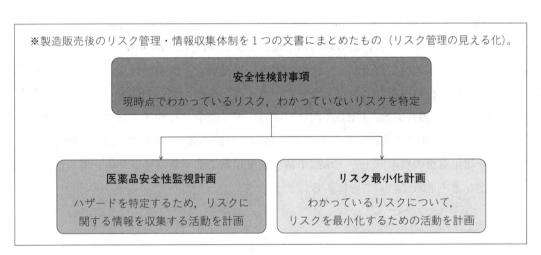

　PMDAでは今後，さらなる市販後安全対策の拡充・強化を図っていくためにも，副作用・不具合情報収集の強化，副作用等情報の整理及び評価分析の体系化，情報提供及び講じた措置のフォローアップ体制の充実・強化を図っていくこととしている。

表 11. 安全対策の拡充強化

1．副作用・不具合情報収集の強化
　・患者からの副作用報告の本格稼働後の適切な運用と国民への周知
　・医薬関係者からの報告受付，報告数の増加への取組み
　・副作用情報・不具合報告情報システムの強化　等

2．副作用等情報の整理及び評価分析の体系化
　・副作用症例に関する分析評価の質・量的な充実強化
　・安全対策措置のプロセスの標準化・透明化
　・添付文書届出制への対応　等

3．情報提供・講じた措置のフォローアップの充実・強化
　・ホームページ情報の充実・強化（医療従事者向け，一般向け）
　・PMDA メディナビの機能向上，登録促進
　・医療機関等における安全性情報の伝達・活用状況の調査等の実施　等

5．RS センターの機能

　PMDA では，従前から医薬品等の品質・有効性・安全性の科学的な評価，判断に資するレギュラトリーサイエンスに係る取組みを進めてきたが，平成 30 年 4 月にこれまでの「レギュラトリーサイエンス推進部」，「次世代審査等推進室」，「医療情報活用推進室」を中心に組織の再編を行い，新たにレギュラトリーサイエンスセンター（RS センター）を設置した。RS センターの目的は，PMDA 内におけるレギュラトリーサイエンスに係る活動を一元化することで，RS 業務における科学的課題への対応の強化・効率化を図り，審査等業務及び安全対策業務の質の向上と，承認申請・安全対策に関するガイドライン等の情報発信力の強化などを進めていくことにある。

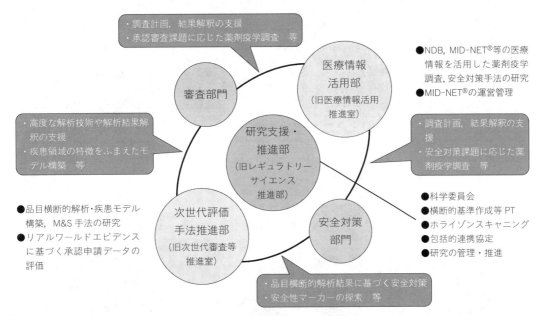

図 15. RS センターの機能

(1) 申請電子データの活用

　申請電子データ活用の意義として，申請時に申請者から臨床試験データを電子的に提出してもらい，PMDA 自らがこれらのデータを活用した解析を実施し，その解析結果をふまえた指摘や助言を行うことにより，個別の審査・相談の質の高度化が図れるようになると考えられる。また，ガイドラインの作成等を通じて審査・相談のさらなる高度化に貢献し，かつ医薬品開発の効率化にもつながるよう，先進的な解析・予測評価手法を用いて品目横断的解析を行うための体制を検討していく。

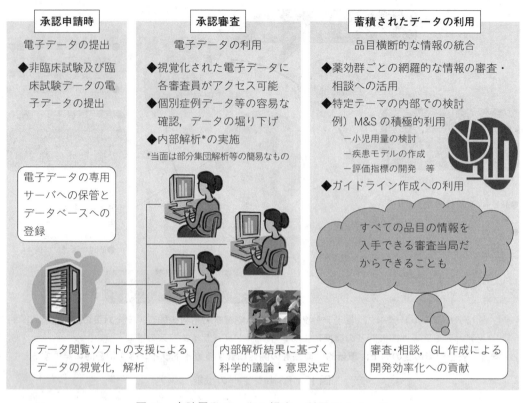

図16. 申請電子データの提出・利用のイメージ

(2) 医療情報データベース（MID-NET®）基盤整備事業

　PMDAでは，2011（平成23）年度より，厚生労働省の他，関係機関と協力して「医療情報データベース（MID-NET®）基盤整備事業」に取り組んできたが，平成30年4月より，その本格的な運用が開始された。

　これは，厚生労働省及び全国の大学病院等（10拠点・23病院）の協力のもと，電子カルテに由来する診療情報やレセプトの請求情報を収集してデータベースを構築するもので，従来の製薬企業等からの副作用報告のみでは得られなかった医薬品等の安全性情報を詳細かつリアルタイムに解析できる利点がある。

　なお，得られたデータは利活用を目的とした計画書に従い，一定の審査を行ったうえで製薬企業等の第三者による利用も可能である。

　MID-NET®の活用により，副作用の検出や発生頻度の評価など，医薬品等におけるリスク・ベネフィットの迅速な判断をより適切に実施し，安全対策の質の向上につなげていくこととしている。

　MID-NET®の主な特徴は，多数の病院データをほぼリアルタイムで1ヵ所から解析

できることにあり（オンサイトセンターは PMDA 内に設置），本格運用開始時点において，約 400 万人超のデータが利活用可能である（平成 30 年 12 月末現在 470 万人）。また，レセプト，DPC に加えて電子カルテ情報が利活用でき，さらに，検体検査結果等をアウトカム定義に含めることで，より客観的な評価が可能となる。

MID-NET®では，オリジナルデータとの一致性が確認されており，信頼性が高いレベルで確保されているので，GPSP*等に基づく調査も実施が可能である。

なお，本格運用前に実施した MID-NET®の試行調査結果が，査読付き学術誌（Pharmacoepidemiology & Drug Safety）に原著論文として公表されている。

*GPSP：Good Post-marketing Study Practice（医薬品の製造販売後の調査及び試験の実施の基準）

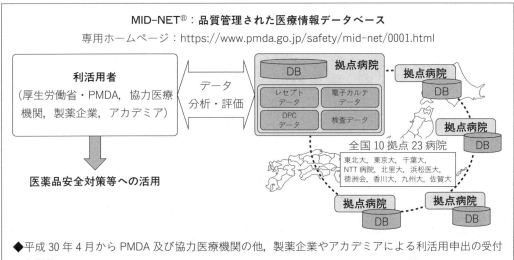

図 17．MID-NET®基盤整備事業

おわりに

　次章以降の申請・届出等の留意点，並びにマスターファイル，要指導・一般用医薬品，医療用後発医薬品に係る申請上の留意点についての理解が深まることで，薬事業務が円滑・迅速に進み，より有用な医薬品がより早く医療現場に提供されることを期待している。

（申請・届出関連の web サイト）

・PMDA：https://www.pmda.go.jp

・厚生労働省：https://www.mhlw.go.jp

第2章

医薬品医療機器総合機構による承認申請の受付業務等について

1. 受付の案内

(1) 承認申請書等の提出

PMDAにおける承認申請や届出の受付業務は，審査業務部において実施している。

医薬品，医薬部外品，化粧品関係の申請・届出は審査業務部業務第一課へ，医療機器，体外診断用医薬品，再生医療等製品関係は審査業務部業務第二課へ提出する。

提出方法は，直接，PMDA受付窓口に提出する方法と，郵送による方法がある。

(2) 提出場所及び受付時間

提出場所：�独医薬品医療機器総合機構　審査業務部業務第一課又は業務第二課

〒100-0013　東京都千代田区霞が関3-3-2　新霞が関ビル6階

医薬品，医薬部外品，化粧品関係（業務第一課）

TEL：03-3506-9437

医療機器，体外診断用医薬品，再生医療等製品関係（業務第二課）

TEL：03-3506-9509

FAX：03-3506-9442（業務第一課及び業務第二課）

※郵送による受付を希望する場合は，上記住所に必要書類を送付する。

※直接持参の場合は，6階東側の受付窓口まで。

受付時間：月曜日から金曜日(国民の祝日に関する法律に定める休日及び年末年始(12月29日～1月3日）を除く）。

9：30～12：00，13：30～17：00

※12：00～13：30の間に整理券を取った場合は，13：30からの受付となる。

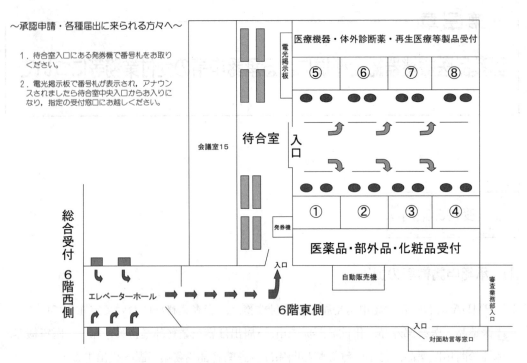

図1．新霞が関ビル6階東側平面図（PMDA：令和元年7月現在）

⑶ 受付窓口での申請・届出提出の流れ

① 6階東側左手の待合室（総合受付（西側）の反対側）に設置されている発券機から整理券を取る。
② 待合室のモニターに番号が表示されるので，整理券に記載された番号が呼ばれたら指定された受付窓口に行く。
③ 医薬品・医薬部外品・化粧品は原則①〜④番窓口で申請等を行う。1つの窓口で，2人まで着席可能（医療機器・体外診断薬・再生医療等製品は原則⑤〜⑧番窓口）。
④ 受付窓口で，申請書，申請内容が記載されたFD，申請資料等を提出する。

⑷ 受付窓口での留意点

① 受付時に申請等に必要な事項を確認するので，提出する申請等の内容を把握し，説明できる者が窓口に来ること。
② 受付窓口での質問・相談は避けること（問い合わせについてはFAX又はメールで受け付ける）。
③ 月末・週末あるいは年末・年度末は，申請等が集中し，混雑が予想されるため，比較的空いている週明け等を利用すること。
④ 一度の申請・届出数が多数に及ぶ際は受付を行わず，いったん書類を預かる場合が

あること（申請・届出が多数に及ぶ場合は，事前にその旨を連絡すること）。
⑤ 申請書に不備がある場合，受付できないことがあるので，提出前に内容を十分確認すること。

⑸ 郵送提出における留意事項

① 同一の種別の申請・届出は，同一の封筒・箱等で送付する。また，封筒・箱等の表面には，申請・届出の種別を明記する。
② FD等のデータと申請書類の順番をそろえること。
③ 受付票及びPMDAの受領印を押印した申請，届出の控え分（受付控）の返送を希望する場合，そのための信書便に対応した返信用封筒を必ず同封すること。
  なお，受付控えの他，承認書等の交付についても郵送を希望する場合は，返信用封筒は2部必要となる。
④ 受付窓口での提出と同様，申請書の記載内容に不備がある場合には，再送付等により受付までに時間を要することや，受付できないことがあるので，提出前に記載内容を十分確認すること。

⑹ その他留意事項

申請書及び届書データ作成前には必ず厚生労働省のホームページを確認するとともに，医薬品医療機器等法対応医薬品等電子申請ソフトの最新版をインストールして使用すること（電子申請ソフトは，適宜不具合の修正や各種マスターデータの内容更新及び修正を行っている）。

また，承認申請書，届書，差換え願については，頁の紛失を防ぐため，品目ごと，正

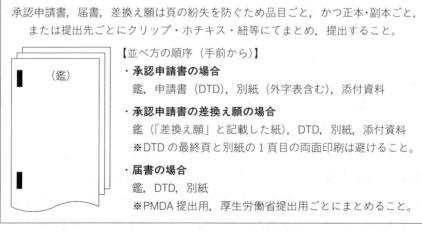

図2．提出書類のまとめ方

本，副本ごと，または提出先ごとにクリップ，ホチキス，紐等にてまとめ，提出すること。

2．受付における留意点

(1) 申請書の不備

申請書の鑑とFD上の提出日が異なっているものや，手数料コード，製造販売業許可番号，製造業許可番号，外国製造業者認定番号等の記載不備，申請区分が誤っているケース等も見受けられる。また，収入印紙は各品目の正本にそれぞれ貼付する必要があるので，収入印紙購入の際や貼付する際には必ず確認すること。受付にあたっては，申請日や審査調査申請書の手数料の金額などを訂正印や捨印で修正することは認められていないため，再提出となった場合はさらに時間を要することとなるので，提出前に十分確認する必要がある。また，平成26年11月25日の医薬品医療機器法施行より前の申請区分の差換え願については，旧FD申請ソフトで作成する必要があるので注意すること。

なお，フロッピーディスクにて申請書・届書を提出する場合，データが破損している等の不具合が見受けられるので，可能な限りCD-Rで提出すること。また，他の端末でも読み込めるように設定を行ってから提出すること（提出された電子媒体に不具合があると，再提出ということになるので，提出前に十分確認すること）。なお，FD申請データ提出用の電子媒体に，FD申請データ以外の審査用資料を保存しないこと。

(2) 受付できない事例

◆承認申請及び一部変更承認（以下，「一変」という）申請の場合
・正本・副本に代表者印が押印されていない（会社印のみでは不可）。
・副本鑑がコピーである（副本にも代表者印が必要）。
・鑑とFDの提出日が異なる。
・手数料コードが抜けている（あるいは誤っている）。
・申請区分を間違えている。
・製造販売業許可証の写しがない（申請品目数分の枚数を提出する必要あり）。
・「添付資料有」と入力しているにもかかわらず添付資料がない。
・承認審査調査申請書と承認申請書の日付や申請者の住所，販売名が異なる（日付は承認書や認定書の鑑にも記載されるため，差換え時も含めて確認すること）。
・一変申請の際に過去の承認書，一変承認書，軽微変更届等の写しがない。また，備

考欄に履歴の記載がない。

・製造所情報欄の「適合性調査の有無」を「有」と入力しているにもかかわらず，その「提出予定先」が入力されていない。

・承認審査調査申請書の区分に，医薬品医療機器法関係手数料令の条項ではなく，「申請区分」を記載している。

・提出部数が不足している（例：複数の品目をまとめて申請する際に，審査調査申請書や製造販売業許可証の写しが1部しか提出されていない（1品目につき1部必要））。

・差換え願について，平成26年11月24日以前（医薬品医療機器法施行以前）の申請分であるにもかかわらず，新FD申請ソフト（医薬品医療機器法対応）で作成している。

・収入印紙に消印が押されている。

・複数品目分の収入印紙が1つの品目に貼付されている（品目ごとに必要な金額の収入印紙を正本の鑑に貼付すること）。

・申請書の鑑を差換える際，あて先を差換え願提出日時点の厚生労働大臣名としている（申請のあて先は「厚生労働大臣　殿」で可（厚生労働大臣名を記載する場合は，申請日時点の厚生労働大臣の氏名を記載すること），承認・審査調査申請書におけるPMDA理事長の記載についても同様で，氏名の記載は不要である）。

3．新医薬品の承認申請についての留意点

(1) 承認申請前における留意事項

　新医薬品及び新一般用医薬品の承認申請にあたっては，事前に表1に示した事項を記載したFAXにより連絡すること（FAXは直前ではなく，できるだけ早めに送付すること）。申請資料がeCTDである場合，または申請区分8（剤形追加に係る医薬品（再審査期間中のもの））と公知申請品目についても事前連絡の必要がある。

　ただし，申請資料がeCTDでない場合，新医薬品の申請区分10（その他の医薬品（再審査期間中のもの））や10-2（その他の医薬品（再審査期間中のものであって，生物製剤等の製造方法の変更に係るもの））といった事務局審査品目については，資料等の量も少ないため，基本的に事前連絡の必要はなく，窓口あるいは郵送での提出を可としている。

　再審査申請においても，資料の量などを考慮し，新医薬品と同様，事前にFAXにて連

絡すること（FAX については，新医薬品に準じて必要事項を記載すること）。また，再審査申請については，郵送での申請も可能であるが，その場合も FAX にて事前に連絡すること。

なお，当日の申請状況にもよるが，場合によっては提出日時の変更をお願いすることがあるので，あらかじめ了承されたい。

表１．新医薬品承認申請前の留意点（新一般用医薬品を含む）

次に示す内容を記載し，審査業務部業務第一課新医薬品受付担当（新一般用医薬品は一般用医薬品受付担当（GCP を除く））あてまで FAX にて連絡する。なお，申請電子データシステムにて申請する新医薬品については，FAX での連絡は不要。
＜FAX の記載事項＞
・提出希望日時（例：7 月 10 日　9 時 30 分）
・販売名
・申請区分（例：(1)　新有効成分含有医薬品）
・新規・一変の別（例：新規）
・手数料コード（例：GAA）
・搬入資料量（例：ダンボール 12 箱（審査部に直接提出））
・GCP 及び GLP 関連の提出資料の有無（例：GCP 適用治験報告票）
・その他特記事項（例：参考品目の eCTD を同日提出いたします）

⑵　eCTD の提出

　eCTD の提出にあたっての留意事項は，表 2 に示したとおりである。作成方法における技術的な相談については，eCTD 担当者にメールにて相談すること（申請電子データシステムに関する問い合わせについては，申請電子データシステムのヘルプデスク（fd_iyaku@pmda.go.jp）に連絡すること）。また，作成の際は，表 2 に示した関連通知等を参考にすること。

第2章　医薬品医療機器総合機構による承認申請の受付業務等について　**35**

表 2 ．eCTD の提出（参考通知等）

・eCTD 提出前の管理番号の付番に関しては，審査業務部業務第一課あてに連絡すること。

・参考・正本問わず eCTD 提出の際には，カバーレター（正 1 部）と eCTD に陳述書を含む場合はその書面を提出する。

　なお，控えが必要な場合は，副本を同時に提出すること。動作確認が完了次第，受領印を押印した副本を返却する。

・eCTD の動作確認については，確認ができ次第，審査業務部業務第一課の担当より結果を連絡する。

・eCTD に関する技術的な質問については，電話ではなく，メールにて相談されたい（eCTD 担当者あて（ectd@pmda.go.jp））。

＜eCTD 作成等に係る参考通知等＞

・「コモン・テクニカル・ドキュメントの電子化仕様について」

　（平成 15 年 6 月 4 日医薬審査発第 0604001 号医薬局審査管理課長通知）

・「『コモン・テクニカル・ドキュメントの電子化仕様について』の一部改正について」

　（平成 16 年 5 月 27 日薬食審査発第 0527001 号医薬食品局審査管理課長通知）

・「電子化コモン・テクニカル・ドキュメント（eCTD）の取扱いについて」

　（平成 17 年 6 月 29 日薬機発第 0629005 号独立行政法人医薬品医療機器総合機構理事長通知）

・「コモン・テクニカル・ドキュメントの電子化仕様資料提出時の取扱いについて」

　（平成 21 年 4 月 1 日医薬食品局審査管理課事務連絡）

・「新医薬品の製造販売の承認申請に際し承認申請書に添付すべき資料に関する通知の一部改正について」

　（平成 21 年 7 月 7 日薬食審査発 0707 第 3 号医薬食品局審査管理課長通知）

・「『コモン・テクニカル・ドキュメントの電子化仕様の取扱いについて』の一部改正について」

　（平成 28 年 8 月 24 日薬生薬審発 0824 第 3 号医薬・生活衛生局医薬品審査管理課長通知）

・「『コモン・テクニカル・ドキュメントの電子化仕様について』に関する Q&A について」

　（平成 29 年 7 月 5 日医薬・生活衛生局医薬品審査管理課事務連絡）

※eCTD 国内情報提供ページ：https://www.pmda.go.jp/int-activities/int-harmony/ich/0009.html）

---

4 ．GMP 適合性調査申請の留意点

　医薬品医療機器法第 14 条では，医薬品の製造販売承認の要件として，その医薬品の製造所の製造管理・品質管理の方法が「医薬品及び医薬部外品の製造管理及び品質管理の基準に関する省令」（平成 16 年 12 月 24 日厚生労働省令第 179 号（GMP 省令））で定める基準に適合していなければならないと定めている（承認申請から承認までの手続きの中でGMP 適合性調査が実施される）。

⑴ 承認・一変申請のGMP申請

GMP適合性調査は，審査と並行して別途実施される。一部変更承認申請（一変申請）の場合を含め，製造販売承認申請に係るGMP適合性調査の申請については，品目単位の申請となる。なお，申請する際，複数の品目に用いられる原薬の場合，一物多名称品目同士の場合，同一の試験検査機関において複数の試験検査を行う場合は，一括申請が可能なため，調査申請書の備考欄に一括申請であることを記載する。

表3．承認・一変申請のGMP申請

・申請は，1製造所・1製剤が基本となる（同じ製造所であっても，異なる剤形ごとで申請が必要）。
・申請する製造所における工程区分で申請する（滅菌区分を有する製造所でも，包装工程のみを行っているのであれば，包装の区分で申請することになる）。
・複数の品目に用いられる原薬の場合，一物多名称品目同士の場合，同一の試験検査機関において複数の試験検査を行う場合は，一括して申請を行うことが可能であり，手数料は1件分と算定する。
　また，一括申請の場合は，申請書の備考欄に一括した申請である旨を記載する。
・申請書中の【申請品目】には，該当する承認申請受付番号と承認申請年月日を記載する。

＜参考＞
「GMP適合性調査申請の取扱いについて」（平成27年7月2日薬食審査発0702第1号，薬食監麻発0702第1号医薬食品局審査管理課長，監視指導・麻薬対策課長通知）

⑵ 定期調査（更新）のGMP申請

承認後5年ごとに実施する定期のGMP適合性調査の申請については，製造所単位の申請となる。承認を取得している製造所における製造管理，品質管理の方法は，GMP省令に適合しているかについて，承認を取得しようとする時及び承認取得後5年ごとに，書面又は実地による適合性調査を受ける必要がある。

表4．定期調査（更新）のGMP申請

・基本的に製造所単位の申請となる。
・手数料の基本的な考え方は，申請品目の中で最も上位の調査対象となる手数料区分の基本単価＋各品目が該当する調査対象の工程に係る手数料区分の品目単価×調査対象に該当する品目数となる。
・申請書中の【申請品目】には該当する承認番号と承認年月日を記載する。

＜参考＞
「原薬に係る定期のGMP適合性調査の質疑応答集（Q&A）について」
（平成21年9月18日医薬食品局監視指導・麻薬対策課事務連絡）

⑶　医療用原薬に係る同一性確認届書

医療用原薬に係る同一性確認届書については，「GMP適合性調査申請の取扱いについて」（平成27年7月2日薬食審査発0702第1号，薬食監麻発0702第1号医薬食品局審査管理課長，監視指導・麻薬対策課長通知）により，製造販売承認品目の製造に用いる原薬が，すでに他の製造販売業者の申請によりGMP適合性の確認がなされていれば，通知日より2年以内の適合性調査結果通知書の写し及び同一性を証明する書類を添付し同一性確認届書を提出すれば，当該原薬に係るGMP定期調査を受ける必要はない。

表5．医療用原薬に係る同一性確認届書

・医療用原薬の定期適合性調査申請の取扱いについても，その省略を求める手続きを定めた。
・当該届書を提出する際は，通知日より2年以内の適合性調査結果通知書の写し及び同一性を証明する書類を添付する。

＜関連通知等＞
・「GMP適合性調査申請の取扱いについて」
　（平成27年7月2日薬食審査発0702第1号，薬食監麻発0702第1号医薬食品局審査管理課長，監視指導・麻薬対策課長通知）

表6は，医療用原薬に係る定期適合性調査申請の省略を求める手続きの際に必要となる書類や，記載及び提出上の注意点についてまとめたものである。

その他，GMP関連については，PMDAホームページ（承認審査業務「GMP関連」（https://www.pmda.go.jp/review-services/gmp-qms-gctp/gmp/0001.html））を参照されたい。

表 6 ．定期適合性調査申請の省略を求める手続き等

提出書類等		記載・提出上の注意
医療用原薬に係る同一性確認届書 （提出部数 1 部）		①薬食審査発 0702 第 1 号，薬食監麻発 0702 第 1 号別紙 1 の様式（国内製造と外国製造は別の書式）により，製造所ごとに記載し提出する ②提出先は PMDA ③原則，FD 等及び打ち出し書面で提出する ④法人の場合，代表者名で提出し，代表印が必要となる
添付書類	適合性結果通知書の写し	①通知日より 2 年以内の適合性調査結果通知書の写し ②調査実施最終日から 2 年以内の日付の報告書及び通知日から 5 年以内の適合性調査結果通知書の写し
	同一性に関する証明書	①薬食審査発 0702 第 1 号，薬食監麻発 0702 第 1 号別紙 2 で示された事項等に記載のある証明書 ②製造所の責任者名又は製造管理者名で提出し，その者の押印が必要となる ※外国製造所の場合は MF 国内管理人名も可

5 ．医薬品等外国製造業者認定申請の留意点

⑴ 「外国製造業者コード」の取得

　　外国製造業者の認定を受ける場合，「外国製造業者コード」の取得が必要となるが，代行者が申請して取得することも可能である。取得にあたっては「業者コード登録票」に必要事項(外国製造業者の氏名，住所及び製造所の名称，所在地等)を記載のうえ，PMDA あてに FAX を送付する。

　　なお，訂正・取消しの場合は「外国製造業者コード（訂正・取消）願」を PMDA あてに FAX にて送付すること。

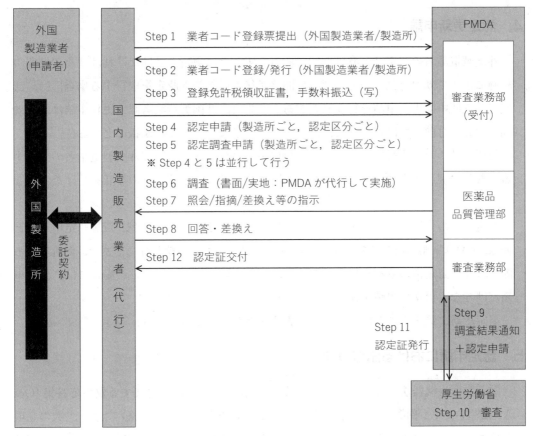

図3．外国製造所認定申請から認定取得までの流れ

(2) 外国製造業者認定申請代行業者

　外国製造業者認定申請手続きについては，外国製造業者（申請者）の製造に係る医薬品の関係製造販売業者が代行することができる。しかし，関係製造販売業者に手続きを代行できない正当な理由があれば，当該外国製造業者から委託を受けた者（製造品目等の内容を把握し，申請者との連絡に責任をもつこと）による代行も可能である。その場合，代行者が作成する関係製造販売業者が代行できない旨の理由書，委託した代行者との契約書の写し又は委任状を申請書へ添付して申請する。

(3) 認定区分

　医薬品等の外国製造業者認定区分については，国内の医薬品製造販売業許可区分と同様，5区分となっている（医薬品医療機器法施行規則第36条第1項第1～5号）。製造する医薬品の種類や製造工程により，必要な認定区分を取得する。なお，認定の有効期限は5年となっている。

⑷ 認定更新申請

外国製造業者の認定は，有効期間である5年ごとに更新を受けなければ，その期間の経過によって効力を失うので，認定期間終了後も引き続き認定を取得する場合には，認定有効期間中に更新申請を行う必要がある。また，外国製造業者認定更新申請は，有効期限の5ヵ月前までに行う。なお，有効期間満了後の申請は新規扱いとなる。

更新申請の手続代行については，新規申請の場合と同様，当該外国製造業者の製造する医薬品の製造販売業者，またはその外国製造業者から申請代行の委託を受けた者となる。

認定更新の申請は，認定更新申請書を提出することにより行うが，新規認定申請時と同様，PMDA理事長あての認定申請調査申請書もあわせて提出する。また，更新申請の際は，元の認定書の原本を提出しなければならないが，万一紛失した場合には，更新申請だけでなく再交付申請手続きも必要となる。

認定更新に係る手続きについては，表7のとおりとなっている。

⑸ 認定申請における添付資料

医薬品医療機器法施行規則第283条及び「外国製造業者認定に関する質疑応答集（Q&A）について」（平成18年2月14日医薬食品局審査管理課事務連絡）により，次の6項目については，日本文以外の場合，日本語訳を添付すること（添付していないものが見受けられるので留意すること）。また，英文以外の言語を日本語訳とした場合は，日本語訳を行った者の翻訳証明をあわせて提出すること。なお，構造設備の資料については英文でもかまわない。

・自己宣言書（医師の診断書）
・製造所の責任者の履歴
・業務分掌表（説明文がある場合）
・委任状
・関係製造販売業者が代行できない理由書
・遅延理由書

第2章　医薬品医療機器総合機構による承認申請の受付業務等について　41

表7．医薬品外国製造業者認定の更新申請手続き

申請書類	提出部数	記載上の注意・手数料等
外国製造業者認定更新申請書（様式二十）	2 〔正 1 副 1〕	・申請者の印又はサインが必要。 ・複数区分をまとめて，一括申請ができる。 ・構造設備の概要欄は別紙のとおりと記載。 ・備考欄記載 　①「薬局等構造設備規則」に適合している旨記載，適合していない場合は認定にならない。 　②関係製造販売業者が代行する場合は代行者の連絡先及び「関係製造販売業者による代行」と記載。 　③更新時までに変更した履歴を全て記載。 ・手数料　収入印紙　¥23,400
外国製造業者認定の更新調査申請書（様式十六の(2))	1	・PMDA 手数料（書面¥42,900，実地¥69,700＋旅費） ・申請時には，書面の手数料を振り込む。
添付資料 ①外国製造業者認定証（原本）	1	・区分追加を行っている場合は，区分追加認定書も併せて提出。
②構造設備の概要一覧表（様式(2)-1）	2	・平成22年10月13日薬食発1013第2号医薬食品局長通知で改正された様式を使用し，記載。 ・作業所，貯蔵設備，試験検査設備の面積欄は，別紙図面のとおりとし，面積が識別できる平面図を添付。
ア　他の試験検査機関等の利用概要（様式(2)-2）		・他の試験検査機関等を利用する場合，様式(2)-2により記載。
イ　無菌製剤作業所の構造設備の概要（様式(2)-3）		・無菌区分の製造所である場合，様式(2)-3により記載。
ウ　別紙平面図		・上記で記載された別紙図面。
その他の注意事項		内　容
更新申請時期		・事務処理に5ヵ月程度かかるため，有効期限の5ヵ月前を目途に申請。
申請代行者		・関係製造販売業者が代行することを原則とする。 ・上記以外の者が代行者となる場合は，①関係製造販売業者が代行できない旨の理由書。②当該代行に係る外国認定申請者との契約書の写し又は委任状を申請時に追加添付すること。また，品目等の内容を把握し，申請者との連絡に責任を持つことが必要である。
認定証を紛失した場合		・更新申請と同時に再交付申請書を提出。

⑥　認定申請にあたっての注意事項

　申請者が法人である場合，代表者（代表権のある役員）が申請を行うこととなるが，例えば工場長であっても，法人の代表者でなければ申請者としては認められない（「外国製造業者認定に関する質疑応答集（Q&A）について」（平成18年2月14日医薬食品局審

査管理課事務連絡))。製造所の責任者とは，当該製造所において製造管理及び品質管理に直接的な責任を有する者のことをいう。

　また，認定申請前に当該外国製造業者が認定を取得していないことを必ず確認のうえ，認定申請を行うこと。

　認定または認定の更新を受けている外国製造業者一覧については，PMDA ホームページ*にて公表しているので確認されたい（月 2 回をめどに更新）。

　なお，認定申請にあたっては，登録された業者コードの名称・所在地を正確に記載すること。

*https://www.pmda.go.jp/review-services/drug-reviews/foreign-mfr/0003.html

⑺ 認定申請に係る通知

　医薬品及び医薬部外品に関する外国製造業者認定については，次の通知を参照されたい（表 8）。なお，①の通知は添付資料の代行手続きに係る留意事項について，②の通知は添付資料である製造設備の概要一覧の様式について定められている。

表 8．認定申請に係る通知

① 「医薬品及び医薬部外品に関する外国製造業者の認定申請の取扱いについて」 　　（平成 22 年 10 月 8 日薬食審査発 1008 第 1 号医薬食品局審査管理課長通知） 　ア 「疎明する書類」等の詳細を定めた。 　イ 「製造所の責任者の履歴を記した書類」の記載内容を示した。 　ウ 「製造品目一覧及び製造工程に関する書類」は，別紙様式により記載する。 　エ 関係製造販売業者が代行することを原則とし，その責務を定めた。 　オ 例外的に関係製造販売業者以外が代行する場合のその条件と添付資料等を示した。 　カ 外国代表役員及び代表権のない業務を担当する役員を識別できる業務分掌表を添付する。 　キ その他 ② 「医薬品等の製造業の許可及び外国製造業者の認定の申請書に添付する様式等の改正について」 　　（平成 22 年 10 月 13 日薬食発 1013 第 2 号医薬食品局長通知） 　ア 「構造設備の概要一覧表」等の様式を改正し，記載内容を示した。 　イ 当面の間，旧様式を使用しても良いこととした。 ③ 「医薬品・医薬部外品外国製造業者認定の更新・廃止等の手続きについて」 　　（平成 28 年 3 月 30 日薬生審発 0330 第 4 号医薬・生活衛生局審査管理課長通知） ④ 「医薬品等の製造業許可，外国製造業者認定等に関する質疑応答集（Q&A）について」 　　（平成 28 年 3 月 29 日医薬・生活衛生局審査管理課，監視指導・麻薬対策課事務連絡）

⑻ 申請書に多く見られる不備

　外国製造業者認定申請書に多く見受けられる不備については，本章「2．受付における留意点」の「(1)　申請書の不備」の項で述べたとおりである。特に登録免許税の領収証書については，原本を申請書の裏面へ貼付することとなっているが，コピーが貼付されている事例（コピー不可）や，提出部数が不足（2部必要であるにもかかわらず，1部しか提出されていない）している事例，業務分掌表が添付されていない事例，海外申請者企業名と製造所の住所のスペルが，認定申請書と認定調査申請書で異なっている事例などが多く見受けられるので，提出前に十分確認すること。なお，承認申請にくらべて書類の不備が多くなっているので注意すること。

⑼ 不適正な事例

◆外国製造業者認定の場合
　・鑑と FD の提出日が異なる。
　・鑑に申請者の法人名の記載がない。
　・手数料コードが抜けている。
　・登録免許税領収証書の原本が貼付されていない（コピー不可）。
　・更新の場合，認定証原本が添付されていない。
　・業務を行う役員が医薬品医療機器法第5条第3号のホ及びへに該当しないことを疎明する書類又は医師の診断書が添付されていない（コピー不可）。
　・業務分掌表が添付されていない。
　・「業務を行う役員が識別できる」業務分掌表になっていない（業務を行う役員に印を付すだけでなく，「印を付した者が業務を行う役員である」旨の文言も必要）。
　・代表者が業務を行う役員に入っていない。
　・和訳が添付されていない（英文以外の場合，翻訳証明も必要）。
　・申請書類の提出を外国製造業者の製造に係る医薬品の関係製造販売業者が代行できない場合，その理由書と，別に委託した代行者への委任状，契約書等が添付されていない（更新，書換交付・再交付申請も同様）。
　・外国製造業者のサインが直筆でない（コピー不可）。
　・すでに同一の製造所が認定を受けている。
　・提出部数が不足している（正・副　各1通）。※変更届は正本1通
　・添付資料（現地の許可証等）が不足している。
　・備考欄に必要な記載がない(例：「薬局等構造設備規則に適合している」，「代行者に関する情報」，「関係製造販売業者による代行」，「更新までに変更した履歴のすべて」

等)

・【認定番号及び認定年月日】欄の【認定年月日】が「有効期間」の「始期」になっていない（認定「証明年月日」ではない）。

・「業務を行う役員」の変更届において，【申請者の欠格条項】が入力されていない。

・変更届における「変更年月日」が，実際に変更があった日になっていない（変更を知った日や届出の提出日ではない）。

・変更届において【変更内容】欄の【事項】と【変更前】，【変更後】の「タイトル」が一致していない。

・変更届が「変更年月日」ごとに提出されていない（異なる「変更年月日」を1つの届出として提出することは不可）。

6．届出の留意点

(1)　軽微変更届

軽微変更届の留意事項については，表9のとおりである。提出期限については，医薬品医療機器法施行規則第48条第2項に「軽微な変更をした後30日以内」に届けることと定められている。

第 2 章　医薬品医療機器総合機構による承認申請の受付業務等について　45

表 9．軽微変更届

---

① 届出について（医薬品医療機器法第 14 条第 10 項）
・厚生労働省令で定める軽微な変更について，厚生労働省令に定めるところにより，厚生労働大臣にその旨を届け出なければならない。
② 軽微変更届において留意すべき事項
・軽微な変更を行った後，30 日以内に届出（医薬品医療機器法施行規則第 48 条第 2 項）
　※医療用医薬品について，30 日を超えての届出となる場合は，医薬品変更届出事前確認簡易相談（又は後発医薬品変更届出事前確認簡易相談）を申し込むこと。
　※一般用医薬品について，30 日を超えての届出となる場合は，遅延理由書を提出すること（1 年を超える場合については，厚生労働省医薬・生活衛生局医薬品審査管理課に相談すること）。
・変更年月日：当該変更により製造された製品の出荷日又は当該変更を行った時点（届出者が適切に判断）
・添付書類：製造方法等変更時の取扱いとして，一変申請同様，変更内容を明らかにする「新旧対照表」，変更管理を実施した旨の「宣誓書」（宣誓者は届出者）等
・変更内容の妥当性
　→　審査は次回の一変申請の際行われる。
　→　変更管理の確認等は，GMP（定期調査）の際行われる。

　軽微変更された内容は承認事項となるが，軽微変更届の記載に誤りがあり，訂正のため再度届出を行うといった事例が見受けられる。提出前に再度確認することをお願いしたい。

　次のア〜オの変更については，軽微変更届による受付はできず，一変申請の対象となるので留意されたい（医薬品医療機器法施行規則第 47 条）。

　ア　品目の本質，特性，性能及び安全性に影響を与える製造方法の変更

　イ　規格及び試験方法の事項の削除及び規格の変更

　ウ　病原因子の不活化又は除去方法の変更

　エ　用法・用量，効能・効果の追加，変更，削除

　オ　その他，製品の品質，有効性，安全性に影響を与えるおそれがあるもの

※イについては，規格の本質ではなく，規格値の適合性の判断基準を厳しくする場合のみ，軽微変更届に該当する。

なお，軽微変更届について参考となる Q&A 等には表 10 に示したものがある。

表 10．軽微変更届について参考となる Q&A 等

「医薬品等の承認申請等に関する質疑応答集（Q&A）について」
・平成 18 年 12 月 14 日医薬食品局審査管理課事務連絡（Q 19〜Q 34）
　（※軽微か一変かの手続きも含む。）
・平成 19 年 1 月 12 日医薬食品局審査管理課事務連絡（Q 6〜Q 9）
・平成 20 年 8 月 26 日医薬食品局審査管理課事務連絡（Q 4〜Q 6）
・平成 28 年 10 月 27 日医薬・生活衛生局医薬品審査管理課事務連絡
　（Q 1〜Q12）
「軽微変更届出の範囲の明確化に関する検討結果について」
・平成 22 年 6 月 28 日医薬食品局審査管理課事務連絡

⑵　承継届

　承継が認められるものは，承認取得者について相続，合併，分割があった場合と，承認取得者が承継者との契約により，その地位を承継させる場合である。いずれの場合も，承継の対象となる医薬品に関する品質，有効性及び安全性について，一切の資料及び情報を引き継ぐことになる。

　承継届にあたって留意する事項は，表 11 のとおりである。承継届は原則として，承継予定日から起算して 1 ヵ月前までに，相続の場合であれば，承継後遅滞なく承継者であることを証する書類を添えて PMDA あてに提出する。

　なお，承認申請中あるいは一変申請中の品目の承継は，合併等により被承継者（当該医薬品の承認申請者）が消滅する場合のみ認められる。

第2章　医薬品医療機器総合機構による承認申請の受付業務等について　47

表11.　承継届

① 届出について
・医薬品等の承認を受けた者について，相続，合併，分割があったときは，相続人（法人）等は，当該医薬品等承認取得者の地位を承継する（医薬品医療機器法第14条の8第1項）。
・承継者は，相続の場合相続後遅滞なく，それ以外は，承継前に厚生労働省令に定めるところにより，厚生労働大臣に届出（医薬品医療機器法第14条の8第3項）。
・医薬品医療機器法第14条の8第1項「品目に係る資料等」（医薬品医療機器法施行規則第69条第1項）
　ア　製造業許可（認定）申請時の資料
　イ　承認（一部変更承認）申請時の資料
　ウ　再審査申請の際の資料
　など9項目
② 承継届において留意すべき事項
・承継者，被承継者ともに承継品目に応じた種類の製造販売業の許可を有していること。
・承継日の1ヵ月前までに提出すること。
・承認取得者の地位を承継するものであることを証する書類を添付すること。
・添付資料
　ア　契約書の写し
　イ　被承継者の誓約書
　ウ　承認書の写し
　エ　輸入契約書の写し（輸入の場合）
　オ　登記事項証明書（合併等登記を要する場合）
※契約書の写し，誓約書，承継届について，承継日や品目の情報に「ずれ」がないか，提出前に確認すること。
※その他承認後1年未満のもの（1年以上であっても製造販売の実績がないもの），一変申請中のものは原則承継できない。

⑶　輸出届

　輸出届は，医薬品等を輸出するために製造等*をし又は輸入しようとする者が行う。取扱いについては表12のとおりである。

*他に委託して製造する場合も含む。

表 12. 輸出届

・医薬品等を輸出のために製造等をし又は輸入しようとする者が行う（医薬品医療機器法施行令第 74 条第 1 項）。
・国内で流通しうる形態のまま輸出する場合には届出不要

＜関係通知等＞
・「輸出用医薬品等の届出の取扱いについて」
  （平成 20 年 11 月 11 日薬食審査発第 1111001 号医薬食品局審査管理課長通知）
・「輸出用医薬品等の届出の取扱いに関する質疑応答集（Q&A）について」
  （平成 20 年 11 月 11 日医薬食品局審査管理課事務連絡）
・「薬事法等の一部を改正する法律等の施行等について」
  （平成 26 年 8 月 6 日薬食発 0806 第 3 号医薬食品局長通知）

⑷ 不適正な事例

◆軽微変更届の場合

・新旧対照表や宣誓書が添付されていない。

・変更日より提出日が 30 日を超えている場合の遅延理由書が提出されていない。

・代表者印が押印されていない。

※承認書の写しや業許可証の写しは添付不要

7. 簡易相談

⑴ 手続方法

　申込日は，相談予定日からさかのぼって 2 週間前の種別ごとに指定する曜日となる。定められた日時に，FAX で対面助言（簡易相談）予約依頼書（PMDA ホームページからダウンロードできる）を送信して予約申込みを行う。

　FAX 送信後，PMDA から簡易相談実施の連絡があるので，その連絡を受けた翌日から 3 勤務日以内（土日，国民の祝日に関する法律に定める休日及び年末年始を除く）に所定の手数料を振込み，簡易相談申込書を FAX にて提出する。

　なお，予約依頼書の相談区分，代表者名，連絡先等の記入漏れが多く見受けられるので，FAX 送信前に再度確認されたい。

表 13．簡易相談の手続き方法

＜簡易相談実施要綱＞
　「独立行政法人医薬品医療機器総合機構が行う対面助言，証明確認調査等の実施要綱等について」
（平成 24 年 3 月 2 日薬機発第 0302070 号独立行政法人医薬品医療機器総合機構理事長通知）
＜手続方法＞
① 申込日時：2 週間前の各種別で指定する曜日，時間
② 簡易相談の予約
　・FAX で対面助言（簡易相談）予約依頼書を送信する。
③ 簡易相談予約の決定
　・PMDA 担当者から FAX にて相談実施の連絡
④ 簡易相談申込書の提出
　・PMDA から相談実施の連絡が来た日の翌日から 3 勤務日以内に FAX で提出。
　・手数料振込金受取書のコピーも忘れずに添付

⑵　簡易相談の実施場所

　実施場所は PMDA の所定の場所，または PMDA と電話回線によるテレビ会議システムを導入している場所（関西医薬品協会・一般社団法人富山県薬業連合会）となる。テレビ会議システムによる簡易相談を希望する場合は，申込みの際に「関西医薬品協会・一般社団法人富山県薬業連合会での簡易相談を希望」というように，希望する場所を必ず備考欄に記載すること。

　また，GMP/QMS 調査，GCTP 調査に関する相談に限り，PMDA 関西支部調査課にて対応できる場合があるので，希望する場合には備考欄に「関西支部での簡易相談を希望」と記載すること。

⑶　予約申込日時

　簡易相談の予約申込みについては，表 14 にあるように，相談区分によって曜日・時間が異なっている（月ごとの予定表を PMDA ホームページに掲載しているので確認のうえ，予約申込みを行うこと）。なお，定められた日時以外に申し込んでも受付はできないので留意されたい。その場合，再度決められた日時に FAX で申し込むことになる。また，相談枠を超えてしまった場合には，次の相談申込日に再度申込みを行うこと。

表14. 簡易相談の予約申込日時

	月曜日	火曜日	水曜日
10：00〜 11：30	後発医療用医薬品	一般用医薬品	医薬部外品 防除用製品
13：30〜 15：00	新医薬品（新医薬品の記載整備，MFのみ）	医薬品 GCP/GLP/GPSP 調査 GMP/QMS 調査 GCTP 調査 医薬品/後発医薬品変更届出事前確認簡易相談	

＊相談日の2週間前の指定する日時内に FAX にて申し込むこと。
＊予約申込日が祝日の場合は，各曜日直前の勤務日の 13：30〜15：00 が予約申込日時となる。
＊予約受付時間帯以外は，受付けない。
＊PMDA ホームページ（https://www.pmda.go.jp/）で予約日を確認すること。

⑷ 相談日時・相談時間・手数料

相談日時・相談時間・手数料については，表15，表16に示したとおりである。

特に簡易相談の利用にあたっては，事前に相談時間を確認するとともに，時間内に収まるようにしていただきたい。

表15. 簡易相談の相談日時

区　分	曜　日	時間帯
後発医療用医薬品	火曜日	10：00〜12：00
	木曜日	13：30〜16：00
一般用医薬品	水曜日	10：30〜12：00
	金曜日	13：30〜17：00
防除用製品	火曜日	13：30〜17：00（医薬部外品と併せて）
医薬部外品	火曜日	13：30〜17：00
	金曜日	10：30〜12：00
新医薬品 医薬品 GCP/GLP/GPSP 調査 GMP/QMS 調査 GCTP 調査	当該週内で日程調整のうえ決定	

＊当月及び翌月の相談予定日は PMDA ホームページ（https://www.pmda.go.jp/）に掲載。
＊関西医薬品協会・一般社団法人富山県薬業連合会での実施可能な日時が変更される場合があるので，予約依頼書を提出する直前に必ず実施予定表を確認すること。

第 2 章　医薬品医療機器総合機構による承認申請の受付業務等について　51

表 16．簡易相談の時間・手数料

区　分	相談時間	手数料額
後発医療用医薬品	15 分以内	1 相談あたり　22,600 円
一般用医薬品	15 分以内	1 相談あたり　22,600 円
医薬部外品（防除用製品を含む）	15 分以内	1 相談あたり　22,600 円
新医薬品	15 分以内	1 相談あたり　22,600 円
医薬品 GCP/GLP/GPSP 調査	30 分以内	1 相談あたり　20,300 円
GMP/QMS 調査	30 分以内	1 相談あたり　25,400 円
GCTP 調査	30 分以内	1 相談あたり　26,700 円
医薬品/後発医薬品変更届出事前確認簡易相談	−	1 相談あたり　39,400 円

⑸　相談区分及び内容

1）医療用後発医薬品，一般用医薬品，医薬部外品及び防除用製品

①　予定している成分・分量，効能・効果，用法・用量から判断できる申請区分及び添付資料，有効成分又は添加物の使用前例等

②　記載整備及び MF について，「改正薬事法に基づく医薬品等の製造販売承認申請書記載事項に関する指針について」(平成 17 年 2 月 10 日薬食審査発第 0210001 号医薬食品局審査管理課長通知）及び「原薬等登録原簿の利用に関する指針について」（平成 26 年 11 月 17 日薬食審査発 1117 第 3 号，薬食機参発 1117 第 1 号医薬食品局審査管理課長，大臣官房参事官（医療機器・再生医療等製品審査管理担当）通知）において相談を行うことができる又は相談することとされている内容が対象となる。

＜相談例＞

ア　承認申請又は MF 登録申請の製造方法等の変更における一部変更承認申請の対象事項への該当性

（i）　変更に際して実施する評価プロトコルの該当性

（ii）　プロトコルに従って実施した試験結果から，品質に明らかに影響がないとする判断の適否

（iii）　その他，製造方法欄の変更時において相談を要する事項

イ　MF 登録事項の大幅な変更にあたっての一変申請か新規申請かについて

③　簡易相談で対応できない相談内容は次のとおりである。

ア　許可に関するもの

イ　規格及び試験方法の妥当性に関するもの

ウ　個別の試験方法や試験結果の妥当性の確認等，事前審査に該当するもの

エ　表示又は広告に関するもの

オ　医薬品又は医薬部外品への該当性に関するもの

カ　有効成分又は添加物の使用前例の上限値及び下限値（使用予定量が明らかでない場合）に関するもの

2）新医薬品

① 新医薬品の記載整備，MF に関する内容のみが簡易相談の対象となる。相談の範囲は，1）の②と同様。

② 添加物の使用前例など。

3）医薬品 GCP/GLP/GPSP 調査

① PMDA が実施する GCP，GLP，GPSP 又は適合性書面調査に関する簡易な相談で，治験実施計画書等を読み込む必要がなく資料が数枚程度の相談，資料等を必要としない一般的な簡易な相談であって相談記録の作成を希望する相談が簡易相談の対象になる。具体的な相談内容は，次のとおりである。

ア　GCP，GLP，GPSP 又は適合性書面調査の規定の解釈及び適合の必要性に関するもの

イ　GCP，GLP，GPSP 又は適合性書面調査に係る手続きに関するもの

② 応じることができない相談内容

ア　GCP，GLP，GPSP 又は適合性書面調査以外の関連法規に関するもの

イ　都道府県又は登録認証機関が調査権者となるもの

③ 承認，再審査申請後又は使用成績評価申請後の調査日程調整又は事前提出資料等に関する相談は，簡易相談の対象外とし，調査の一環として実施する。

4）GMP 調査

① PMDA が調査権者となる GMP 調査に係る手続きに関する事項が簡易相談の対象となる。

＜相談例＞

ア　具体的な申請形態や申請方法の確認に関するもの

イ　具体的な構造設備（大臣許可施設）の変更予定内容に関するもの

ウ　バリデーションの考え方に関するもの

エ　調査申請及び調査実施時期の確認に関するもの

オ　調査申請の必要性の確認に関するもの

カ　調査権者の確認に関するもの

②　簡易相談で対応できない相談内容は次のとおりである。

ア　都道府県又は登録認証機関が調査権者となるもの

イ　承認事項一部変更承認申請が必要か，軽微変更で対応可能かなど，承認申請に関するもの

ウ　記載整備に関するもの

③　調査申請後の調査日程調整又は事前提出資料等に関する相談は，簡易相談の対象外とし，調査の一環として実施する。

⑹　簡易相談について留意すべき事項

　表17は，簡易相談で対応できる内容とできない内容及び留意すべき事項についてまとめたものである。許可に関する事項や規格及び試験方法の妥当性に関する事項など，事前審査に該当するものについては対応できないこととなっている。その他，簡易相談で対応している品目内容等に関する事項を審査業務部へのFAX・メール相談として提出している事例が見受けられるので，あわせて留意すること。

　また，電話や来訪等による申込みは一切受け付けていないので，必ずFAXにて手続きすること。

　なお，決められた日時内に申込みをしても，申込件数が相談枠を超えた場合は，次回繰り越しとはならず，改めて次の相談申込日に再度申込むこととなるので，その点についてもご理解いただきたい。

　書面による助言を希望する場合は，「対面助言予約依頼書（簡易相談）」の備考欄に書面による助言を希望する旨を記入すること。ただし，一般用医薬品，医薬部外品，防除用製品に係る書面による助言については，次の3項目のみに限られるので留意すること。

・申請区分の判断のみに関する相談

・添加物の使用前例に関する相談

・軽微変更届出対象の該当性に関する相談

表 17. 簡易相談にあたっての留意点

＜簡易相談にて対応できる相談内容＞
・予定している成分・分量，効能・効果，用法・用量から判断できる申請区分及び添付資料，有効成分又は添加物の使用前例等
・製造方法等の変更における一変申請の対象事項への該当性
・一変申請か，軽微変更届で対応可能かなどの判断
・GMP 適合性調査の手続きに関すること（PMDA が調査権者のものに限る）

＜簡易相談にて対応できない相談内容＞
・許可に関するもの
・規格及び試験方法の妥当性に関するもの
・個別の試験方法や試験結果の妥当性の確認など事前審査に該当するもの
・表示又は広告に関するもの
・医薬品又は医薬部外品への該当性に関するもの
・有効成分又は添加物の使用前例の上限値及び下限値（使用予定量が明らかでない場合）に関するもの

＜留意すべき事項＞
・電話，来訪，郵送，電子メールによる申込みは控えること（申込みは必ず FAX にて行うこと）。
・相談内容は具体的かつ簡潔に記入すること。また，実施要綱を参照のうえ，相談可能な内容についてのみ申込みをすること。
・資料がある場合は，予約申込み時に必ず添付すること。
・当日の FAX 送信後の受信確認以外の問い合わせはしないこと。
・予約申込み後の補足説明（質問の追加）の FAX，電話等は受け付けない。
・申込み件数が相談枠を超えた場合，相談枠外となった申込みは次回に繰り越すことはできないので，改めて申込むこと。
・申込書の枚数が多い場合，受信できないことがあるため，添付資料を含め 20 枚以上の送信を予定している場合は，事前に PMDA に連絡すること（予約依頼書とは別に送付となる場合がある）。
・当月及び翌月の相談予定日が PMDA ホームページに掲載されているので，申込み前に日程等を確認すること（次月分の予定日については，前月中旬頃に掲載）。
・関西医薬品協会・一般社団法人富山県薬業連合会での実施可能な日時については，予約依頼書を提出する直前に必ず実施予定表を確認すること。
・書面による助言を希望する場合は，「対面助言予約依頼書（簡易相談)」の備考欄に書面による助言を希望する旨を記入すること。

⑺　医薬品変更届出事前確認簡易相談・後発医薬品変更届出事前確認簡易相談

　先述したように，医療用医薬品について 30 日を超えて軽微変更届出を行う場合は，医薬品変更届出事前確認簡易相談（又は後発医薬品変更届出事前確認簡易相談）を申し込む必要がある。この相談については，手数料をあらかじめ納付したうえで FAX にて申込みを行う。概要と留意事項については，表 18 に示したとおりである（詳細は PMDA ホー

第2章　医薬品医療機器総合機構による承認申請の受付業務等について　55

ムページを参照）。

表 18．医薬品変更届出事前確認簡易相談・後発医薬品変更届出事前確認簡易相談

※平成 30 年 4 月に新設
◆手続方法
① 申込み前の手続き
　・相談の申込みの前に，あらかじめ相談区分の手数料を振込む
　　申込日時：原則として毎週火曜日の 13：30〜15：00
　　※変更がある場合は，PMDA ホームページの簡易相談予定表に記載されるので，申込前
　　　に確認すること。
② 簡易相談の申込み
　・**FAX で対面助言申込書**（「**医薬品変更届出事前確認簡易相談**」）を送信。
　　※FAX 送信直後に，PMDA から受付完了した旨の連絡は行っていないので留意するこ
　　　と。
　・手数料振込金受取書等の写しも忘れずに添付すること。
③ 簡易相談受付の連絡
　・PMDA の担当者から FAX で連絡（申込日から数日後）。
④ 簡易相談申込書の提出
　・受付の連絡を受けた日の**翌日から起算して 3 勤務日以内**に，申込書原本及び手数料振込
　　金受取書等の写しを郵送により審査業務部業務第一課あてに提出すること。
⑤ 回答方法
　・相談結果は，申込み受付日から 1 ヵ月以内を目途に，PMDA から FAX（「簡易相談の結果
　　について」）にて回答。
⑥ その他の留意事項
　・対面助言申込書の相談内容は，できる限り具体的かつ簡潔に記載すること。特に，不備
　　の内容，発生時期，発生の経緯は必ず記載すること。
　・対面助言申込書に記載した内容以外の相談事項については，原則として，指導及び助言
　　はできないこと。
　・相談は書面にて行う（**FAX 送付のみ**）。

8. 手数料

　手数料振込の際は，業者コードを確実に記入し，依頼人欄には，担当者名ではなく会社
名を記入する等，表 19 に示した事項に留意すること（手数料情報については，PMDA の
ホームページに掲載してあるのでそちらを参照すること）。
　また，平成 31 年 4 月 1 日より，医薬品医療機器法関係手数料令が一部改正（「医薬品，
医療機器等の品質，有効性及び安全性の確保等に関する法律関係手数料令の一部を改正す
る政令」（平成 31 年政令第 49 号））され，一物多名称の子品目について手数料区分が新設

された（これについては後述する「(7) 一物多名称子品目の手数料」(p.85) を参照）。

表19. 手数料

・外国製造業者による申請において，PMDA調査手数料の振込金受取書の依頼人名欄には，外国製造業者と代行者名を併記すること。また，業者コードは外国製造業者のものを記入すること。
・国への手数料となる印紙分や登録免許税分をPMDA手数料と一緒に口座へ振り込まないこと。
・振込みの際，業者コードは誤りなく記載すること。
・振込みの際，依頼人欄は，担当者の氏名ではなく，法人名（会社名）を記載すること（個人名での振込は不可）。

＜手数料に関する情報＞
PMDA HP トップ（https://www.pmda.go.jp/） → 承認審査関連業務 → 審査等手数料・対面助言等の手数料（https://www.pmda.go.jp/review-services/drug-reviews/user-fees/0001.html）

＜掲載内容＞
・審査等手数料の詳細及び各種審査別手数料額の一覧表など
・審査手数料の振込口座一覧
・振込方法等の詳細（インターネットバンキングによる振込方法についても掲載）
・還付請求に関する事項（還付請求書の様式ダウンロードも可能）
・消費税について
・国の手数料について

(1) 審査手数料等

① 医薬品医療機器法に基づく医薬品，医薬部外品又は化粧品の審査等に係る手数料は表20のとおりである。

第2章 医薬品医療機器総合機構による承認申請の受付業務等について **57**

表 20. 医薬品医療機器法（昭和 35 年法律第 145 号）に基づく医薬品，医薬部外品又は化粧品の審査等に係る手数料（平成 31 年 4 月 1 日改定）

注）手数料額欄の下段は，医薬品医療機器法関係手数料令の条項を表したものである。 （単位：円）

区　分				手数料額		
				審査	適合性	計
医 薬 品 製 造 業 許 可 に 係 る 調 査						
新 規 業 許 可		実 地			159,900	159,900
					31条1項1号イ	
		書 面			120,400	120,400
					31条1項1号ロ	
業 許 可 更 新		実 地			105,200	105,200
					31条1項2号イ	
		書 面			59,700	59,700
					31条1項2号ロ	
区 分 変 更 ・ 追 加		実 地			105,200	105,200
					31条1項3号イ	
		書 面			59,700	59,700
					31条1項3号ロ	
医 薬 品 等 外 国 製 造 業 者 認 定 に 係 る 調 査						
新 規 業 認 定		実 地			143,900＋外国旅費	143,900＋外国旅費
					31条2項1号イ	
		書 面			62,600	62,600
					31条2項1号ロ	
業 認 定 更 新		実 地			69,700＋外国旅費	69,700＋外国旅費
					31条2項2号イ	
		書 面			42,900	42,900
					31条2項2号ロ	
区 分 変 更 ・ 追 加		実 地			69,700＋外国旅費	69,700＋外国旅費
					31条2項3号イ	
		書 面			42,900	42,900
					31条2項3号ロ	

注）手数料額欄の下段は，医薬品医療機器等法関係手数料令の条項を表したものである。　　　　　　　　　　　　　　（単位：円）

区分				手数料額		
				審査	適合性	計
医薬品審査（新規承認）						
新医薬品（その1）	オーファン以外		先の申請品目	36,538,400	10,363,300（＋外国旅費※1）	46,901,700（＋外国旅費※1）
				32条1項1号イ(1)	32条2項1号イ	
			規格違い品目	3,784,700	2,590,500（＋外国旅費※1）	6,375,200（＋外国旅費※1）
				32条1項1号イ(3)	32条2項1号ハ	
	オーファン		先の申請品目	30,618,800	5,191,600（＋外国旅費※1）	35,810,400（＋外国旅費※1）
				32条1項1号イ(2)	32条2項1号ロ	
			規格違い品目	3,166,400	1,292,500（＋外国旅費※1）	4,458,900（＋外国旅費※1）
				32条1項1号イ(4)	32条2項1号ニ	
新医薬品（その2）	オーファン以外		先の申請品目	17,438,300	3,891,500（＋外国旅費※1）	21,329,800（＋外国旅費※1）
				32条1項1号イ(5)	32条2項1号ホ	
			規格違い品目	1,803,600	973,100（＋外国旅費※1）	2,776,700（＋外国旅費※1）
				32条1項1号イ(7)	32条2項1号ト	
	オーファン		先の申請品目	14,354,900	1,947,100（＋外国旅費※1）	16,302,000（＋外国旅費※1）
				32条1項1号イ(6)	32条2項1号ヘ	
			規格違い品目	1,542,200	489,900（＋外国旅費※1）	2,032,100（＋外国旅費※1）
				32条1項1号イ(8)	32条2項1号チ	
後発医療用医薬品			適合性調査あり	649,100	346,700（＋外国旅費※1）	995,800（＋外国旅費※1）
				32条1項1号イ(9)	32条2項1号リ	
			適合性調査なし	649,100		649,100
				32条1項1号イ(9)		
要指導・一般用医薬品	スイッチOTC等	適合性調査あり	先の申請品目	1,627,300	346,700（＋外国旅費※1）	1,974,000（＋外国旅費※1）
				32条1項1号イ(10)	32条2項1号リ	
			規格違い品目	1,627,300	346,700（＋外国旅費※1）	1,974,000（＋外国旅費※1）
				32条1項1号イ(10)	32条2項1号リ	
		適合性調査なし	先の申請品目	1,627,300		1,627,300
				32条1項1号イ(10)		
			規格違い品目	1,627,300		1,627,300
				32条1項1号イ(10)		
		一物多名称子品目	先の申請品目	1,505,200		1,505,200
				32条1項1号イ(11)		
			規格違い品目	1,505,200		1,505,200
				32条1項1号イ(11)		

（※1）　外国において調査を行う場合は，外国旅費（32条3項）を加算した額

注）手数料額欄の下段は，医薬品医療機器等法関係手数料令の条項を表したものである。　　　　　　　　　　　（単位：円）

区　分				手数料額		
				審査	適合性	計
要指導・一般用医薬品	その他		適合性調査あり	324,200	346,700（＋外国旅費※1）	670,900（＋外国旅費※1）
				32条1項1号イ(12)	32条2項1号リ	
			適合性調査なし	324,200		324,200
				32条1項1号イ(12)		
			一物多名称子品目	230,400		230,400
				32条1項1号イ(13)		
医薬部外品			新有効成分	4,069,100		4,069,100
				32条1項1号ロ(1)		
			新用量等	388,300		388,300
				32条1項1号ロ(2)		
			その他	99,900		99,900
				32条1項1号ロ(9)		
防除用医薬品・防除用医薬部外品			新有効成分	6,808,300		6,808,300
				32条1項1号イ(14)，ロ(3)		
			一物多名称子品目	5,237,200		5,237,200
				32条1項1号イ(15)，ロ(4)		
			新用量等	658,800		658,800
				32条1項1号イ(16)，ロ(5)		
			一物多名称子品目	411,800		411,800
				32条1項1号イ(17)，ロ(6)		
			その他	160,300		160,300
				32条1項1号イ(18)，ロ(7)		
			一物多名称子品目	100,200		100,200
				32条1項1号イ(19)，ロ(8)		
化粧品				66,600		66,600
				32条1項1号ハ		
販売名変更代替新規申請			医薬品	37,300		37,300
				32条1項1号ニ		
			医薬部外品・化粧品	37,300		37,300
				32条1項1号ニ		

（※1）外国において調査を行う場合は，外国旅費（32条3項）を加算した額

注）手数料額欄の下段は，医薬品医療機器等法関係手数料令の条項を表したものである。　　　　　　　　　　（単位：円）

区　　分			手数料額		
			審査	適合性	計
医薬品審査（承認事項一部変更承認）					
新医薬品(その1)・（その2）（オーファン以外）	新効能・効果等の変更	先の申請品目	15,652,600	3,891,500（＋外国旅費※1）	19,544,100（＋外国旅費※1）
			32条1項2号イ(1)	32条2項2号イ	
		規格違い品目	1,624,000	973,100（＋外国旅費※1）	2,597,100（＋外国旅費※1）
			32条1項2号イ(2)	32条2項2号ロ	
	その他の変更	適合性調査あり	323,000	195,500（＋外国旅費※1）	518,500（＋外国旅費※1）
			32条1項2号イ(3)	32条2項2号ハ	
		適合性調査なし	323,000		323,000（＋外国旅費※1）
			32条1項2号イ(3)		
新医薬品(その1)・（その2）（オーファン）	新効能・効果等の変更	先の申請品目	12,955,000	1,947,100（＋外国旅費※1）	14,902,100（＋外国旅費※1）
			32条1項2号イ(4)	32条2項2号ニ	
		規格違い品目	1,344,800	489,900（＋外国旅費※1）	1,834,700（＋外国旅費※1）
			32条1項2号イ(5)	32条2項2号ホ	
	その他の変更	適合性調査あり	203,700	173,300（＋外国旅費※1）	377,000（＋外国旅費※1）
			32条1項2号イ(6)	32条2項2号ヘ	
		適合性調査なし	203,700		203,700（＋外国旅費※1）
			32条1項2号イ(6)		
後発医療用医薬品	新効能・効果等の変更	先の申請品目	15,652,600	3,891,500（＋外国旅費※1）	19,544,100（＋外国旅費※1）
			32条1項2号イ(7)	32条2項2号ト	
		規格違い品目	1,624,000	973,100（＋外国旅費※1）	2,597,100（＋外国旅費※1）
			32条1項2号イ(8)	32条2項2号チ	
	ガイドライン等に基づく変更		56,000		56,000
			32条1項2号イ(9)		
	その他の変更	適合性調査あり	323,000	195,500（＋外国旅費※1）	518,500（＋外国旅費※1）
			32条1項2号イ(10)	32条2項2号リ	
		適合性調査なし	323,000		323,000
			32条1項2号イ(10)		

（※1）　外国において調査を行う場合は，外国旅費（32条3項）を加算した額

注) 手数料額欄の下段は，医薬品医療機器等法関係手数料令の条項を表したものである。　　　　　　　　　　　　（単位：円）

区　　　分					手数料額 審査	適合性	計
要指導・一般用医薬品	スイッチOTC等	新効能・効果等の変更	先の申請品目	適合性調査あり	15,652,600	195,500（＋外国旅費※1）	15,848,100（＋外国旅費※1）
					32条1項2号イ(11)	32条2項2号リ	
				適合性調査なし	15,652,600		15,652,600
					32条1項2号イ(11)		
				一物多名称子品目	14,478,400		14,478,400
					32条1項2号イ(12)		
			規格違い品目	適合性調査あり	1,332,200	195,500（＋外国旅費※1）	1,527,700（＋外国旅費※1）
					32条1項2号イ(13)	32条2項2号リ	
				適合性調査なし	1,332,200		1,332,200
					32条1項2号イ(13)		
				一物多名称子品目	1,232,300		1,232,300
					32条1項2号イ(14)		
		その他の変更		適合性調査あり	165,700	195,500（＋外国旅費※1）	361,200（＋外国旅費※1）
					32条1項2号イ(15)	32条2項2号リ	
				適合性調査なし	165,700		165,700
					32条1項2号イ(15)		
				一物多名称子品目	117,800		117,800
					32条1項2号イ(16)		
	その他の変更			適合性調査あり	165,700	195,500（＋外国旅費※1）	361,200（＋外国旅費※1）
					32条1項2号イ(15)	32条2項2号リ	
				適合性調査なし	165,700		165,700
					32条1項2号イ(15)		
				一物多名称子品目	117,800		117,800
					32条1項2号イ(16)		
	ガイドライン等に基づく変更			適合性調査あり	44,700	195,500（＋外国旅費※1）	240,200（＋外国旅費※1）
					32条1項2号イ(17)	32条2項2号リ	
				適合性調査なし	44,700		44,700
					32条1項2号イ(17)		
				一物多名称子品目	41,400		41,400
					32条1項2号イ(18)		
医　薬　部　外　品					55,900		55,900
					32条1項2号ロ(1)		

（※1）　外国において調査を行う場合は，外国旅費（32条3項）を加算した額

注）手数料額欄の下段は，医薬品医療機器等法関係手数料令の条項を表したものである。　　　　　　　　　　　　　　　　　　（単位：円）

区　分			手数料額		
			審査	適合性	計
防除用医薬品・防除用医薬部外品			81,200		81,200
			32条1項2号イ⒆，ロ⑵		
	一物多名称子品目		50,800		50,800
			32条1項2号イ⒇，ロ⑶		
化　　　粧　　　品			37,300		37,300
			32条1項2号ハ		
医　薬　品　G　M　P　適　合　性　調　査					
承認・一変・輸出用製造	新医薬品	国　内		1,067,500	1,067,500
				32条5項1号ロ⑴	
		外　国		1,347,100（＋外国旅費※2）	1,347,100（＋外国旅費※2）
				32条5項1号ロ⑵	
	生物由来医薬品・放射性医薬品等	国　内		961,100	961,100
				32条5項1号イ⑴	
		外　国		1,218,500（＋外国旅費※2）	1,218,500（＋外国旅費※2）
				32条5項1号イ⑵	
	滅菌医薬品・滅菌医薬部外品	国　内		669,400	669,400
				32条5項1号ハ⑴	
		外　国		843,200（＋外国旅費※2）	843,200（＋外国旅費※2）
				32条5項1号ハ⑵	
	上記以外の医薬品・医薬部外品	国　内		486,000	486,000
				32条5項1号ニ⑴	
		外　国		612,300（＋外国旅費※2）	612,300（＋外国旅費※2）
				32条5項1号ニ⑵	
	包装・表示・保管，外部試験検査等	国　内		91,900	91,900
				32条5項2号イ，6項1号イ	
		外　国		122,200（＋外国旅費※2）	122,200（＋外国旅費※2）
				32条5項2号ロ，6項1号ロ	
承認更新・輸出用製造更新	生物由来医薬品・放射性医薬品等	国　内　基本料		917,100	917,100
				32条5項3号イ⑴	
		国　内　品目加算		44,000	44,000×品目数
				32条5項3号イ⑴	
		外　国　基本料		1,174,500（＋外国旅費※2）	1,174,500（＋外国旅費※2）
				32条5項3号イ⑵	
		外　国　品目加算		44,000	44,000×品目数
				32条5項3号イ⑵	

（※2）　外国において調査を行う場合は，外国旅費（32条7項）を加算した額

注) 手数料額欄の下段は，医薬品医療機器等法関係手数料令の条項を表したものである。　　　　　　　　（単位：円）

区分				手数料額		
				審査	適合性	計
承認更新・輸出用製造更新	滅菌医薬品・滅菌医薬部外品	国内	基本料		651,500	651,500
					32条5項3号ロ(1)	
			品目加算		17,900	17,900×品目数
					32条5項3号ロ(1)	
		外国	基本料		825,300（＋外国旅費※2）	825,300（＋外国旅費※2）
					32条5項3号ロ(2)	
			品目加算		17,900	17,900×品目数
					32条5項3号ロ(2)	
	上記以外の医薬品・医薬部外品	国内	基本料		472,300	472,300
					32条5項3号ハ(1)	
			品目加算		13,700	13,700×品目数
					32条5項3号ハ(1)	
		外国	基本料		598,600（＋外国旅費※2）	598,600（＋外国旅費※2）
					32条5項3号ハ(2)	
			品目加算		13,700	13,700×品目数
					32条5項3号ハ(2)	
	包装・表示・保管，外部試験検査等	国内	基本料		382,700	382,700
					32条5項3号ニ(1), 6項2号イ	
			品目加算		9,700	9,700×品目数
					32条5項3号ニ(1), 6項2号イ	
		外国	基本料		497,600（＋外国旅費※2）	497,600（＋外国旅費※2）
					32条5項3号ニ(2), 6項2号ロ	
			品目加算		9,700	9,700×品目数
					32条5項3号ニ(2), 6項2号ロ	
医薬品非臨床基準適合性調査						
GLP		国内			3,258,300	3,258,300
					32条4項1号イ	
		海外			3,606,200＋外国旅費	3,606,200＋外国旅費
					32条4項1号ロ	

（※2）　外国において調査を行う場合は，外国旅費（32条7項）を加算した額

注）手数料額欄の下段は，医薬品医療機器等法関係手数料令の条項を表したものである。 （単位：円）

区　　分					手数料額		
					審査	適合性	計
医 薬 品 臨 床 基 準 適 合 性 調 査							
	新医薬品ＧＣＰ	新　規	先の申請品目	国　内		4,302,300	4,302,300
						32条4項2号イ(1)	
				外　国		4,758,500＋外国旅費	4,758,500＋外国旅費
						32条4項2号イ(2)	
			規格違い品目	国　内		1,138,600	1,138,600
						32条4項2号イ(3)	
				外　国		1,187,700＋外国旅費	1,187,700＋外国旅費
						32条4項2号イ(4)	
		一　変	先の申請品目	国　内		4,302,300	4,302,300
						32条4項2号ロ(1)	
				外　国		4,758,500＋外国旅費	4,758,500＋外国旅費
						32条4項2号ロ(2)	
			規格違い品目	国　内		1,138,600	1,138,600
						32条4項2号ロ(3)	
				外　国		1,187,700＋外国旅費	1,187,700＋外国旅費
						32条4項2号ロ(4)	
	後 発 医 薬 品 Ｇ Ｃ Ｐ	新　規		国　内		696,700	696,700
						32条4項2号イ(5)	
				外　国		1,026,200＋外国旅費	1,026,200
						32条4項2号イ(6)	
		一　変		国　内		696,700	696,700
						32条4項2号ロ(5)	
				外　国		1,026,200＋外国旅費	1,026,200
						32条4項2号ロ(6)	
	要指導・一般用医薬品ＧＣＰ	新　規		国　内		696,700	696,700
						32条4項2号イ(5)	
				外　国		1,026,200＋外国旅費	1,026,200
						32条4項2号イ(6)	
		一　変		国　内		696,700	696,700
						32条4項2号ロ(5)	
				外　国		1,026,200＋外国旅費	1,026,200
						32条4項2号ロ(6)	

注) 手数料額欄の下段は，医薬品医療機器等法関係手数料令の条項を表したものである。　(単位：円)

区分				手数料額 審査	適合性	計
医　薬　品　　再　審　査						
再審査確認・調査	先　の　申　請　品　目			1,238,700	4,224,100(＋外国旅費※3)	5,462,800(＋外国旅費※3)
				32条9項1号	32条10項1号イ	
	規　格　違　い　品　目			417,000	1,409,400(＋外国旅費※3)	1,826,400(＋外国旅費※3)
				32条9項2号	32条10項1号ロ	
再審査GLP	国　　　　　内				3,258,300	3,258,300
					32条10項2号イ(1)	
	外　　　　　国				3,606,200(＋外国旅費※3)	3,606,200(＋外国旅費※3)
					32条10項2号イ(2)	
G　P　S　P	先　の　申　請　品　目	国　内			3,465,200	3,465,200
					32条10項2号ロ(1)	
		外　国			3,806,900(＋外国旅費※3)	3,806,900(＋外国旅費※3)
					32条10項2号ロ(2)	
	規　格　違　い　品　目	国　内			1,188,900	1,188,900
					32条10項2号ロ(3)	
		外　国			1,220,000(＋外国旅費※3)	1,220,000(＋外国旅費※3)
					32条10項2号ロ(4)	

（※3）　外国において調査を行う場合は，外国旅費（32条11項）を加算した額

②　対面助言等の手数料については，独立行政法人医薬品医療機器総合機構審査等業務
　関係業務方法書実施細則第4条関係別表（表21）のとおりである。

表21．手数料等の区分（令和元年7月1日改定）

（単位：円）

	区分	手数料額		納付時期
対面助言				
医薬品・医薬部外品	医薬品手続相談	1相談当たり 150,900 円		
	医薬品拡大治験開始前相談	1相談当たり 261,500 円		
	医薬品申請電子データ提出確認相談（記録あり）	1相談当たり 99,300 円		
	医薬品申請電子データ提出方法相談	1相談当たり 249,000 円		
	医薬品申請電子データ提出免除相談（オーファン以外）	1相談当たり 1,466,600 円		
	医薬品申請電子データ提出免除相談（オーファン）	1相談当たり 1,100,000 円		
	医薬品生物学的同等性試験等相談	1相談当たり 600,400 円		
	医薬品安全性相談	1相談当たり 1,925,300 円		
	医薬品品質相談	1相談当たり 1,596,500 円		
	医薬品第I相試験開始前相談（オーファン以外）	1相談当たり 4,578,500 円		
	医薬品第I相試験開始前相談（オーファン）	1相談当たり 3,441,000 円		
	医薬品前期第II相試験開始前相談（オーファン以外）	1相談当たり 1,752,800 円		
	医薬品前期第II相試験開始前相談（オーファン）	1相談当たり 1,320,200 円		
	医薬品後期第II相試験開始前相談（オーファン以外）	1相談当たり 4,784,300 円		
	医薬品後期第II相試験開始前相談（オーファン）	1相談当たり 3,592,900 円		
	医薬品第II相試験終了後相談（オーファン以外）	1相談当たり 9,497,400 円		
	医薬品第II相試験終了後相談（オーファン）	1相談当たり 7,134,300 円		
	医薬品申請前相談（オーファン以外）	1相談当たり 9,497,400 円		
	医薬品申請前相談（オーファン）	1相談当たり 7,130,100 円		
	医薬品製造販売後臨床試験等計画相談	1相談当たり 2,557,000 円		
	医薬品製造販売後臨床試験等終了時相談（申請資料の作成等）	1相談当たり 2,557,000 円		
	医薬品製造販売後臨床試験等終了時相談（承認条件の見直し等）	1相談当たり 1,269,800 円		
	医薬品追加相談（オーファン以外）	1相談当たり 2,889,700 円		
	医薬品追加相談（オーファン）	1相談当たり 2,171,200 円		
	医薬品レジストリ使用計画相談	1相談当たり 980,300 円		
	医薬品疫学調査手続相談	1相談当たり 150,900 円		
	医薬品疫学調査計画相談	1相談当たり 3,007,900 円		
	医薬品疫学調査追加相談	1相談当たり 1,505,900 円		対面助言実施日の日程調整後，申込までに納付
	医薬品添付文書改訂事前確認相談	1相談当たり 99,200 円	（関西支部実施）※※ +280,000 円	
	医薬品添付文書改訂相談	1相談当たり 4,987,400 円		
	医薬品信頼性基準適合性調査相談	1相談当たり 4,542,900 円		
	医薬品再審査適合性調査相談	1相談当たり 2,300,400 円	+外国旅費	
	医薬品添付文書改訂根拠資料適合性調査相談	1相談当たり 2,300,400 円	+外国旅費	
	医薬品レジストリ活用相談	1相談当たり 100,000 円	+外国旅費	
	医薬品レジストリ信頼性調査相談（承認申請）（オーファン以外）	1相談当たり 3,600,000 円	+外国旅費	
	医薬品レジストリ信頼性調査相談（承認申請）（オーファン以外）（追加相談）	1相談当たり 1,800,000 円	+外国旅費	
	医薬品レジストリ信頼性調査相談（承認申請）（オーファン）	1相談当たり 1,800,000 円	+外国旅費	
	医薬品レジストリ信頼性調査相談（承認申請）（オーファン）（追加相談）	1相談当たり 900,000 円	+外国旅費	
	医薬品レジストリ信頼性調査相談（再審査申請）	1相談当たり 2,112,100 円	+外国旅費	
	医薬品レジストリ信頼性調査相談（再審査申請）（追加相談）	1相談当たり 1,056,100 円	+外国旅費	
	医薬品事前評価相談（品質）	1相談当たり 4,817,600 円		
	医薬品事前評価相談（非臨床：毒性）	1相談当たり 3,256,300 円		
	医薬品事前評価相談（非臨床：薬理）	1相談当たり 3,256,300 円		
	医薬品事前評価相談（非臨床：薬物動態）	1相談当たり 3,256,300 円		
	医薬品事前評価相談（第I相試験）	1相談当たり 5,505,400 円		
	医薬品事前評価相談（第II相試験）	1相談当たり 7,105,200 円		
	医薬品事前評価相談（第II相/第III相試験）	1相談当たり 11,036,500 円		
	医薬品優先審査品目該当性相談	1相談当たり 1,300,600 円		
	医薬品優先審査品目該当性相談（医薬品申請前相談あり）	1相談当たり 266,400 円		
	医薬品条件付き早期承認品目該当性相談	1相談当たり 1,016,100 円		
	医薬品条件付き早期承認品目該当性相談（医薬品申請前相談あり）	1相談当たり 208,200 円		
	ファーマコゲノミクス・バイオマーカー相談（適格性評価）	1相談当たり 3,270,600 円		
	ファーマコゲノミクス・バイオマーカー相談（試験計画要点確認）	1相談当たり 1,199,900 円		
	ファーマコゲノミクス・バイオマーカー追加相談（適格性評価）	1相談当たり 995,700 円		

（単位：円）

		手数料額			納付時期
対面助言					
医薬品・医薬部外品	ファーマコゲノミクス・バイオマーカー追加相談（試験計画要点確認）	1相談当たり 435,300 円		+外国旅費	対面助言実施日の日程調整後，申込までに納付
	医薬品 PACMP 品質相談	1相談当たり 319,900 円			
	後発医薬品 PACMP 品質相談	1相談当たり 319,900 円			
	PACMP GMP 相談	1相談当たり 201,000 円			
	後発医薬品生物学的同等性相談	1相談当たり 1,077,300 円			
	後発医薬品品質相談	1相談当たり 531,100 円			
	軽微変更届事前確認相談	1相談当たり 319,900 円	（関西支部実施）※※ +280,000 円		
	後発医薬品変更管理事前確認相談	1相談当たり 320,000 円			
	スイッチOTC等申請前相談	1相談当たり 1,800,000 円			
	治験実施計画書要点確認相談	1相談当たり 700,000 円			
	新一般用医薬品開発妥当性相談	1相談当たり 300,000 円			
	医薬部外品ヒト試験計画確認相談	1相談当たり 499,800 円			
	医薬部外品新添加物開発相談	1相談当たり 249,800 円			
	OTC品質相談	1相談当たり 300,000 円			
	スイッチOTC等開発前相談	1相談当たり 1,800,000 円			
	医薬品対面助言事後相談（記録あり）	1相談当たり 99,200 円			
	医薬品 GCP/GLP/GPSP 相談	1相談当たり 444,100 円			
医療機器	医療機器対面助言準備面談	1相談当たり 29,400 円			対面助言実施日の日程調整後，申込までに納付
	医療機器拡大治験開始前相談	1相談当たり 249,000 円			
	医療機器開発前相談	1相談当たり 294,100 円			
	医療機器開発前相談（準備面談済）	1相談当たり 264,700 円			
	医療機器開発前相談（追加相談）	1相談当たり 147,000 円			
	医療機器申請資料確定相談	1相談当たり 390,100 円			
	医療機器申請資料確定相談（追加相談）	1相談当たり 196,000 円			
	医療機器臨床試験要否相談	1相談当たり 980,300 円			
	医療機器臨床試験要否相談（準備面談済）	1相談当たり 950,600 円			
	医療機器臨床試験要否相談（追加相談）	1相談当たり 490,200 円			
	医療機器臨床試験要否相談（臨床論文等から判断）	1相談当たり 1,960,900 円			
	医療機器臨床試験要否相談（臨床論文等から判断）（準備面談済）	1相談当たり 1,931,500 円			
	医療機器臨床試験要否相談（臨床論文等から判断）（追加相談）	1相談当たり 980,300 円			
	医療機器プロトコル相談 — 安全性（1試験）	1相談当たり 98,000 円			
	安全性（1試験）（準備面談済）	1相談当たり 68,600 円			
	安全性（1試験）（追加相談）	1相談当たり 46,800 円			
	安全性（2試験）	1相談当たり 196,000 円			
	安全性（2試験）（準備面談済）	1相談当たり 166,600 円	（関西支部実施）※※ +280,000 円		対面助言実施日の日程調整後，申込までに納付
	安全性（2試験）（追加相談）	1相談当たり 98,000 円			
	安全性（3試験）	1相談当たり 293,800 円			
	安全性（3試験）（準備面談済）	1相談当たり 264,400 円			
	安全性（3試験）（追加相談）	1相談当たり 147,000 円			
	安全性（4試験以上）	1相談当たり 390,100 円			
	安全性（4試験以上）（準備面談済）	1相談当たり 360,700 円			
	安全性（4試験以上）（追加相談）	1相談当たり 196,000 円			
	品質	1相談当たり 390,100 円			
	品質（準備面談済）	1相談当たり 360,700 円			
	品質（追加相談）	1相談当たり 196,000 円			
	性能（1試験）	1相談当たり 98,000 円			
	性能（1試験）（準備面談済）	1相談当たり 68,600 円			
	性能（1試験）（追加相談）	1相談当たり 46,800 円			
	性能（2試験）	1相談当たり 196,000 円			
	性能（2試験）（準備面談済）	1相談当たり 166,600 円			
	性能（2試験）（追加相談）	1相談当たり 98,000 円			
	性能（3試験）	1相談当たり 293,800 円			
	性能（3試験）（準備面談済）	1相談当たり 264,400 円			
	性能（3試験）（追加相談）	1相談当たり 147,000 円			
	性能（4試験以上）	1相談当たり 390,100 円			
	性能（4試験以上）（準備面談済）	1相談当たり 360,700 円			

（単位：円）

				手数料額		納付時期
対面助言						
医療機器評価相談	ト医療機器プロトコル相談		性能（4試験以上）（追加相談）	1相談当たり 196,000 円		対面助言実施日の日程調整後，申込までに納付
			探索的治験	1相談当たり 1,076,200 円		
			探索的治験（準備面談済）	1相談当たり 1,046,800 円		
			探索的治験（追加相談）	1相談当たり 539,100 円		
			治験	1相談当たり 2,353,100 円		
			治験（準備面談済）	1相談当たり 2,323,700 円		
			治験（追加相談）	1相談当たり 1,176,500 円		
	医療機器資料充足性・申請区分相談			1相談当たり 134,800 円		
	医療機器資料充足性・申請区分相談（追加相談）			1相談当たり 39,400 円		
	医療機器信頼性基準適合性調査相談			1相談当たり 399,700 円		
	医療機器信頼性基準適合性調査相談（準備面談済）			1相談当たり 370,300 円		
	医療機器信頼性基準適合性調査相談（追加相談）			1相談当たり 197,900 円		
	医療機器使用成績評価適合性調査相談			1相談当たり 573,800 円		
			安全性（1試験）	1相談当たり 98,000 円	(関西支部実施)※※+280,000 円	
			安全性（1試験）（準備面談済）	1相談当たり 68,600 円		
			安全性（1試験）（プロトコル未評価）	1相談当たり 147,000 円		
			安全性（1試験）（プロトコル未評価）（準備面談済）	1相談当たり 115,500 円		
			安全性（1試験）（追加相談）	1相談当たり 46,800 円		
			安全性（2試験）	1相談当たり 196,000 円		
			安全性（2試験）（準備面談済）	1相談当たり 166,600 円		
			安全性（2試験）（プロトコル未評価）	1相談当たり 293,800 円		
			安全性（2試験）（プロトコル未評価）（準備面談済）	1相談当たり 264,400 円		
			安全性（2試験）（追加相談）	1相談当たり 98,000 円		
			安全性（3試験）	1相談当たり 293,800 円		
			安全性（3試験）（準備面談済）	1相談当たり 264,400 円		
			安全性（3試験）（プロトコル未評価）	1相談当たり 441,200 円		
			安全性（3試験）（プロトコル未評価）（準備面談済）	1相談当たり 411,800 円		
			安全性（3試験）（追加相談）	1相談当たり 147,000 円		
			安全性（4試験以上）	1相談当たり 390,100 円		
			安全性（4試験以上）（準備面談済）	1相談当たり 360,700 円		
			安全性（4試験以上）（プロトコル未評価）	1相談当たり 588,200 円		
			安全性（4試験以上）（プロトコル未評価）（準備面談済）	1相談当たり 558,800 円		
			安全性（4試験以上）（追加相談）	1相談当たり 196,000 円		
			品質	1相談当たり 390,100 円		
			品質（準備面談済）	1相談当たり 360,700 円		
			品質（プロトコル未評価）	1相談当たり 588,200 円		
			品質（プロトコル未評価）（準備面談済）	1相談当たり 558,800 円		
			品質（追加相談）	1相談当たり 196,000 円		
			性能（1試験）	1相談当たり 98,000 円		
			性能（1試験）（準備面談済）	1相談当たり 68,600 円		
			性能（1試験）（プロトコル未評価）	1相談当たり 147,000 円		
			性能（1試験）（プロトコル未評価）（準備面談済）	1相談当たり 115,500 円		
			性能（1試験）（追加相談）	1相談当たり 46,800 円		
			性能（2試験）	1相談当たり 196,000 円		
			性能（2試験）（準備面談済）	1相談当たり 166,600 円		
			性能（2試験）（プロトコル未評価）	1相談当たり 293,800 円		
			性能（2試験）（プロトコル未評価）（準備面談済）	1相談当たり 264,400 円		
			性能（2試験）（追加相談）	1相談当たり 98,000 円		
			性能（3試験）	1相談当たり 293,800 円		
			性能（3試験）（準備面談済）	1相談当たり 264,400 円		
			性能（3試験）（プロトコル未評価）	1相談当たり 441,200 円		
			性能（3試験）（プロトコル未評価）（準備面談済）	1相談当たり 411,800 円		
			性能（3試験）（追加相談）	1相談当たり 147,000 円		
			性能（4試験以上）	1相談当たり 390,100 円		
			性能（4試験以上）（準備面談済）	1相談当たり 360,700 円		
			性能（4試験以上）（プロトコル未評価）	1相談当たり 588,200 円		
			性能（4試験以上）（プロトコル未評価）（準備面談済）	1相談当たり 558,800 円		
			性能（4試験以上）（追加相談）	1相談当たり 196,000 円		

（単位：円）

対面助言

			手数料額			納付時期
医療機器	医療機器評価相談	探索的治験	1相談当たり　980,300 円			
		探索的治験（準備面談済）	1相談当たり　950,900 円			
		探索的治験（プロトコル未評価）	1相談当たり　1,519,700 円			
		探索的治験（プロトコル未評価）（準備面談済）	1相談当たり　1,488,100 円			
		探索的治験（追加相談）	1相談当たり　490,200 円			
		治験	1相談当たり　1,470,700 円			
		治験（準備面談済）	1相談当たり　1,441,300 円			
		治験（プロトコル未評価）	1相談当たり　2,647,200 円			
		治験（プロトコル未評価）（準備面談済）	1相談当たり　2,617,700 円			
		治験（追加相談）	1相談当たり　733,000 円	（関西支部実施）※※ +280,000 円		対面助言実施日の日程調整後，申込までに納付
		使用成績評価	1相談当たり　2,647,200 円			
		使用成績評価（準備面談済）	1相談当たり　2,617,700 円			
	医療機器レジストリ活用相談		1相談当たり　100,000 円		+外国旅費	
	医療機器レジストリ信頼性調査相談（承認申請）		1相談当たり　580,500 円		+外国旅費	
	医療機器レジストリ信頼性調査相談（承認申請）（追加相談）		1相談当たり　290,300 円		+外国旅費	
	医療機器レジストリ信頼性調査相談（使用成績評価申請）		1相談当たり　485,100 円		+外国旅費	
	医療機器レジストリ信頼性調査相談（使用成績評価申請）（追加相談）		1相談当たり　242,600 円		+外国旅費	
	医療機器 GCP/GLP/GPSP 相談		1相談当たり　196,000 円			
	医療機器 GCP/GLP/GPSP 相談（準備面談済）		1相談当たり　166,600 円			
	医療機器 GCP/GLP/GPSP 相談（追加相談）		1相談当たり　98,000 円			
	再製造単回使用医療機器評価相談（QMS 適合性確認）		1相談当たり　1,498,600 円		+外国旅費	
体外診断用医薬品	体外診断用医薬品対面助言準備面談		1相談当たり　29,400 円			
	体外診断用医薬品開発前相談		1相談当たり　196,000 円			
	体外診断用医薬品開発前相談（準備面談済）		1相談当たり　166,600 円			
	体外診断用医薬品開発前相談（追加相談）		1相談当たり　98,000 円			
	コンパニオン診断薬開発前相談		1相談当たり　293,800 円			
	コンパニオン診断薬開発前相談（準備面談済）		1相談当たり　264,400 円			
	コンパニオン診断薬開発前相談（追加相談）		1相談当たり　147,000 円			
	コンパニオン診断薬開発パッケージ相談		1相談当たり　1,541,600 円			
	コンパニオン診断薬開発パッケージ相談（準備面談済）		1相談当たり　1,512,200 円			
	体外診断用医薬品プロトコル相談	品質	1相談当たり　127,400 円			
		品質（準備面談済）	1相談当たり　89,100 円			
		品質（追加相談）	1相談当たり　60,800 円			
		性能（品質以外）（1試験）	1相談当たり　127,400 円			
		性能（品質以外）（1試験）（準備面談済）	1相談当たり　89,100 円			
		性能（品質以外）（1試験）（追加相談）	1相談当たり　60,800 円			
		性能（品質以外）（2試験）	1相談当たり　254,800 円			
		性能（品質以外）（2試験）（準備面談済）	1相談当たり　216,500 円			
		性能（品質以外）（2試験）（追加相談）	1相談当たり　127,400 円	（関西支部実施）※※ +280,000 円		対面助言実施日の日程調整後，申込までに納付
		性能（品質以外）（3試験以上）	1相談当たり　381,900 円			
		性能（品質以外）（3試験以上）（準備面談済）	1相談当たり　343,700 円			
		性能（品質以外）（3試験以上）（追加相談）	1相談当たり　191,100 円			
		相関性	1相談当たり　254,800 円			
		相関性（準備面談済）	1相談当たり　216,500 円			
		相関性（追加相談）	1相談当たり　127,400 円			
		臨床性能試験	1相談当たり　735,300 円			
		臨床性能試験（準備面談済）	1相談当たり　688,000 円			
		臨床性能試験（追加相談）	1相談当たり　367,600 円			
		コンパニオン診断薬臨床性能試験	1相談当たり　2,353,100 円			
		コンパニオン診断薬臨床性能試験（準備面談済）	1相談当たり　2,323,700 円			
		コンパニオン診断薬臨床性能試験（追加相談）	1相談当たり　1,176,500 円			
	体外診断用医薬品申請手続相談		1相談当たり　78,300 円			
	体外診断用医薬品品質評価相談	品質	1相談当たり　127,400 円			
		品質（準備面談済）	1相談当たり　89,100 円			
		品質（プロトコル未評価）	1相談当たり　191,100 円			
		品質（プロトコル未評価）（準備面談済）	1相談当たり　150,100 円			
		品質（追加相談）	1相談当たり　60,800 円			

（単位：円）

			手数料額		納付時期
対面助言					
体外診断用医薬品	体外診断用医薬品評価相談	性能（品質以外）（1試験）	1相談当たり 127,400 円		
		性能（品質以外）（1試験）（準備面談済）	1相談当たり 89,100 円		
		性能（品質以外）（1試験）（プロトコル未評価）	1相談当たり 191,100 円		
		性能（品質以外）（1試験）（プロトコル未評価）（準備面談済）	1相談当たり 150,100 円		
		性能（品質以外）（1試験）（追加相談）	1相談当たり 60,800 円		
		性能（品質以外）（2試験）	1相談当たり 254,800 円		
		性能（品質以外）（2試験）（準備面談済）	1相談当たり 216,500 円		
		性能（品質以外）（2試験）（プロトコル未評価）	1相談当たり 381,900 円		
		性能（品質以外）（2試験）（プロトコル未評価）（準備面談済）	1相談当たり 343,700 円		
		性能（品質以外）（2試験）（追加相談）	1相談当たり 127,400 円		
		性能（品質以外）（3試験以上）	1相談当たり 381,900 円		
		性能（品質以外）（3試験以上）（準備面談済）	1相談当たり 343,700 円		
		性能（品質以外）（3試験以上）（プロトコル未評価）	1相談当たり 573,500 円	（関西支部実施） ※※ +280,000 円	対面助言実施日の日程調整後，申込までに納付
		性能（品質以外）（3試験以上）（プロトコル未評価）（準備面談済）	1相談当たり 535,300 円		
		性能（品質以外）（3試験以上）（追加相談）	1相談当たり 191,100 円		
		相関性	1相談当たり 254,800 円		
		相関性（準備面談済）	1相談当たり 216,500 円		
		相関性（プロトコル未評価）	1相談当たり 381,900 円		
		相関性（プロトコル未評価）（準備面談済）	1相談当たり 343,700 円		
		相関性（追加相談）	1相談当たり 127,400 円		
		臨床性能試験	1相談当たり 440,700 円		
		臨床性能試験（準備面談済）	1相談当たり 396,600 円		
		臨床性能試験（プロトコル未評価）	1相談当たり 808,600 円		
		臨床性能試験（プロトコル未評価）（準備面談済）	1相談当たり 764,500 円		
		臨床性能試験（追加相談）	1相談当たり 220,500 円		
		コンパニオン診断薬臨床性能試験	1相談当たり 1,470,700 円		
		コンパニオン診断薬臨床性能試験（準備面談済）	1相談当たり 1,441,300 円		
		コンパニオン診断薬臨床性能試験（プロトコル未評価）	1相談当たり 2,647,200 円		
		コンパニオン診断薬臨床性能試験（プロトコル未評価）（準備面談済）	1相談当たり 2,617,700 円		
		コンパニオン診断薬臨床性能試験（追加相談）	1相談当たり 733,000 円		
再生医療等製品		再生医療等製品手続相談	1相談当たり 141,600 円		
		再生医療等製品拡大治験開始前相談	1相談当たり 261,400 円		
		再生医療等製品開発前相談	1相談当たり 314,700 円		
		再生医療等製品開発前相談（追加相談）	1相談当たり 157,300 円		
		再生医療等製品非臨床相談（効力）	1相談当たり 944,400 円		
		再生医療等製品非臨床相談（効力）（追加相談）	1相談当たり 472,100 円		
		再生医療等製品非臨床相談（安全性）	1相談当たり 993,500 円		
		再生医療等製品非臨床相談（安全性）（追加相談）	1相談当たり 496,800 円		
		再生医療等製品品質相談	1相談当たり 993,500 円		
		再生医療等製品品質相談（追加相談）	1相談当たり 496,800 円		
		再生医療等製品材料適格性相談	1相談当たり 496,800 円		
		再生医療等製品探索的試験開始前相談	1相談当たり 1,153,400 円	（関西支部実施） ※※ +280,000 円	対面助言実施日の日程調整後，申込までに納付
		再生医療等製品探索的試験開始前相談（追加相談）	1相談当たり 577,100 円		
		再生医療等製品探索的試験終了後相談	1相談当たり 1,687,200 円		
		再生医療等製品探索的試験終了後相談（追加相談）	1相談当たり 844,200 円		
		再生医療等製品事前評価相談（安全性・品質・効力）	1相談当たり 3,684,200 円		
		再生医療等製品事前評価相談（探索的試験）	1相談当たり 1,687,200 円		
		再生医療等製品事前評価相談（検証の治験）	1相談当たり 3,684,200 円		
		再生医療等製品申請前相談	1相談当たり 3,684,200 円		
		再生医療等製品申請前相談（追加相談）	1相談当たり 1,842,000 円		
		再生医療等製品レジストリ使用計画相談	1相談当たり 294,100 円		
		再生医療等製品条件及び期限付承認後臨床試験等計画相談（臨床試験計画あり）	1相談当たり 1,687,200 円		
		再生医療等製品条件及び期限付承認後臨床試験等計画相談（臨床試験計画あり）（追加相談）	1相談当たり 844,200 円		

第2章　医薬品医療機器総合機構による承認申請の受付業務等について　71

（単位：円）

		手数料額			納付時期
対面助言					
再生医療等製品	再生医療等製品条件及び期限付承認後臨床試験等計画相談（調査のみ）	1相談当たり 1,266,400 円			
	再生医療等製品条件及び期限付承認後臨床試験等計画相談（調査のみ）（追加相談）	1相談当たり 633,000 円			
	再生医療等製品条件及び期限付承認後臨床試験等終了時相談（臨床試験計画あり）	1相談当たり 1,687,200 円			
	再生医療等製品条件及び期限付承認後臨床試験等終了時相談（臨床試験計画あり）（追加相談）	1相談当たり 844,200 円			
	再生医療等製品条件及び期限付承認後臨床試験等終了時相談（調査のみ）	1相談当たり 1,266,400 円			
	再生医療等製品条件及び期限付承認後臨床試験等終了時相談（調査のみ）（追加相談）	1相談当たり 633,000 円			
	再生医療等製品製造販売後臨床試験等計画相談（臨床試験計画あり）	1相談当たり 1,687,200 円			
	再生医療等製品製造販売後臨床試験等計画相談（臨床試験計画あり）（追加相談）	1相談当たり 844,200 円			
	再生医療等製品製造販売後臨床試験等計画相談（調査のみ）	1相談当たり 1,266,400 円			
	再生医療等製品製造販売後臨床試験等計画相談（調査のみ）（追加相談）	1相談当たり 633,000 円			
	再生医療等製品製造販売後臨床試験等終了時相談（臨床試験計画あり）	1相談当たり 1,687,200 円	（関西支部実施）※※ +280,000 円		対面助言実施日の日程調整後，申込までに納付
	再生医療等製品製造販売後臨床試験等終了時相談（臨床試験計画あり）（追加相談）	1相談当たり 844,200 円			
	再生医療等製品製造販売後臨床試験等終了時相談（調査のみ）	1相談当たり 1,266,400 円			
	再生医療等製品製造販売後臨床試験等終了時相談（調査のみ）（追加相談）	1相談当たり 633,000 円			
	再生医療等製品信頼性基準適合性調査相談（GCTP含む）	1相談当たり 613,800 円			
	再生医療等製品信頼性基準適合性調査相談（GCTP含む）（追加相談）	1相談当たり 304,000 円			
	再生医療等製品レジストリ活用相談	1相談当たり 100,000 円		+外国旅費	
	再生医療等製品レジストリ信頼性調査相談（承認申請）	1相談当たり 738,100 円		+外国旅費	
	再生医療等製品レジストリ信頼性調査相談（承認申請）（追加相談）	1相談当たり 369,100 円		+外国旅費	
	再生医療等製品レジストリ信頼性調査相談（再審査申請）	1相談当たり 555,000 円		+外国旅費	
	再生医療等製品レジストリ信頼性調査相談（再審査申請）（追加相談）	1相談当たり 277,500 円		+外国旅費	
	再生医療等製品事前面談（相談記録あり）	1相談当たり 99,200 円			
	再生医療等製品対面助言事後相談（相談記録あり）	1相談当たり 99,200 円			
カルタヘナ法関連相談	カルタヘナ法事前審査前相談（第1種使用等）	1相談当たり 2,889,700 円	（関西支部実施）※※ +280,000 円		対面助言実施日の日程調整後，申込までに納付
	カルタヘナ法事前審査前相談（第2種使用等）	1相談当たり 963,200 円			
	カルタヘナ法関連事項相談	1相談当たり 600,400 円			
	カルタヘナ法関連相談事前面談（相談記録あり）	1相談当たり 99,200 円			
先駆け総合評価相談	医薬品先駆け総合評価相談（品質）	1相談当たり 4,604,400 円			
	医薬品先駆け総合評価相談（非臨床）	1相談当たり 7,679,300 円			
	医薬品先駆け総合評価相談（臨床）	1相談当たり 9,208,000 円			
	医薬品先駆け総合評価相談（信頼性）	1相談当たり 4,593,900 円			
	医薬品先駆け総合評価相談（GMP）	1相談当たり 4,591,100 円		+外国旅費	
	医療機器先駆け総合評価相談（品質）	1相談当たり 1,499,700 円			
	医療機器先駆け総合評価相談（非臨床）	1相談当たり 2,497,800 円			
	医療機器先駆け総合評価相談（臨床）	1相談当たり 2,998,800 円			
	医療機器先駆け総合評価相談（信頼性）	1相談当たり 1,498,600 円	（関西支部実施）※※ +280,000 円		対面助言実施日の日程調整後，申込までに納付
	医療機器先駆け総合評価相談（QMS）	1相談当たり 1,498,600 円		+外国旅費	
	体外診断用医薬品先駆け総合評価相談（品質）	1相談当たり 299,100 円			
	体外診断用医薬品先駆け総合評価相談（性能）	1相談当たり 999,500 円			
	体外診断用医薬品先駆け総合評価相談（臨床性能）	1相談当たり 1,599,300 円			
	体外診断用医薬品先駆け総合評価相談（QMS）	1相談当たり 599,000 円		+外国旅費	
	再生医療等製品先駆け総合評価相談（品質）	1相談当たり 2,303,400 円			
	再生医療等製品先駆け総合評価相談（非臨床）	1相談当たり 3,836,500 円			
	再生医療等製品先駆け総合評価相談（臨床）	1相談当たり 4,606,000 円			
	再生医療等製品先駆け総合評価相談（信頼性）	1相談当たり 2,301,800 円			
	再生医療等製品先駆け総合評価相談（GCTP）	1相談当たり 2,301,800 円		+外国旅費	

（単位：円）

			手数料額		納付時期
対面助言					
戦略相談	医薬品戦略相談	1相談当たり	1,541,600 円	（関西支部実施）※※ +280,000 円	対面助言実施日の日程調整後, 申込までに納付
	医薬品戦略相談 （別に定める要件を満たす大学・研究機関, ベンチャー企業※）	1相談当たり	154,100 円		
	再生医療等製品等の品質及び安全性に係る相談	1相談当たり	1,541,600 円		
	再生医療等製品等の品質及び安全性に係る相談 （別に定める要件を満たす大学・研究機関, ベンチャー企業※）	1相談当たり	154,100 円		
	医療機器戦略相談	1相談当たり	874,000 円		
	医療機器戦略相談 （別に定める要件を満たす大学・研究機関, ベンチャー企業※）	1相談当たり	87,400 円		
	再生医療等製品戦略相談	1相談当たり	874,000 円		
	再生医療等製品戦略相談 （別に定める要件を満たす大学・研究機関, ベンチャー企業※）	1相談当たり	87,400 円		
	開発計画等戦略相談	1相談当たり	73,600 円		
簡易相談	後発医療用医薬品簡易相談	1相談当たり	22,600 円		対面助言実施日の日程調整後, 申込までに納付
	一般用医薬品簡易相談	1相談当たり	22,600 円		
	医薬部外品簡易相談（防除用製品を含む）	1相談当たり	22,600 円		
	医療機器簡易相談	1相談当たり	39,400 円		
	体外診断用医薬品簡易相談	1相談当たり	39,400 円		
	医療機器認証基準該当性簡易相談	1相談当たり	79,800 円		
	体外診断用医薬品認証基準該当性簡易相談	1相談当たり	79,800 円		
	医療機器変更届出事前確認簡易相談	1相談当たり	39,400 円		書面申込までに納付
	医薬品変更届出事前確認簡易相談	1相談当たり	39,400 円		
	後発医薬品変更届出事前確認簡易相談	1相談当たり	39,400 円		
	新医薬品簡易相談	1相談当たり	22,600 円		対面助言実施日の日程調整後, 申込までに納付
	再生医療等製品簡易相談	1相談当たり	22,600 円		
	医薬品 GCP/GLP/GPSP 簡易相談	1相談当たり	20,300 円		
	医療機器 GCP/GLP/GPSP 簡易相談	1相談当たり	19,400 円		
	再生医療等製品 GCP/GLP/GPSP 簡易相談	1相談当たり	20,400 円		
	GMP 調査簡易相談	1相談当たり	25,400 円		
	QMS 調査簡易相談	1相談当たり	25,400 円		
	GCTP 調査簡易相談	1相談当たり	26,700 円		
関西支部テレビ会議システム利用料					
医療機器	新医薬品承認申請後初回面談	1件につき		280,000 円	システム利用申込までに納付
	承認申請後品目説明会				
	全般相談				
	同時申請相談				
	フォローアップ面談				
薬用体外 品医断外	承認申請後品目説明会				
	全般相談				
	再生医療等製品承認申請後初回面談				
	安全対策相談	1件につき		70,000 円	
安全性試験調査					
全試験項目	基本料	動物飼育施設あり	1施設につき	1,364,500 円	予め納付してから機構に依頼
		動物飼育施設なし	1施設につき	839,400 円	
	対象試験加算	一般毒性試験	1件につき	419,600 円	
		生殖発生毒性試験	1件につき	209,800 円	
		安全性薬理コアバッテリー試験 （医薬品のみ）	1件につき	209,800 円	
		血液適合性試験（機器のみ）	1件につき	209,800 円	
		in vitro 試験	1件につき	209,800 円	
		その他（依存性試験, TK, 病理他）	1件につき	209,800 円	
	対象区分加算	医薬品	1施設につき	209,800 円	
		医療機器	1施設につき	209,800 円	
		再生医療等製品	1施設につき	209,800 円	
追加適合認定			1施設につき	1,007,200 円	
追加調査			2回目以降 1回につき	416,300 円	

(単位：円)

	手数料額		納付時期
医薬品等証明確認調査			
治験薬 GMP 証明（実地調査を伴うもの）	1施設1品目につき	798,900 円	予め納付してから機構に依頼
治験薬 GMP 証明（実地調査を伴わないもの）	1施設1品目につき	16,200 円	
医薬品製剤証明	1品目につき	16,200 円	
その他の証明（GMP/QMS 証明を含む）	1品目1事項につき	9,100 円	
資料保管室の使用			
	1個室につき1日当たり	3,000 円	使用期間終了後，機構からの請求により納付

※別に定める要件を満たす大学・研究機関，ベンチャー企業

　原則として，下記の要件をすべて満たすこと。

（大学・研究機関）

・国から当該シーズに係る下記の金額程度以上の研究費を受けていないこと

　　医薬品戦略相談又は再生医療等製品等の品質及び安全性に係る相談：9,000 万円

　　医療機器戦略相談又は再生医療等製品戦略相談：5,000 万円

・当該シーズに係る製薬企業・医療機器等開発企業との共同研究契約等により，当該シーズの実用化に向けた研究費を当該企業から受けていないこと

（ベンチャー企業）

・中小企業であること（従業員数 300 人以下又は資本金 3 億円以下）

・他の法人が株式総数又は出資総額の 1/2 以上の株式又は出資金を有していないこと

・複数の法人が株式総数又は出資総額の 2/3 以上の株式又は出資金を有していないこと

・前事業年度において，当期利益が計上されていない又は当期利益は計上されているが事業収益がないこと

※※テレビ会議システムを利用して関西支部において対面助言相談を行う場合は，相談料のほかに一律利用料 28 万円が必要になります。

⑵ 手数料の振込

医薬品，医薬部外品及び化粧品関係の指定口座は表22のとおりである。

表22．指定口座

銀行名	支店名	預金種別	口座番号
みずほ銀行	新橋支店	普通	1737826
三井住友銀行	東京公務部	普通	152478
三菱UFJ銀行	東京公務部	普通	1004552
りそな銀行	東京営業部	普通	1474953

① 手数料は，審査等申請書に記載した品目に応じた手数料の合計金額を振り込むこと（基本は1申請1振込とし，やむを得ず複数の申請に係る手数料を合算して振り込む場合は，申請ごとの金額がわかるよう，内訳書を添付すること）。

② 実地調査で上記①の手数料に加算される外国旅費等の金額については，当該実地調査終了後に，PMDAが「独立行政法人医薬品医療機器総合機構旅費規程」（平成16年規程第20号）に基づき算定する額を指定の口座へ振り込むこと。

③ 銀行等の窓口で手数料を振り込む場合は，PMDAの指定する振込依頼書又は銀行等備え付けの振込依頼書を使用すること。なお，PMDAが指定する振込依頼書は，PMDA（関西支部を含む）の受付又は都道府県の薬務主管課で配布している。

④ 医薬品の承認審査，書面適合性調査，GCP調査，GMP調査，再審査，再審査資料適合性調査，GPSP調査，GLP調査，構造設備調査，海外施設認定等調査，証明確認調査の申請又は対面助言の申込みを行う場合には，医薬品・医薬部外品・化粧品審査等手数料専用振込依頼書（青色の用紙）を使用すること。

⑤ 銀行等備え付けの振込依頼書を使用して振り込む場合又は自動振込機より振り込む場合は，受取人の名称を「独立行政法人医薬品医療機器総合機構」とすること。
送金方法は，「電信扱い」，「文書扱い」いずれの方法でも可能である。

⑥ PMDAが指定する振込依頼書を使用し，上記に定める指定銀行本支店から同一銀行の指定口座に振り込む場合に限り，振込手数料は無料となる。
※例：みずほ銀行新宿支店から，みずほ銀行新橋支店のPMDA指定口座へ振り込む場合。

⑦ インターネットを利用した振込み（インターネットバンキングによる振込み）で，依頼人名に業者コードを入力できない場合は，手続き完了画面をプリントアウトし，申請者の業者コードを記入すること（PMDAホームページの「ネットバンキングによ

る振込みについてのお願い」を参照すること）。

⑶ 振込用紙の記入方法

① 振込金額

表 20，表 21 のとおり。

② 振込口座

表 22 のとおり。

③ 受取人名

フリガナ：ドク）イヤクヒンイリョウキキソウゴウキコウ

受取人名：独立行政法人医薬品医療機器総合機構

④ 業者コード

業者コード（9 桁）は，必ず記入すること。その際，下 3 桁は「000」とすること。

ア　PMDA が指定する振込依頼書の場合は「業者コード」欄に 9 桁の業者コードを必ず記載すること。

イ　銀行等備え付けの振込依頼書，自動振込機又はインターネットバンキングにより振り込む場合は，「ご依頼人」欄の最初に 9 桁の業者コードを記載又は入力し，次に 1 文字分を空欄にした後，「依頼人の氏名」欄に記載又は入力すること。

ウ　業者コードを持たない申請者(新規申請業者又は安全性試験実施者)は，「業者コード」欄に「999999999」と記載すること。

なお，治験の相談申込者であって，自ら治験を実施する者は，「業者コード」欄に「999999888」と記載すること。

⑤ 依頼人名

申請者（企業）名

※個人名での振込等はしないこと。

⑥ 送金方法

「電信」，「文書」のいずれの方法でもよい。

⑷ 還付の取扱い

① 手数料（医薬品治験相談手数料及びレギュラトリーサイエンス戦略相談手数料を除く）については，申請者が表 23 の左欄に掲げる手数料の区分に応じ，同表の右欄に掲げる日以降に承認申請等の取下げを行った場合は，手数料を還付しない。

表23. 還付の取扱いについて

	手数料区分	業務開始日
審査・調査手数料	新医薬品審査手数料 医薬品再審査手数料 後発医薬品（要指導・一般用医薬品，医薬部外品，化粧品を含む）審査手数料 医療機器審査手数料 医療機器使用成績評価手数料 体外診断用医薬品審査手数料 体外診断用医薬品使用成績評価手数料 再生医療等製品審査手数料 再生医療等製品再審査手数料 医薬品 GMP 適合性調査手数料 医療機器 QMS 適合性調査手数料 再生医療等製品 GCTP 適合性調査手数料 医薬品構造設備調査手数料 医薬品海外製造施設認定調査手数料 登録認証機関調査手数料 再生医療等製品構造設備調査手数料 再生医療等製品海外製造施設認定調査手数料 細胞培養加工施設構造設備調査手数料 細胞培養加工施設海外製造施設認定調査手数料 医薬品等証明確認調査手数料	申請受理日
	新医薬品適合性調査手数料 医療機器適合性調査手数料 医薬品再審査適合性調査手数料 医療機器使用成績評価適合性調査手数料 体外診断用医薬品使用成績評価適合性調査手数料 再生医療等製品適合性調査手数料 再生医療等製品再審査適合性調査手数料	資料詳細目録提出指示日
	後発医薬品適合性調査手数料（品質再評価に伴う承認事項一部変更承認申請の適合性調査に係るものを除く。）	調査資料提出指示日
	後発医薬品適合性調査手数料（品質再評価に伴う承認事項一部変更承認申請の適合性調査に係るものに限る。）	調査資料受取日
	新医薬品 GCP 調査手数料 後発医薬品 GCP 調査手数料 医療機器 GCP 調査手数料 再生医療等製品 GCP 調査手数料 医薬品 GPSP 調査手数料 医療機器 GPSP 調査手数料 体外診断用医薬品 GPSP 調査手数料 再生医療等製品 GPSP 調査手数料 GLP 調査手数料	調査実施通知日

対面助言手数料	医薬品治験相談手数料※ 医薬部外品開発相談手数料※ 医薬品簡易相談手数料 医薬品戦略相談手数料※ 医療機器治験相談手数料※ 医療機器簡易相談手数料 医療機器戦略相談手数料※ 体外診断用医薬品治験相談手数料※ 体外診断用医薬品簡易相談手数料 再生医療等製品治験相談手数料※ 再生医療等製品簡易相談手数料 再生医療等製品戦略相談手数料※	対面助言申込日

（※）　対面助言申込日以後，相談実施日までに取下げを行った場合には，手数料の半額を還付する。ただし，以下の場合を除く。
- ・先駆け審査指定制度の対象品目の優先対面助言手数料
- ・対面助言準備面談手数料
- ・カルタヘナ法事前審査前相談手数料又はカルタヘナ法関連事項相談手数料
- ・先駆け総合評価相談，事前評価相談，ファーマコゲノミクス・バイオマーカー相談，軽微変更届事前確認相談，後発医薬品変更管理事前確認相談，医薬品 PACMP 品質相談，後発医薬品 PACMP 品質相談又は再製造単回使用医療機器評価相談（QMS 適合性確認）について，機構からの照会送付後に取下げを行った場合

② 　医薬品治験相談手数料及びレギュラトリーサイエンス戦略相談手数料については，申込者が対面助言申込日以降に取下げを行った場合には，手数料の半額を還付する（一部対象外あり）。

③ 　区分間違い等により，振り込んだ手数料と本来の手数料の額に差額が生じた場合は，その差額相当分を還付する。

④ 　関西支部テレビ会議システムの利用申込み後，対象の相談の実施が書面による助言に変更になった場合等，その利用を取りやめる場合又は相談自体を取り下げる場合（申込者の都合で相談実施変更を行う場合も含む）は，関西支部テレビ会議システム利用料の全額を還付する。

⑤ 　還付請求書様式の種別と送付先は次のとおりである。

ア　①，③，④に係る還付請求書様式と送付先

　　様式第 31 号　審査等手数料過誤納還付請求書

　　（送付先）

　　〒 100-0013　東京都千代田区霞が関 3 － 3 － 2　新霞が関ビル

　　独立行政法人医薬品医療機器総合機構　審査業務部業務第一課　審査等手数料係

イ　②に係る還付請求書様式と送付先

　　様式第 34 号　審査等手数料還付請求書

様式第31

還付金整理番号	第　　　号

審査等手数料誤納還付請求書

下記の金額の還付を請求します。
なお、振込に際しては、下記口座へお願いします。

令和　　年　　月　　日

　　　住 所 又 は 所 在 地
　　　氏 名 又 は 名 称
　　　代 表 者 氏 名　　　　　　　　　　　　　　印

独立行政法人
医薬品医療機器総合機構　支払命令役　殿

記

還 付 金 額	金　　　　　　　　　円

振込金融機関	銀　　行　　　　　　本店 信用金庫　　　　　　支店
預 金 種 別	
口 座 番 号	
ふ り が な	
口 座 名 義	

(還付理由)

(手数料区分名) (書類提出日) 1.　　　年　　月　　日 　提出先：　都道府県庁・機構 　(受付番号：　　　　　　　) 2．提出していない。 (取下げ日) 　　　年　　月　　日	作　成 担 当 者	連絡先　　　　　　　課（係）
		電話番号

様式第 34 号（還付請求書）

還付金整理番号	第　　　号

医薬品等審査等手数料還付請求書

下記の金額の還付を請求します。
なお、振込みに際しては、下記口座へお願いします。

令和　　年　　月　　日

住 所 又 は 所 在 地
氏 名 又 は 名 称
代 表 者 氏 名　　　　　　　　　　　　　　　　　印

独立行政法人医薬品医療機器総合機構支払命令役　殿

記

還 付 金 額	金　　　　　　　　円

振込金融機関	銀　　行　　　　　　本店 信用金庫　　　　　　支店
預 金 種 別	
口 座 番 号	
ふ り が な	
口 座 名 義	

（還付理由）

作　成 担 当 者	連絡先　　　　　　課（係）
	電話番号
	印

※「(還付理由)」欄の記載例：
　令和○年○月○日当社より申込みをした受付番号○○○の医薬品，医療機器，体外診断用医薬品又は再生医療等製品の対面助言（相談区分：○○○）を，○○○の理由で令和○年○月○日に取り下げたため。

(送付先)

〒100-0013　東京都千代田区霞が関3－3－2　新霞が関ビル

独立行政法人医薬品医療機器総合機構　審査マネジメント部審査マネジメント課

⑸　各種手数料の申請時の消費税

① 非課税扱いの手数料

ア　PMDAが行う医薬品医療機器法第14条第1項及び第9項の規定に基づく新規承認及び承認事項一部変更承認に係る審査手数料

イ　PMDAが行う医薬品医療機器法第14条の4第3項の規定に基づく再審査に係る確認手数料

② 課税扱いの手数料

ア　医薬品医療機器法の規定に基づきPMDAが行う①以外の業務の手数料

・製造業許可に係る調査

・外国製造業者認定に係る調査

・承認申請資料の基準適合性に係る調査

・製造所における製造管理又は品質管理の方法の基準適合性に係る調査（GMP調査）

・再審査資料の基準適合性に係る調査

イ　独立行政法人医薬品医療機器総合機構審査等業務及び安全対策業務関係業務方法書の規定に基づき行う業務の手数料

・対面助言（治験相談，簡易相談，優先対面助言品目指定審査，レギュラトリーサイエンス戦略相談）

・安全性試験調査（GLP調査）

・医薬品等証明確認調査

・資料保管室の使用料

⑹　国の手数料

① 手数料額と納付方法について

振込みではなく，収入印紙での対応となるので注意すること。

表 24. 医薬品等手数料

(平成 31 年 4 月 1 日改正　医薬品医療機器等法関係手数料令)

(平成 29 年 4 月 1 日改正　医薬品医療機器等法関係手数料令)

(平成 29 年 7 月 31 日改正　医薬品医療機器等法関係手数料規則)

(平成 20 年 6 月 18 日改正　登録免許税法)

	手数料区分	コード	手数料等			登録免許税 ※2	対象様式
			国	機構(審査)	機構(調査)		
承認	新医薬品製造販売承認（その1）（先の申請品目）	GAA	533,800	36,538,400	10,363,300	－	E 01, F 01
	新医薬品製造販売承認（その1）（規格違い品目）	GAB	147,700	3,784,700	2,590,500	－	E 01, F 01
	新医薬品製造販売承認（その1）（オーファン）（先の申請品目）	GAC	533,800	30,618,800	5,191,600	－	E 01, F 01
	新医薬品製造販売承認（その1）（オーファン）（規格違い品目）	GAD	147,700	3,166,400	1,292,500	－	E 01, F 01
	新医薬品製造販売承認（その1）（先の申請品目）＋承認前検査料（動物試験対象外）	GAE	685,900	36,538,400	10,363,300	－	E 01, F 01
	新医薬品製造販売承認（その1）（先の申請品目）＋承認前検査料（動物試験対象）	GAF	1,776,900	36,538,400	10,363,300	－	E 01, F 01
	新医薬品製造販売承認（その1）（先の申請品目）＋承認前検査料（動物（サル）試験対象）	GAG	19,822,400	36,538,400	10,363,300	－	E 01, F 01
	新医薬品製造販売承認（その1）（オーファン）（先の申請品目）＋承認前検査料（動物試験対象外）	GAH	685,900	30,618,800	5,191,600	－	E 01, F 01
	新医薬品製造販売承認（その1）（オーファン）（先の申請品目）＋承認前検査料（動物試験対象）	GAI	1,776,900	30,618,800	5,191,600	－	E 01, F 01
	新医薬品製造販売承認(その1)（オーファン，適合性調査）（先の申請品目)＋承認前検査料（動物（サル）試験対象）	GAJ	19,822,400	30,618,800	5,191,600	－	E 01, F 01
	新医薬品製造販売承認（その2）（先の申請品目）	GAK	343,900	17,438,300	3,891,500	－	E 01, F 01
	新医薬品製造販売承認（その2）（規格違い品目）	GAL	100,300	1,803,600	973,100	－	E 01, F 01
	新医薬品製造販売承認（その2）（オーファン）（先の申請品目）	GAM	343,900	14,354,900	1,947,100	－	E 01, F 01
	新医薬品製造販売承認（その2）（オーファン）（規格違い品目）	GAN	100,300	1,542,200	489,900	－	E 01, F 01
	医療用医薬品製造販売承認（適合性調査あり）	GBA	28,100	649,100	346,700	－	E 01, F 01
	医療用医薬品製造販売承認（適合性調査なし）	GBB	28,100	649,100	－	－	E 01, F 01
	その他の医薬品製造販売承認（要指導含む）（適合性調査あり）	GBD	21,300	324,200	346,700	－	E 01, F 01
	その他の医薬品製造販売承認（要指導含む）（適合性調査なし）	GBI	21,300	324,200	－	－	E 01, F 01
	その他の医薬品製造販売承認（要指導含む）（一物多名称子品目）	GBN	21,300	230,400	－	－	E 01, F 01
	医薬品製造販売承認（販売名変更代替新規）	GBF	申請区分による	37,300	－	－	E 01, E 05, F 01, F 05
	その他の医薬品製造販売承認（要指導含む）（スイッチ OTC 等）（先の申請品目）（適合性調査あり）	GBG	202,200	1,627,300	346,700	－	E 01, F 01
	その他の医薬品製造販売承認（要指導含む）（スイッチ OTC 等）（先の申請品目）（適合性調査なし）	GBJ	202,200	1,627,300	－	－	E 01, F 01
	その他の医薬品製造販売承認（要指導含む）（スイッチ OTC 等）（先の申請品目）（一物多名称子品目）	GBL	202,200	1,505,200	－	－	E 01, F 01
	その他の医薬品製造販売承認（要指導含む）（スイッチ OTC 等）（規格違い品目）（適合性調査あり）	GBK	202,200	1,627,300	346,700	－	E 01, F 01

	その他の医薬品製造販売承認(要指導含む)(スイッチOTC等)(規格違い品目)(適合性調査なし)	GBH	202,200	1,627,300	–	–	E 01,F 01
	その他の医薬品製造販売承認(要指導含む)(スイッチOTC等)(規格違い品目)(一物多名称子品目)	GBM	202,200	1,505,200	–	–	E 01,F 01
	化粧品製造販売承認	GCJ	21,400	66,600	–		E 03,F 03
	医薬部外品・化粧品製造販売承認(販売名変更代替新規)	GCC	21,400	37,300	–		E 02,E 03,F 02,F 03
	医薬部外品製造販売承認(新有効成分)	GCD	21,400	4,069,100	–		E 02,F 02
	医薬部外品製造販売承認(新用量等)	GCE	21,400	388,300	–		E 02,F 02
	医薬部外品製造販売承認(その他)	GCF	21,400	99,900	–		E 02,F 02
	防除用医薬品等製造販売承認(新有効成分)	GCG	533,800	6,808,300	–		E 01,E 02,F 01,F 02
	防除用医薬品等製造販売承認(新有効成分)(一物多名称子品目)	GCK	533,800	5,237,200	–		E 01,E 02,F 01,F 02
	防除用医薬品等製造販売承認(新用量等)	GCH	202,200	658,800	–		E 01,E 02,F 01,F 02
	防除用医薬品等製造販売承認(新用量等)(一物多名称子品目)	GCL	202,200	411,800	–		E 01,E 02,F 01,F 02
	防除用医薬品等製造販売承認(その他)	GCI	21,400	160,300	–		E 01,E 02,F 01,F 02
	防除用医薬品等製造販売承認(その他)(一物多名称子品目)	GCM	21,400	100,200	–		E 01,E 02,F 01,F 02
	新医薬品製造販売一部変更承認(先の申請品目)	GFA	343,900	15,652,600	3,891,500	–	E 11,F 11
	新医薬品製造販売一部変更承認(規格違い品目)	GFB	100,300	1,624,000	973,100	–	E 11,F 11
	新医薬品製造販売一部変更承認(オーファン)(先の申請品目)	GFC	343,900	12,955,000	1,947,100	–	E 11,F 11
	新医薬品製造販売一部変更承認(オーファン)(規格違い品目)	GFD	100,300	1,344,800	489,900	–	E 11,F 11
承認	医療用医薬品製造販売一部変更承認(先の申請品目)	GGW	343,900	15,652,600	3,891,500	–	E 11,F 11
	医療用医薬品製造販売一部変更承認(規格違い品目)	GGX	100,300	1,624,000	973,100	–	E 11,F 11
	医療用医薬品製造販売一部変更承認(その他)(適合性調査あり)	GGA	20,600	323,000	195,500	–	E 11,F 11
	医療用医薬品製造販売一部変更承認(その他)(適合性調査なし)	GGB	20,600	323,000	–		E 11,F 11
	医療用医薬品製造販売一部変更承認(再審査期間中,適合性調査あり)	GGC	20,600	323,000	195,500	–	E 11,F 11
	医療用医薬品製造販売一部変更承認(再審査期間中,適合性調査なし)	GGD	20,600	323,000	–		E 11,F 11
	医療用医薬品製造販売一部変更承認(オーファン,再審査期間中,適合性調査あり)	GGE	20,600	203,700	173,300	–	E 11,F 11
	医療用医薬品製造販売一部変更承認(オーファン,再審査期間中,適合性調査なし)	GGF	20,600	203,700	–		E 11,F 11
	その他の医薬品製造販売一部変更承認(適合性調査あり)	GGH	20,600	165,700	195,500	–	E 11,F 11
	その他の医薬品製造販売一部変更承認(適合性調査なし)	GGR	20,600	165,700	–		E 11,F 11
	その他の医薬品製造販売一部変更承認(一物多名称子品目)	GG1	20,600	117,800	–		E 11,F 11
	医療用医薬品製造販売一部変更承認(ガイドライン等に基づくもの)	GGJ	20,600	56,000	–		E 11,F 11
	その他の医薬品製造販売一部変更承認(要指導含む)(スイッチOTC等)(先の申請品目)(適合性調査あり)	GGK	343,900	15,652,600	195,500	–	E 11,F 11
	その他の医薬品製造販売一部変更承認(要指導含む)(スイッチOTC等)(先の申請品目)(適合性調査なし)	GGS	343,900	15,652,600	–		E 11,F 11
	その他の医薬品製造販売一部変更承認(要指導含む)(スイッチOTC等)(先の申請品目)(一物多名称子品目)	GGY	343,900	14,478,400	–		E 11,F 11

承認	その他の医薬品製造販売一部変更承認（要指導含む）（スイッチOTC等）（規格違い品目）（適合性調査あり）	GGL	100,300	1,332,200	195,500	—	E 11,F 11
	その他の医薬品製造販売一部変更承認（要指導含む）（スイッチOTC等）（規格違い品目）（適合性調査なし）	GGT	100,300	1,332,200	—	—	E 11,F 11
	その他の医薬品製造販売一部変更承認（要指導含む）（スイッチOTC等）（規格違い品目）（一物多名称子品目）	GGZ	100,300	1,232,300	—	—	E 11,F 11
	その他の医薬品製造販売一部変更承認（スイッチOTC等）（その他）（適合性調査あり）	GGU	20,600	165,700	195,500	—	E 11,F 11
	その他の医薬品製造販売一部変更承認（スイッチOTC等）（その他）（適合性調査なし）	GGM	20,600	165,700	—	—	E 11,F 11
	その他の医薬品製造販売一部変更承認（スイッチOTC等）（その他）（一物多名称子品目）	GG 0	20,600	117,800	—	—	E 11,F 11
	その他の医薬品製造販売一部変更承認（要指導含む）（ガイドライン等に基づくもの）（適合性調査あり）	GGN	20,600	44,700	195,500	—	E 11,F 11
	その他の医薬品製造販売一部変更承認（要指導含む）（ガイドライン等に基づくもの）（適合性調査なし）	GGV	20,600	44,700	—	—	E 11,F 11
	その他の医薬品製造販売一部変更承認（要指導含む）（ガイドライン等に基づくもの）（一物多名称子品目）	GG 2	20,600	41,400	—	—	E 11,F 11
	防除用医薬品等製造販売一部変更承認	GGQ	20,600	81,200	—	—	E 11,E 12,F 11,F 12
	防除用医薬品等製造販売一部変更承認（一物多名称子品目）	GG 3	20,600	50,800	—	—	E 11,E 12,F 11,F 12
	医薬部外品製造販売一部変更承認	GHA	19,700	55,900	—	—	E 12,F 12
	化粧品製造販売一部変更承認	GHC	19,700	37,300	—	—	E 13,F 13
再審査	医薬品再審査（先の申請品目）	GKA	184,900	1,238,700	4,224,100	—	E 41,F 41
	医薬品再審査（規格違い品目）	GKB	74,300	417,000	1,409,400	—	E 41,F 41
許可	医薬品製造業許可（実地）	C 0 A	—	—	159,900	90,000	B 01
	医薬品製造業許可（書面）	C 0 B	—	—	120,400	90,000	B 01
	医薬品製造業許可更新（実地）	C 1 A	30,100	—	105,200	—	B 01
	医薬品製造業許可更新（書面）	C 1 B	30,100	—	59,700	—	B 01
	医薬品製造業許可区分追加（実地）	C 2 M	—	—	105,200	90,000	B 61
	医薬品製造業許可区分追加（書面）	C 2 N	—	—	59,700	90,000	B 61
	医薬品製造業許可区分変更（実地）	C 2 O	30,100	—	105,200	—	B 61
	医薬品製造業許可区分変更（書面）	C 2 P	30,100	—	59,700	—	B 61
	製造業許可証書換え交付	C 3 A	21,300	—	—	—	B 21
	製造業許可証再交付	C 4 A	21,300	—	—	—	B 31
認定	医薬品外国製造業者認定（実地）	E 0 A	—	—	143,900	90,000	C 01
	医薬品外国製造業者認定（書面）	E 0 B	—	—	62,600	90,000	C 01
	医薬部外品外国製造業者認定（実地）	E 0 C	—	—	143,900	90,000	C 02
	医薬部外品外国製造業者認定（書面）	E 0 D	—	—	62,600	90,000	C 02
	医薬品外国製造業者認定更新（実地）	E 1 A	23,400	—	69,700	—	C 11
	医薬品外国製造業者認定更新（書面）	E 1 B	23,400	—	42,900	—	C 11
	医薬部外品外国製造業者認定更新（実地）	E 1 C	23,400	—	69,700	—	C 12

分類	項目名	コード					備考
認定	医薬部外品外国製造業者認定更新（書面）	E1D	23,400	−	42,900	−	C12
	医薬品外国製造業者認定区分追加（実地）	E2E	−	−	69,700	90,000	C61
	医薬品外国製造業者認定区分追加（書面）	E2F	−	−	42,900	90,000	C61
	医薬品外国製造業者認定区分変更（実地）	E2G	23,400	−	69,700	−	C61
	医薬品外国製造業者認定区分変更（書面）	E2H	23,400	−	42,900	−	C61
	医薬部外品外国製造業者認定区分追加（実地）	E2I	−	−	69,700	90,000	C62
	医薬部外品外国製造業者認定区分追加（書面）	E2J	−	−	42,900	90,000	C62
	医薬部外品外国製造業者認定区分変更（実地）	E2K	23,400	−	69,700	−	C62
	医薬部外品外国製造業者認定区分変更（書面）	E2L	23,400	−	42,900	−	C62
	外国製造業者認定証書換え交付	E3A	19,700	−	−	−	C21,C22
	外国製造業者認定証再交付	E4A	19,700	−	−	−	C31,C32
GMP	医薬品目承認審査時適合性調査（新薬）（国内施設）	I0A	−	−	1,067,500	−	E31,F31,G21
	医薬品目承認審査時適合性調査（新薬）（海外施設）	I0B	−	−	1,347,100	−	E31,F31,G21
	医薬品目承認審査時適合性調査（生物由来・放射性）（国内施設）	I0C	−	−	961,100	−	E31,F31,G21
	医薬品目承認審査時適合性調査（生物由来・放射性）（海外施設）	I0D	−	−	1,218,500	−	E31,F31,G21
	医薬品目承認審査時適合性調査（無菌）（国内施設）	I0E	−	−	669,400	−	E31,F31,G21
	医薬品目承認審査時適合性調査（無菌）（海外施設）	I0F	−	−	843,200	−	E31,F31,G21
	医薬品目承認審査時適合性調査（一般）（国内施設）	I0G	−	−	486,000	−	E31,F31,G21
	医薬品目承認審査時適合性調査（一般）（海外施設）	I0H	−	−	612,300	−	E31,F31,G21
	医薬品目承認審査時適合性調査（包装・表示・保管，試験等）（国内施設）	I0I	−	−	91,900	−	E31,F31,G21
	医薬品目承認審査時適合性調査（包装・表示・保管，試験等）（海外施設）	I0J	−	−	122,200	−	E31,F31,G21
	医薬部外品目承認審査時適合性調査（無菌）（国内施設）	I0K	−	−	669,400	−	E32,F32,G22
	医薬部外品目承認審査時適合性調査（無菌）（海外施設）	I0L	−	−	843,200	−	E32,F32,G22
	医薬部外品目承認審査時適合性調査（一般）（国内施設）	I0M	−	−	486,000	−	E32,F32,G22
	医薬部外品目承認審査時適合性調査（一般）（海外施設）	I0N	−	−	612,300	−	E32,F32,G22
	医薬部外品目承認審査時適合性調査（包装・表示・保管，試験等）（国内施設）	I0O	−	−	91,900	−	E32,F32,G22
	医薬部外品目承認審査時適合性調査（包装・表示・保管，試験等）（海外施設）	I0P	−	−	122,200	−	E32,F32,G22
	医薬品承認適合性調査更新（生物由来・放射性施設）（国内施設）	I1A	−	−	※1	−	E31,F31,G21
	医薬品承認適合性調査更新（生物由来・放射性施設）（海外施設）	I1B	−	−	※1	−	E31,F31,G21
	医薬品承認適合性調査更新（無菌施設）（国内施設）	I1C	−	−	※1	−	E31,F31,G21
	医薬品承認適合性調査更新（無菌施設）（海外施設）	I1D	−	−	※1	−	E31,F31,G21
	医薬品承認適合性調査更新（一般施設）（国内施設）	I1E	−	−	※1	−	E31,F31,G21
	医薬品承認適合性調査更新（一般施設）（海外施設）	I1F	−	−	※1	−	E31,F31,G21
	医薬品承認適合性調査更新（包装・表示・保管，試験等施設）（国内施設）	I1G	−	−	※1	−	E31,F31,G21

GMP	医薬品承認適合性調査更新（包装・表示・保管，試験等施設）（海外施設）	I1H	－	－	※1	－	E 31,F 31,G 21
	医薬部外品承認適合性調査更新（無菌施設）（国内施設）	I1I	－	－	※1	－	E 32,F 32,G 22
	医薬部外品承認適合性調査更新（無菌施設）（海外施設）	I1J	－	－	※1	－	E 32,F 32,G 22
	医薬部外品承認適合性調査更新（一般施設）（国内施設）	I1K	－	－	※1	－	E 32,F 32,G 22
	医薬部外品承認適合性調査更新（一般施設）（海外施設）	I1L	－	－	※1	－	E 32,F 32,G 22
	医薬部外品承認適合性調査更新（包装・表示・保管，試験等施設）（国内施設）	I1M	－	－	※1	－	E 32,F 32,G 22
	医薬部外品承認適合性調査更新（包装・表示・保管，試験等施設）（海外施設）	I1N	－	－	※1	－	E 32,F 32,G 22

※　都道府県知事権限分については各都道府県にお問い合わせ下さい。
※1　適合性調査申請書を更新申請として提出する場合，基本手数料と品目加算手数料を合算した金額となります。
※2　手数料等とは別に登録免許税の納付が必要です。*
*「登録免許税の課税に伴う国が行う医薬品，医療機器等の製造販売業の許可等に係る事務処理について」（平成18年3月31日薬食審査発第0331025号，薬食安発第0331012号医薬食品局審査管理課長，安全対策課長通知）

② 登録免許税について

　　登録免許税法の一部が改正され，平成18年4月1日から外国製造業者認定についても登録免許税が課せられることになった。詳細は，「登録免許税の課税に伴う国が行う医薬品，医療機器等の製造販売業の許可等に係る事務処理について」（平成18年3月31日薬食審査発第0331025号，薬食安発第0331012号医薬食品局審査管理課長，安全対策課長通知）及びPMDAホームページ（https://www.pmda.go.jp/）で確認すること。

⑺　一物多名称子品目の手数料

　　平成31年4月の医薬品医療機器法関係手数料令の一部改正（平成31年政令第49号）にともない，一物多名称子品目に関する手数料区分が新設された。

　　要指導医薬品，一般用医薬品，防除用医薬品，防除用医薬部外品の一物多名称子品目に係る新規・一変申請のうち，親品目の申請から一月以内に行われるものが対象となる。申請期限は親品目の申請受付日の翌日から起算して一月（民法等で定める期間の計算方法による）であり，申請期限経過後は親品目と同じ手数料になる。なお，申請期限は休祝日，PMDA営業日等によって変わるため，詳細はPMDAに問い合わせること。一物多名称子品目を本手数料で申請する際には，申請書の「備考2」の「その他備考」欄に親品目の「名称」，「受付番号」，「申請日」を記載すること。

　　なお，これは申請時の手数料の取扱いについての変更であり，一物多名称品の定義に変更はない。

※一物多名称子品目の手数料については，本書第4章の「1．『一般用医薬品』とは」の「(3) 手数料」（p.137）も参照。

9．承認書等の交付

　承認書等の交付にあたっての留意事項，PMDA 受付窓口で交付する承認書等については，表 25 に示したとおりである（承認書に添付する資料は承認事項に引用されるもののみである）。

　交付方法については，PMDA 受付窓口での直接交付と，郵送による交付があり，直接交付の場合は，交付の準備が整い次第，PMDA 担当者より電話にて連絡する（その際，来訪にあたっての注意事項について説明がある）。郵送による交付を希望する場合は，申請時に申請書類とともに承認書等返送用封筒（信書便）を必ず提出する（交付の準備が整い次第，その返送用封筒にて送付する）。同日に複数品目を申請した場合，承認日も必ず同じ日になるとは限らないため，一申請につき，一封筒を用意すること。また，承認書等は重要書類であるので，郵送の場合は書留など配達記録の残る確実な返送方法とし，あわせて返送用封筒には「承認書在中」と記載すること。

表 25．承認書等の交付

- ・承認事項（内容）に該当しない資料等は承認書に添付しない。
- ・承認事項（内容）に引用される「別紙」がある場合は，FD 申請の「別紙ファイル」に添付すること。
- ・一変申請時の新旧対照表は承認書に添付する。
- ・承認事項（内容）に引用される「別紙」とは次のようなものを指す。
   - → 構造式，容器の図面，検量線，承認事項に引用される工程流れ図，吸収スペクトルの波形図，試験検査器具の図，外字表等
- ・承認事項（内容）に該当しない資料とは次のようなものを指す。
   - → 参考資料（製造工程流れ図，使用前例，使用上の注意案，各種許可書の写し，理由書・念書等）

＜PMDA 受付窓口で交付する承認書等＞
- ・医薬品，医薬部外品，医療機器，体外診断用医薬品，再生医療等製品の製造販売承認書・製造販売承認事項一部変更承認書（一部の新医薬品を除く）
- ・医薬品，医薬部外品，医療機器，体外診断用医薬品，再生医療等製品の外国製造業者認定証・登録証
- ・上記の申請に関する取下げ願提出による申請書等の返却

＜受付窓口での交付＞
- ・交付の準備が整い次第，PMDA 担当者より電話にて連絡する。

※注意点
- ・受付時間内に新霞が関ビル 6 F 東側受付窓口に行く。
- ・待合室に設置されている発券機から，承認書等交付用の整理券を取る。
- ・整理券に記載された番号が呼ばれたら，指定された受付窓口へ行く。

※持参するもの
- ・申請者であることが証明できるもの（社員証等）

※交付
- ・承認書等の内容を確認のうえ，交付する。
   - → グループ会社であっても，申請者以外の企業には交付しない（ただし，申請者からの委任状（代表者印のあるもの）がある場合は交付可能）。

＜郵送による交付＞
- ・郵送による交付を希望する場合，申請時に，申請書類とともに承認書等返送用封筒（信書便）を提出する。交付の準備が整い次第，返送用封筒にて送付する。

※返送用封筒の注意点
- ・「承認書等在中」の旨を明記し，可能な限り一申請につき一封筒とすること。
- ・重要書類の郵送であることから，書留などの確実な返送方法とすること。

10. 申請・届出に関する問い合わせ

　申請や届出の際に不明な点や確認したい事項等がある場合は，「申請窓口への問合せ票」をFAXまたはメールにてPMDA審査業務部業務第一課あて送信する（問い合わせの内容を確認のうえ，後日，PMDA担当者より電話にて回答する）。なお，問合せ票の様式は，PMDAホームページよりダウンロード可能である（ホーム　→　審査関連業務　→　承認審査業務（申請，審査等）　→　申請等手続き　→　申請窓口への問い合わせ（https://www.pmda.go.jp/review-services/drug-reviews/procedures/0024.html））。

　宛　先：審査業務部　業務第一課

　FAX：03-3506-9442

　E-mail：iyaku-tetsuzuki@pmda.go.jp

　問い合わせの際の留意事項については次のとおりである。

① 　問い合わせは，「申請窓口への問合せ票」を用いてFAXにて行うこと。

② 　電話による問い合わせ及び問い合わせのための受付窓口への来訪は控えること。

③ 　問い合わせに応じられる内容は次のとおりとなっており，内容を確認のうえ，折り返しPMDA担当者より回答する（品目内容に関する事項は簡易相談を利用すること。なお，提出予定の届書等に関する事前確認についての問い合わせには応じられない）。

　　・PMDAで受付を行う申請・届出についての手続き等に関すること。

　　・申請手数料等に関すること。

④ 　FD申請ソフトの操作方法についての相談（入力方法が不明等）は，申請ソフトヘルプデスクまでFAX又はメールにて連絡すること（原則，メールにて受け付ける）。なお，FD申請に関する事項については「フレキシブルディスク申請等の取扱い等について」（平成26年10月27日薬食審査発1027第3号医薬食品局審査管理課長通知）もあわせて確認すること。

　　＜連絡先＞

　　E-mail：fd_iyaku@pmda.go.jp

　　FAX：03-3507-0114（申請ソフトヘルプデスク）

⑤ 　次の内容に関する問い合わせについては，許可権者である都道府県へ相談すること。

　　・製造販売業許可・製造業許可に関すること。

　　・該当性（医薬品・医薬部外品にあたるかどうか等）に関すること。

申請窓口への問合せ票

独立行政法人医薬品医療機器総合機構　審査業務部宛　**FAX：03-3506-9442**

１．質問事業者の関連事項をご記入ください。　　　　　日付：＿＿＿＿年＿＿月＿＿日

事業者の名称		業者コード	
所属		フリガナ	
		担当者名	
電話	（　　　）　　　－	ファクシミリ	（　　　）　　　－

２．質問内容を具体的にお書きください。

区分	□医療用医薬品　　□一般用医薬品　　□医薬部外品　　□化粧品 □医療機器　　□体外診断用医薬品　□再生医療等製品
件名	

（書ききれない場合は、別様にお書きください。）

11. PMDA ホームページの掲載内容

PMDA ホームページでは表 26 にあるような情報を掲載するとともに，随時更新している。申請・届出に関する情報は「承認審査関連業務」に掲載されているので参照されたい。

表 26. PMDA ホームページの主な掲載内容

・各種審査等手数料について
・申請・届出等の様式ダウンロード
・PMDA で実施する各種相談制度等
・外国製造業者認定等
・原薬等登録原簿（MF）について
・輸出証明
・研修会・講習会・説明会・レポート等
・新医薬品，新医療機器承認品目一覧
・治験関連業務
・申請ソフト等に関する Q&A について
・申請窓口への問い合わせについて
※申請，届出の情報は「承認審査関連業務」に掲載（https://www.pmda.go.jp/）。

── 第3章 ──
原薬等登録原簿（マスターファイル）の登録申請

1. 原薬等登録原簿とは

　原薬等登録原簿（マスターファイル（以下，「MF」という））の制度については，医薬品医療機器法第80条の6第1項に「原薬等を製造する者は，その原薬等の名称，成分，製法，性状，品質，貯法その他厚生労働省令で定める事項について，原薬等登録原簿に登録を受けることができる」と規定されている。具体的には，製造所の名称等のMF登録証記載事項の他に，製造方法や製造工程管理，品質管理試験，規格及び試験方法，安定性試験などについて登録を受けられる。

（原薬等登録原簿）
第80条の6
　　原薬等を製造する者（外国において製造する者を含む。）は，その原薬等の名称，成分（成分が不明のものにあつては，その本質），製法，性状，品質，貯法その他厚生労働省令で定める事項について，原薬等登録原簿に登録を受けることができる。
2　厚生労働大臣は，前項の登録の申請があつたときは，次条第1項の規定により申請を却下する場合を除き，前項の厚生労働省令で定める事項を原薬等登録原簿に登録するものとする。
3　厚生労働大臣は，前項の規定による登録をしたときは，厚生労働省令で定める事項を公示するものとする。
第80条の7
　　厚生労働大臣は，前条第1項の登録の申請が当該原薬等の製法，性状，品質又は貯法に関する資料を添付されていないとき，その他の厚生労働省令で定める場合に該当するときは，当該申請を却下するものとする。
2　厚生労働大臣は，前項の規定により申請を却下したときは，遅滞なく，その理由を示して，その旨を申請者に通知するものとする。
第80条の8
　　第80条の6第1項の登録を受けた者は，同項に規定する厚生労働省令で定める事項の一部を変更しようとするとき（当該変更が厚生労働省令で定める軽微な変更であるときを除く。）は，その変更について，原薬等登録原簿に登録を受けなければならない。この場合においては，同条第2項及び第3項並びに前条の規定を準用する。
2　第80条の6第1項の登録を受けた者は，前項の厚生労働省令で定める軽微な変更について，厚生労働省令で定めるところにより，厚生労働大臣にその旨を届け出なければならない。

第80条の9
　厚生労働大臣は，第80条の6第1項の登録を受けた者が次の各号のいずれかに該当するときは，その者に係る登録を抹消する．
　1　不正の手段により第80条の6第1項の登録を受けたとき
　2　第80条の7第1項に規定する厚生労働省令で定める場合に該当するに至つたとき
　3　この法律その他薬事に関する法令で政令で定めるもの又はこれに基づく処分に違反する行為があつたとき
2　厚生労働大臣は，前項の規定により登録を抹消したときは，その旨を，当該抹消された登録を受けていた者に対し通知するとともに，公示するものとする．

　医薬品医療機器法第80条の6第1項の規定に基づき，わが国のMF制度の概要を図1に示した．MF制度は，原薬等の製造業者が保有する原薬の品質・製造方法等に係る詳細な情報（製造情報等）を，原薬等の製造業者がノウハウの保護を目的にMFを審査当局に任意で登録することができる制度である．

　登録されたMFが承認申請を行う医薬品，医療機器，再生医療等製品（以下，「医薬品等」という）に引用されている場合は，MFに記載された原薬等に関する詳細な製造情報等が承認申請資料の一部として審査を受けることとなる．

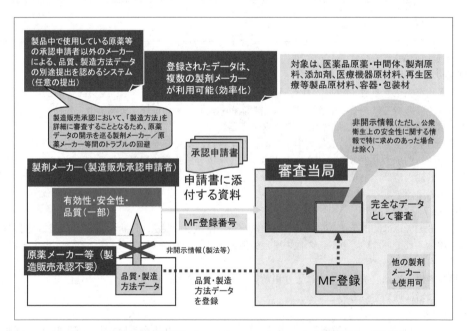

図1．原薬等登録原簿（マスターファイル（MF））制度の概要

　したがって，登録にあたり，MF制度や関係する通知等を理解するよう努め，また，外国の原薬等製造業者が登録を行う場合には，日本の薬事制度（MF制度を含む）等の理解を深めるよう選任された原薬等国内管理人は外国の原薬等製造業者に十分説明を行う必要があ

る。

医薬品医療機器法第80条の6第1項に「原薬等を製造する者（外国において製造する者を含む。）は，…原薬等登録原簿に登録を受けることができる」と規定されていることからわかるように，MFに登録するかどうかは，原薬等の製造業者の自主判断に任せられている（任意登録制である）。したがって，医薬品等の製造販売承認申請にMFを利用する場合と利用しない場合が起こり得るが，両者の間で審査に供される情報の内容に差が生じないようにする必要がある。

また，登録を受けることができる者について，条文中に"原薬等を製造する者"とあるが，MF制度の趣旨から，ノウハウを含む製造工程には該当しないと考えられる小分けや，包装，表示，保管の工程を行う場合，原薬等の製造を委託する者の場合などは登録者に含まれないことに留意する必要がある。

表1．登録者及びMF制度の考え方

※登録者
・登録しようとする原薬等を製造する者（法人）が，登録を受けることができる（医薬品医療機器法第80条の6）。
・MF制度の趣旨：原薬等の製造業者が保有する原薬等の製造方法等に関する詳細な情報（ノウハウ）を審査当局に任意で登録する。
  →　ノウハウを含む製造工程を行っている者が登録者となり得る。
  →　外国製造業者が登録を行う場合，原薬等国内管理人を設置する必要がある。
＜次の場合は登録者には該当しない＞
・行っている製造工程が小分け，包装・表示・保管の工程のみの者は登録者から外れると考える（これらの工程に製造のノウハウがあるとは考え難く，また，原薬等の製造上のノウハウの保護というMF制度の趣旨から外れるため）。
・委託業者が受託業者へ製造させる場合も，委託業者は登録者から外れると考える（委託業者は製造工程を行っていないため）。

※MF制度
・原薬等の製造業者が保有する原薬等に関する品質・製造方法等に係るデータ等の情報を，原薬等の製造業者がMFとして審査当局に任意で登録する制度（ノウハウの保護）。
　"登録は義務ではない"
　"登録することで，その製造等が許可されるものではない"
・原薬等に関する知的財産を保護しつつ，承認審査を円滑に進める（審査期間の短縮）。
・MFの登録内容の適切性については，当該MFを引用している医薬品等の申請後に審査される。
・MFについては当該医薬品等の承認事項の一部として位置づけられる。
　"登録をもって品質等の妥当性や適切性が認められるわけではない"
　"承認申請資料の一部として十分な内容が求められる"

MF が単独で承認対象となることはないが，医薬品等の承認事項の一部である MF の登録事項に変更があれば薬事手続きが必要となる。また，引用医薬品等が未申請であっても，MF の登録事項に変更があれば適宜薬事手続きを行い，最新の情報に基づき MF の維持管理に努める必要がある。

なお，医薬品医療機器法第 80 条の 8 第 2 項では，MF の登録事項の変更に関して，「軽微な変更の場合には厚生労働大臣にその旨を届け出なければならない」とし，その範囲は「厚生労働省令で定める」としており，医薬品医療機器法施行規則第 280 条の 11 では，承認事項の軽微な変更の範囲を次のように定めている。

（登録事項の軽微な変更の範囲）
第 280 条の 11　法第 80 条の 8 第 1 項に規定する厚生労働省令で定める軽微な変更は，次の各号に掲げる変更以外のものとする。
一　原薬等の本質，特性，性能及び安全性に影響を与える製造方法等の変更
二　規格及び試験方法に掲げる事項の削除及び規格の変更
三　病原因子の不活化又は除去方法に関する変更
四　前三号に掲げる変更のほか品質，有効性及び安全性に影響を与えるおそれのあるもの

上記のうち，製造方法に係る「軽微な変更」の具体的な範囲に関しては，その指針が「改正薬事法に基づく医薬品等の製造販売承認申請書記載事項に関する指針について」（平成 17 年 2 月 10 日薬食審査発第 0210001 号医薬食品局審査管理課長通知（以下，「第 0210001 号通知」という））として発出されている。MF の登録内容の変更に際しても，その変更が軽微な変更にあたるか否かは，医薬品医療機器法施行規則第 280 条の 11 並びに第 0210001 号通知に従って判断することになる。

２．MF を利用するときの承認審査の流れ

MF 制度の全体像を把握するため，MF を利用するときの承認審査の流れについて，新規の原薬の場合を，図 2 に沿って説明する。なお，制度の概要については PMDA の英文版ホームページ*にも記載があるので，外国製造業者への制度説明に際し参考とされたい。

*https://www.pmda.go.jp/english/review-services/reviews/mf/0001.html

① MF の登録

原薬等製造業者（外国製造業者の場合は，原薬等国内管理人）が，PMDA の MF 登録業務担当部門（審査マネジメント部医薬品基準課マスターファイル管理室）に登録申請書及び添付資料を提出し，MF の登録申請を行う。

この時，PMDA では登録に必要な形式が整っているかがチェックされるのみで，登録

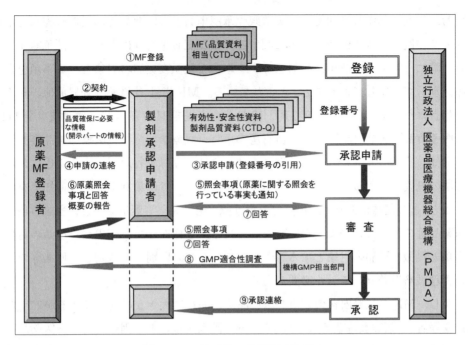

図2．MF利用時の承認審査の流れ

申請書及び添付資料の妥当性について登録時に審査が行われることはなく，登録されたMFが引用された医薬品等の承認審査を行う際に，承認申請資料の一部として審査を受けることとなる。したがって，MF登録が受付けられたからといって，その登録申請書及び添付資料について審査当局により医薬品等の原薬等としての適切性が審査されたことにはならない（登録証発行後も同様である）。

登録が完了すると，登録番号，登録年月日，登録品目名，登録区分，製造業者，製造所の名称・所在地等の情報を記載した登録証が交付されるが，何らかの許認可を得るものではないことに注意すること（「原薬等登録原簿に関する質疑応答集(Q&A)について」（平成17年7月28日医薬食品局審査管理課事務連絡）参照）。

MFに登録された内容の審査は，登録された原薬等を用いて製造された医薬品等の製造販売承認申請が行われて初めて，医薬品等の申請内容と関連づけて開始され（用途，機能性，管理等），最終的にその医薬品等の承認事項の一部として位置づけられる。また，MFに関する審査が終了後，同一MFを用いた別の医薬品等の製造販売承認申請があったときに，当該MFに関する審査結果を準用することが妥当であると審査で判断されれば，重複する部分の審査は簡略化される可能性がある（承認審査の円滑化）。一方，当該MFに関する審査結果を準用することが妥当ではないと審査で判断されれば，改めて医薬品等の製造販売承認申請内容と関連づけてMFの登録申請書及び添付資料が審査される。

なお，第0210001号通知では，製造販売承認申請者は医薬品等の製造販売承認申請書に原薬及び医薬品等の製造方法等に関する詳細な記載を行うにあたって，「承認後に変更を行う際に一部変更承認申請の対象とする事項と軽微変更届の対象とする事項をあらかじめ区別して設定しておくこと」とされている。MF指針（「原薬等登録原簿の利用に関する指針について」（平成26年11月17日薬食審査発1117第3号，薬食機参発1117第1号医薬食品局審査管理課長，大臣官房参事官（医療機器・再生医療等製品審査管理担当）通知））の5の(1)のイには，「登録申請書には，登録を行おうとする工程における製造方法の概要等を記載すること。なお，記載にあたっては第0210001号通知等を参考とすること」との記載があり，MF登録を行う際にも，原薬等製造業者は，当該事項の変更が医薬品等の品質にどのような影響を与え得るかを検討して，変更登録申請の対象とする事項と軽微変更届の対象とする事項を，あらかじめ区別して設定し，原薬等の製造工程の管理戦略を確立しておく必要がある。

しかし，MFの登録内容の変更が医薬品等の品質に大きな影響を与えるかどうかを，MF登録者（原薬等製造業者）側だけで十分に評価することは困難であり，医薬品等の製造販売承認取得者側での検討結果も考慮せざるを得ないと考えられる。実際の変更にあたっては，MFの登録時に設定された変更登録申請の対象事項と軽微変更届の対象事項を画一的にあてはめるのではなく，必要に応じてMF登録者と医薬品等の製造販売承認取得者の間で協議を行い，その変更が軽微な変更か変更登録申請を必要とする変更かを十分検討したうえで，変更を行う必要がある。

② 契約

MF登録者（原薬等製造業者）と医薬品等の製造販売承認申請者との間で，原薬等の供給等に関する契約が結ばれる。これに伴って，原薬の化学構造，物理的化学的特性，不純物プロファイル，安定性等の医薬品等の開発や品質確保に必要な情報（開示パートの情報）が，原薬等製造業者から医薬品等の製造販売承認申請者に提供される。

なお，この契約では，MF指針5の(3)にあるMF登録事項の変更が必要となったときに両者が取るべき手順（軽微な変更か変更登録及び一部変更承認（一変）申請を必要とする変更かをどのようにして判断するか），医薬品等の承認事項の一変申請を必要とする場合のMF登録者側の手続き（MF登録内容の変更登録申請），医薬品等の承認取得者側の手続き（医薬品等の承認事項の一変申請のタイミング），開示パートに関する情報のすみやかな開示，製造方法変更に関する情報共有等についても明確な取り決めをGQP*省令第7条を遵守して行っておく必要がある。

*Good Quality Practice：医薬品，医薬部外品，化粧品及び再生医療等製品の品質管理の基準

③ 製造販売承認申請（MF登録番号の引用）

医薬品等の製造販売承認申請者から，PMDAの審査担当部門に製造販売承認申請書

が提出されて，医薬品等の審査が開始される。医薬品等の製造販売承認申請書にMF登録番号が引用されている場合には，該当する原薬等に関するMFもあわせて審査され，当該MFを引用している医薬品等を承認して差し支えないか検討される。

この MF 登録番号の引用に関しては，MF 指針に次のように記載されている。

５．MF の登録等の手続きについて
(2) MF が新規の承認申請に利用される場合
ア　医薬品及び再生医療等製品の承認申請者は申請に際し，MF を利用する場合，名称，登録番号，登録証の交付日及び製造方法等が複数ある場合どの方法を利用しているかを承認申請書に記載し，登録証の写し，MF 利用に関する MF 登録者との契約書の写しを添付すること。なお，承認申請書の製造方法欄への記載例を下に示す。

　例）…原薬▲▲▲▲▲（MF 登録番号：×××MF×××××（平成○年○月○日　●の方法）を用いて…

上記の例の「(平成○年○月○日　●の方法)」の記載について：
　新規の登録後，MF 指針５の(3)にある登録事項の変更申請が行われ，新しい登録証が交付される。「平成○年○月○日」は最新の登録証の交付日を示す。
　また，MF 登録事項を変更する際に，例えば，製造方法がそれまでの方法（旧法）から新しい方法（新法）に完全に置き換えられるのではなく，新法が追加される形で旧法と併存することになる場合（当該原薬が複数の方法で製造されることになる場合）には，それぞれの製造方法に番号（例えば，旧法を A 法，新法を B 法とする）を付け，上記の例のように「●の方法」を追記することにより，どの方法で製造した原薬を利用したかが分かるようにする。

---

④　製造販売承認申請の連絡

　医薬品等の製造販売承認申請者（製造販売業者）から MF 登録者に対して，製造販売承認申請を行った旨の連絡が行われる。

⑤　照会事項

　MF 登録事項（原薬）に関する疑問や質問は，PMDA の審査担当部門から MF 登録者（外国製造業者の場合は，原薬等国内管理人）に直接照会される。

　一方，医薬品等の製造販売承認申請者に対しては，医薬品等（原薬は含まれない）に関する疑問や質問が照会されるとともに，原薬等に関する照会を MF 登録者（外国製造業者の場合は，原薬等国内管理人）に対して行っている旨が通知される。

⑥　原薬等の照会事項と回答の概要の報告

　MF 登録者から，医薬品等の製造販売承認申請者に対して，原薬等に関して PMDA の審査担当部門からどのような照会事項があり，どのような回答を行う予定かについての概要が報告され，必要に応じて両者間で協議が行われる。

⑦　回答

　医薬品等の製造販売承認申請者と MF 登録者（外国製造業者の場合は，原薬等国内管理人）から，PMDA の審査担当部門に対して，照会事項に関する回答が提出される。

※⑤～⑦のプロセスが，PMDA の審査担当部門にて当該医薬品等を承認して差し支え

ないとの結論が出るまで繰り返される。

⑧　GMP 適合性調査

　　上記の審査と連携して，PMDA（場合により都道府県）の GMP 適合性調査担当部門
により，原薬と医薬品等の製造所に対する GMP 適合性調査が行われ，製造管理及び品質
管理等の適切性と妥当性が調査される。また，あわせて MF 記載事項の根拠資料の確認
も行われる。

⑨　製造販売承認連絡

　　以上の製造販売承認審査並びに GMP 適合性調査に基づいて，申請された医薬品等を
承認してもよいとの結論が出されると，厚生労働省から医薬品等の製造販売承認申請者
に対して，承認書が交付される。

3．MF 登録対象品目

MF に登録できる対象品目は，表 2 に示したとおりである。

　なお，医療機器に係るものの実施はこれまで未定であったが，その運用についての通知
が発出されている（「医療機器原材料の原薬等登録原簿の取扱いについて」（令和元年 5 月
30 日薬生機審発 0530 第 1 号医薬・生活衛生局医療機器審査管理課長通知）。ただし，医療
機器に係るものへの MF 登録については，その適否も含め，PMDA の医療機器審査部門に
必ず相談すること。

　要指導・一般用医薬品（新有効成分含有医薬品（再審査期間中に申請されるものを含む）
を除く）に用いる原薬，中間体及び製剤原料（バルクのうち特殊な剤形等）については，
TSE 資料を登録した MF を除き，当面，MF の利用は差し控えることとなっている。

表 2．MF 登録対象品目

・（医療用）医薬品原薬及び中間体

・製剤原料（バルクのうち特殊な剤形等）

・添加剤（新添加剤，これまでと配合割合が異なるプレミックス添加剤）

・医療機器原材料

・再生医療等製品原材料（細胞，培地，培地添加物，細胞加工用資材等）

・容器・包装材

※医療機器原材料及び医療機器に係る容器・包装材については，登録の適否も含め，医療機器
　審査部門に相談。

※要指導・一般用医薬品（新有効成分含有医薬品を除く）に用いる原薬，中間体及び製剤原料
　については，当面，MF を利用することは差し控える（TSE 資料は除く）。

第3章　原薬等登録原簿（マスターファイル）の登録申請　99

4．MFの申請，届出

　MFの申請，届出については，次の7種類がある。ただし，原薬等登録原簿登録整理届に限っては書面での受付のみであり，FD又はCD-Rでの提出は求められない。

・原薬等登録原簿登録申請（新規登録申請）
・原薬等登録原簿変更登録申請
・原薬等登録原簿軽微変更届
・原薬等登録原簿登録証書換え交付申請
・原薬等登録原簿登録証再交付申請
・原薬等登録原簿登録承継届
・原薬等登録原簿登録整理届

　なお，登録申請あるいは軽微変更届出などの申請書，届出の内容について，MF登録者とそれを利用する製造販売承認取得者との間で，MF登録内容と承認申請書の内容に齟齬が生じないよう適切に情報を提供し，連携を密にすること。

⑴　原薬等登録原簿登録申請

　MF登録申請（新規登録申請）の受付時に必要な書類は，次の①〜⑤である。

　なお，登録証発行までには，通常，受付から約15日を要する（申請内容に形式的な不備がある場合等は，15日を超えることがある）。

①　新規登録申請書（打ち出し書面を含む）（正本1通，副本1通の計2通。副本は正本のコピー不可）

②　FD又はCD-R

③　添付資料（CTD第3部等の登録データ）

　「医療用医薬品の承認申請の際に添付すべき資料の取扱いについて」（平成28年3月11日薬生審査発0311第3号医薬・生活衛生局審査管理課長通知）により，平成30年3月1日以降に行われる医療用後発医薬品等の製造販売承認申請に際して添付する資料については，新医薬品と同様に「新医薬品の製造又は輸入の承認申請に際し承認申請書に添付すべき資料の作成要領について」（平成13年6月21日医薬審発第899号医薬局審査管理課長通知）で示されているCTD形式にて作成することが必須となった。また，製造販売承認申請品目に関連するMFについても，同様にCTD形式に対応して準備をする必要がある。

　なお，CTD第2部（CTDの概要（2.3S 原薬））については，MF登録申請時には必要ではないが，MF引用の医薬品等が審査される際に備え，準備しておくこと。

④ 登録証及び登録申請書副本の返送用封筒（返送用封筒については，簡易書留（副本等を封筒に入れた重量の送料と簡易書留分の切手）又は宅配便（信書扱い・着払い）で対応する）

※添付資料が提出されていない場合，登録申請の受付を行うことはできない。

※添付資料については，書面及び電子ファイル（CD 等）の両方を提出する。

※CTD 第 3 部等の登録データは，書面及び電子ファイルいずれも 1 部で良い。

⑤ その他（構造式，製造工程フロー図，軽微/一変設定根拠等）

⑵ 原薬等登録原簿変更登録申請

MF 変更登録申請の受付時に必要な書類は，次の①～⑥である。

なお，登録証発行までには，通常，受付から約 15 日を要する（申請内容に不備がある場合等は，15 日を超えることがある）。

① 変更登録申請書(打ち出し書面を含む)（正本 1 通，副本 1 通の計 2 通。副本は正本のコピー不可）

② FD 又は CD-R

③ 添付資料（必要に応じて）

登録申請同様，平成 13 年 6 月 21 日医薬審発第 899 号通知，平成 28 年 3 月 11 日薬生審査発 0311 第 3 号通知を参照。

④ 登録証及び変更登録申請書副本の返送用封筒(返送用封筒については，簡易書留(副本等を封筒に入れた重量の送料と簡易書留分の切手）又は宅配便（信書扱い・着払い）で対応する）

⑤ 登録証原本（コピー等不可）

⑥ その他(新旧対照表，引用製剤一覧，構造式，製造工程フロー図，軽微/一変設定根拠 等)

※添付資料については，書面及び電子ファイルの両方を提出する。

※すでに提出してある，添付資料の内容のみの変更登録申請はできない。

※変更登録申請により，登録年月日に変更が生じるが，MF 登録番号に変更は生じない。

⑶ 原薬等登録原簿軽微変更届

MF 軽微変更届の受付時に必要な書類は，次の①～⑥である。

① 軽微変更届書（打ち出し書面を含む）（正本 1 通）

② FD 又は CD-R

③ 宣誓書（登録者による押印又は自筆のサインが必要）

※宣誓書の文言は，変更内容に応じて柔軟に対応することで可。

④　新旧対照表

⑤　添付資料（必要に応じて）

⑥　その他（引用製剤一覧等）

※受付時点で手続きが終了するので，記載内容に不備がないよう十分確認すること。

※軽微変更届時における宣誓書は必ず提出する。

※添付資料については，書面及び電子ファイルの両方を提出する。

※すでに提出してある，添付資料の内容のみの軽微変更はできない。また，登録申請中又は変更登録申請中は PMDA の指示以外の軽微変更はできない。

※軽微変更届の場合は，MF 登録証の登録番号，登録年月日の変更は生じない（変更登録申請と異なる）。また，登録証は発行しない。

⑷　原薬等登録原簿登録証書換え交付申請

MF 登録証書換え交付申請の受付時に必要な書類は，次の①～④である。

①　登録証書換え交付申請書（打ち出し書面を含む）（正本 1 通）

②　FD 又は CD-R

③　登録証の返送用封筒（返送用封筒については，簡易書留（書換え登録証等を封筒に入れた重量の送料と簡易書留分の切手）又は宅配便（信書扱い・着払い）で対応する）

④　登録証原本（コピー等不可）

※登録証書換え交付申請とは，MF 軽微変更届により，MF 登録証に記載してある内容に変更（製造業の許可番号・外国製造業者の認定番号や名称及び所在地，原薬等国内管理人の氏名及び住所等）が生じた際，再度登録証を発行するための申請のことである（MF 軽微変更届と同時に提出することも可能である）。

※登録証書換え交付による MF 登録証の登録番号，登録年月日の変更は生じない。

⑸　原薬等登録原簿登録証再交付申請

MF 登録証再交付申請の受付時に必要な書類は，次の①～④である。

①　登録証再交付申請書（打ち出し書面を含む）（正本 1 通）

②　FD 又は CD-R

③　登録証返送用の封筒（返送用封筒については，簡易書留（再交付登録証等を封筒に入れた重量の送料と簡易書留分の切手）又は宅配便（信書扱い・着払い）で対応する）

④　登録証原本（破損，汚損した場合等）

※登録証再交付申請とは，登録証の原本を紛失又は破損・汚損した場合に，再度登録証を発行するための申請のことである。なお，再交付を受けた後に紛失した登録証

を見つけた場合は，すみやかに返却すること。

※登録証再交付申請による MF 登録証の登録番号，登録年月日の変更は生じない。

⑹　原薬等登録原簿登録承継届

MF 登録承継届の受付時に必要な書類は，次の①〜⑥である。

①　登録承継届書（打ち出し書面を含む）（正本 1 通：承継者が提出）

②　FD 又は CD-R

③　誓約書（地位を承継する者であることを証明する書類：被承継者名で提出）

④　承継者と被承継者間の承継契約書の写し（登録事項の根拠データ及びすべての登録に関する書類を承継することを規定した内容）

⑤　陳述書（製造所及びその他の製造技術等について，一切変更がない旨の内容：承継者名で提出）

⑥　登録証の写し

※MF 登録承継届は，承継予定日の 1 ヵ月前（30 日前）までを目途に提出すること。

なお，原薬の外国製造業者における法人の吸収合併にともない，MF 登録について次のような不適切な事例が複数確認され，その結果，医薬品の製造販売承認に影響をおよぼすこととなった（表 3）。

表 3．承継届に関する不適切な事例

A 法人：MF 登録業者 B 法人：承継者（A 法人を吸収合併） 　A 法人の MF 国内管理人が，B 法人への吸収合併を単に法人の名称変更と判断し，軽微変更届出にて対応。 →　本来は，吸収合併により，原薬の製造所が A 法人から B 法人になるため，B 法人としての製造所の認定申請手続きが必要であり，あわせて MF 登録についても，B 法人は A 法人から B 法人への MF 登録承継届の手続きが必要となる。 ※その他，合併の情報入手が遅れたため，製造所の認定・許可申請，承継届の手続きに支障が生じた例などがある。なお，承継予定の 30 日前までに MF 登録承継届の提出が間に合わない場合，その事実がわかった時点ですみやかに MF 管理室に FAX 又はメールにて相談すること。

⑺　原薬等登録原簿登録整理届

MF 登録整理届の受付時に必要な書類は，次の①〜③であり，FD 申請ではなく，「原薬等登録原簿に登録された品目の整理について」（平成 18 年 2 月 8 日薬食審査発第 0208001 号医薬食品局審査管理課長通知）に基づく書面での手続きとなる。登録整理届書

と宣誓書の様式については，PMDA ホームページからダウンロードが可能である*。

*https://www.pmda.go.jp/review-services/drug-reviews/master-files/0003.html

① 登録整理届書（正本 1 通）

② 宣誓書

登録者名にて提出する。また，登録者による押印又は自筆のサインが必要である。

なお，当該登録番号を利用して承認を取得している品目及び承認申請中の品目がないことを確認した旨を記載する。

③ 登録証原本（コピー等不可）

なお，手続きの流れは次のとおりである。

① 登録整理対象の MF を引用する製剤について，製造販売業者は承認整理を行うか，又は軽微変更届出等により，製剤の承認書から当該 MF 番号を削除する。

② 原薬製造業者(MF 国内管理人)は，上記①の手続きが完了したことを確認後，当該 MF の登録整理届を提出する。

手続きにあたっては，MF 登録者(原薬等国内管理人)と製造販売承認取得者との間で情報共有を適切に行うとともに，提出時期についても留意すること。

なお，MF 登録整理届において見受けられた不備事例については，**表 4** のとおりである。

表 4 . MF 登録整理届における不備事例

◆登録整理届と MF 登録情報の不一致
　過去に製剤に利用された品目の登録整理を行う際には，次の変更登録申請等にあわせての対応で可とされている情報（住所表記の変更等）について事前に軽微変更届出を行い，MF 登録情報を現状に合わせたうえで MF 登録整理届を提出すること。その際，変更箇所が登録者情報のみ（法人名・住所）である場合は，MF 管理室に FAX 又はメールにて相談すること。

◆ MF 登録整理届に添付する宣誓書の内容不足
　過去に製剤に利用されたことがあるにもかかわらず，宣誓書に製剤情報が記載されていない例や，製剤に利用されたことがない場合に用いる様式にて提出している例が見受けられる。承認整理や軽微変更届による MF 番号削除など，必要な対応を行ったうえで対応済みの旨を明記すること。

---

⑧ 変更登録申請・軽微変更届等に係る登録年月日

MF の新規登録を受けると，登録番号が付与される。その後，MF の品目の変更登録申請によって変更登録を受けた場合，登録年月日に変更が生じるが，登録番号が変更されることはない。なお，登録年月日に変更が生じるのは変更登録申請のみであり，軽微変更届や書換え交付申請等ではいずれも登録番号及び登録年月日の変更は生じない。

なお，いずれの変更の際にも，当該 MF を引用する製造販売承認取得者と事前に十分協議や連絡を取る必要がある。

表5．登録番号*発番後の変更登録・軽微変更等に係る登録年月日

	登録年月日
変更登録申請	変更が生じる
軽微変更届**	変更は生じない
書換え交付申請	変更は生じない
再交付申請	変更は生じない

*発番された登録番号に変更は生じない。
**軽微変更届による登録証の発行は行わない。
※変更に際し，当該 MF を引用する製造販売業者と事前に十分協議や連絡を取る必要がある。

5．書類等作成上の留意事項

⑴ MF 登録申請書・届書における注意点

1）【留意事項（共通）】

① 申請書・届書は鑑だけではなく，申請書・届書（FD 又は CD-R）の打ち出し書面及びそれらに添付する資料等も一緒に提出する。

② 申請書・届書の鑑の日付と，申請書・届書の【提出年月日】は同日とする。また，提出者（会社）名及び所在地（本社所在地）についても同名とする。

③ 【業者コード】を取得していない場合は，先に当該コードを取得してから MF 登録申請を行う。

④ 【再提出情報】は，「1（新規提出)」とする。また，登録後（新規申請以外）の申請・届出（変更登録申請，軽微変更届等）の場合も「1（新規申請)」とする。

⑤ 「2（再提出)」となるのは，登録が完了しない状態で差換えを行う必要がある場合に限られる（ただし，PMDA からの差換え指示が必要)。その際は，【差換え種別】，【システム受付番号】，【再提出年月日】も入力する。

第3章　原薬等登録原簿（マスターファイル）の登録申請　105

2)（共通ヘッダ）【原薬等の名称】

　　【原薬等の名称】は，【一般的名称】，【販売名】の両方を記載する。

　＜例＞　【一般的名称】：○○○○

　　　　　【販売名】　　：△△△△

　　申請書・届書等の鑑における「原薬等の名称」欄には，この【販売名】が反映される。

3)（各項）【成分及び分量又は本質】

　　成分の項目に「規格」（公定書収載品目のみ記載），「成分コード」（コードがない場合は999999），「成分名」を記載する。

4)（各項）【製造方法】の【連番】

　　【製造所の名称】（製造場所)が異なる場合は，新たな連番を立てて記載する。なお，【連番】が続く場合には，【次の製造方法の連番】の項目も設定する。

5)（各項）【原薬等の製造所】

① 　認定証等の情報に基づき，製造所の業者コード，名称，所在地，許可・認定区分，許可・認定番号，許可・認定年月日等の確認を行う。

② 　【製造方法】に製造場所が複数にまたがっている場合には，すべての製造所の情報を記載する。なお，複数の製造所があっても登録証に印刷されるのは【原薬等の製造所】の最初に記載されている製造所の情報（製造所の名称，所在地及び許可・認定番号）のみである。したがって，製造方法の順番（連番）に関係なく，登録証に反映させたい製造所の情報を，【原薬等の製造所】欄の先頭に記載する。

　　また，原薬の製造所において，試験の一部を外部製造所等で実施している場合には，「外部試験機関等」の欄に，その名称及び所在地を記載すること。

6)（各項）【国内管理人】

　　原薬等国内管理人を立てる場合，【国内管理人】の項目に記載するとともに，代表者氏名としては法人の代表者を記載すること。【備考】に原薬等国内管理人の社名，担当者氏名，電話番号，FAX 番号を記載する。

7)【備考】*における【添付資料の有無】

① 　MF 登録における添付資料とは，CTD 第3部等品質に係るデータ等のことである。したがって，CTD 第3部等品質に係るデータ等を添付資料として提出する際には，【添付資料の有無】の項は「有」とする。ただし，以前に提出した添付資料は該

当しない。また，新旧対照表，引用製剤一覧表等は，MF登録における添付資料としては取り扱わない（添付資料がない場合は「無」とすること）。

② 【その他備考】には，「CTD第3部の改訂版を提出する」，「残留溶媒に関するデータを追加で提出する」等，提出する添付資料の内容を簡潔に記載する。

*新規登録申請以外の場合，【変更後】の【備考】を指す（以下同様）。

8）【備考】

① 変更登録申請・軽微変更届の場合は，変更の理由を記載する。

② 変更履歴（登録・変更年月日，システム受付番号，軽微変更・変更登録等）を記載する。

＜記載例＞

MF登録・変更履歴　　　　　　　　　　システム受付番号

　1．平成○年○月○日（初回）　　　　5121707000000

　2．平成△年△月△日（軽微）　　　　5121807000000

　3．平成□年□月□日（変更登録）　　5121907000000

③ 公定書規格品である場合には，該当する規格・日本名（例：日本薬局方○○○である）を，また，以前承認を取得していた原薬の場合には，当時の承認番号（例：承認番号○○○である）を記載する。

④ 引用製剤の情報

　MF登録事項に変更がある場合は，当該MFを引用しているすべての品目の販売名，承認番号，製造販売業者の氏名・住所及び「一変申請（一変）」，「軽微変更届出（軽微）」，「（製造販売承認申請に関する）いずれの手続きも必要としない（不要（－））」のいずれに該当するかを【備考】欄に一覧表として記載する。

　なお，引用製剤が多い場合等は，【備考】欄に「MF登録申請を行う品目：○○○を引用する製剤一覧：別紙」と記載し，上記の情報をPDFファイルとしてFD申請書の別紙ファイルに添付する。

＜記載例＞

MF登録申請を行う品目：○○○を引用する製剤一覧

承認番号	販売名	製造販売業者名	住所	一変／軽微／不要（－）
20900 AMZ…	■■■	■■株式会社	■県■市…	軽微
21000 AMZ…	▲▲▲	□□株式会社	□県□市…	－

なお，MFを引用している医薬品等の製造販売承認書に変更が生じる内容であるに

もかかわらず，一変申請や軽微変更届のどちらの対象となるか，記載がなされていないケースが多数あるので，手続き上の問題が生じないよう，MF登録者(外国製造業者の場合は，原薬等国内管理人）と製造販売承認取得者の間で情報を適切に共有し，その結果を反映するよう留意されたい。

(2) 変更登録申請書（様式H11）作成時における留意点

変更登録申請では，変更する事項だけでなく，変更しない事項も【変更内容】の事項に挙げる。また，【変更前】，【変更後】にも変更する事項だけでなく，変更しない事項の登録内容も記載する（以下，＜例＞参照）。

なお，後述するが，変更前の登録内容を全文記載することは作業が煩雑となるため，最新の登録又は届出年月日を記載することで全文記載を省略することも可能である。
※軽微変更届書とは作成方法が異なる。
※外国製造業者がMF登録者である場合には，【国内管理人】の事項を挙げる必要がある。

＜例＞　変更事項が「製造方法」のみ，その他の登録事項について変更がないケース

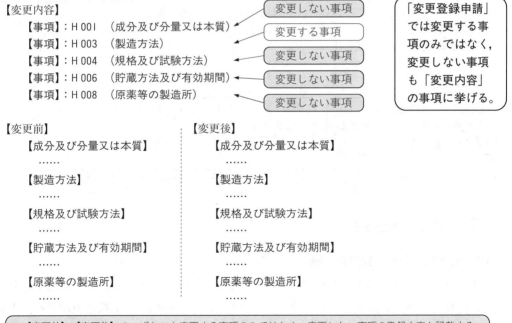

(3) 軽微変更届書（様式H21）作成時における留意点

【変更内容】の事項には，変更登録申請と異なり，変更・削除・追加等を行う事項のみを挙げる（変更しない事項は挙げる必要はない）。また，【変更前】には，現在の登録内容のうち，変更・削除等を行う事項の内容を記載する。【変更後】には変更後の内容を記

載し，削除する事項は記載しない（以下，＜例＞参照）。

　変更が生じる事項については，当該事項内の一部のみではなく，すべての内容を記載すること。例えば，【規格及び試験方法】欄の確認試験に変更がある場合，【変更後】欄に変更のある確認試験のみを記載すると，規格及び試験方法の確認試験以外の項目（例：定量法等）は削除されてしまい，記載した確認試験のみが表示されることになるため，変更がない部分も含めて【規格及び試験方法】欄の内容をすべて記載する必要がある。

　なお，軽微変更届書についても，変更登録申請書と同様，変更前の全文記載を省略することが可能である（この点については後述する）。

※変更登録申請書とは作成方法が異なるため，留意すること。

＜例＞　「国内管理人」の変更及び「安全性に関する情報」の削除を行うケース

【変更内容】
　　【事項】：H 007　（安全性に関する情報）←――削除を行う事項
　　【事項】：H 009　（原薬等国内管理人）←――変更する事項

「変更内容」の「事項」には，変更・削除等を行う事項を挙げる（変更しない事項は挙げる必要はない）。

【変更前】	【変更後】
【安全性に関する情報】	【国内管理人】
……	【法人名】：◇◇◇株式会社
【国内管理人】	……
【法人名】：△△△株式会社	……
……	
……	

【変更前】には現在の登録内容のうち，変更・削除等を行う事項の内容を記載する。

削除する事項は【変更後】において事項を立てない。

※変更が生じる事項内の一部分のみではなく，変更が生じる事項の内容すべてを記載する。

⑷　運用面における改訂

1）「変更前」欄と「変更後」欄

　これまでMFでは「変更前」欄に直近の情報を記載し，「変更後」欄と対比する形で変更登録申請，軽微変更届を作成していたが，「変更前」欄への記載情報が多く，作業が煩雑であることから，記載事項を簡略化することで入力作業の省力化を図った。具体的には，変更登録申請書及び軽微変更届書では，従前は「変更前」欄への登録内容の記載が必須であったが，これを空欄としても差し支えないこととしたものである。なお，変更登録はこれまで同様，変更しない事項の登録内容についても「変更後」欄へ記載する（表6）。

　ただし，変更時に提出する書類の種類に変更はない。また，新旧対照表もこれまで

どおり必須であるので，添付漏れや記載漏れがないよう注意されたい（FDシステムの入力画面上では，図3の円で囲んだタグを選択し，未入力のまま「完了」をクリックする）。

表6．運用面における改訂～MF変更登録申請書の例①（【変更前】）

【具体的な記載】
　MF変更登録申請書及びMF軽微変更届書の「変更内容」の「変更前」欄は，簡略記載として差し支えない。
　ただし，FDシステム構成上，FDの【変更前】の欄については空欄とし，さらに，項目ごとの変更前の内容として，【変更前】の備考欄に「平成〇年〇月〇日の××内容のとおり」と記載すること。

※全文記載と簡略記載については，どちらかの形式で統一すること。
※変更登録においては，これまで同様，変更しない事項の登録内容も記載する。
【変更内容】
　　　【事項】：H001（成分及び分量又は本質）
　　　【事項】：H003（製造方法）
　　　【事項】：H004（規格及び試験方法）
　　　【事項】：H006（貯蔵方法及び有効期間）
　　　【事項】：H008（原薬等の製造所）

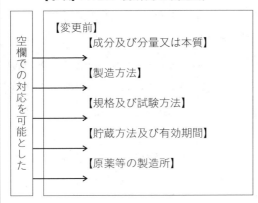

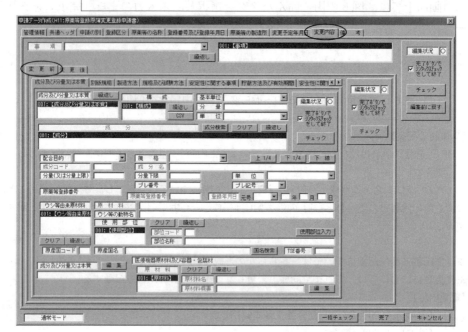

図3．入力画面（【変更前】）

「変更前」欄の備考欄の「その他備考」には，それぞれの項目の変更履歴に関する情報を正確に記載するとともに(表7)，これまで同様，変更しない事項の登録内容についても，直近の登録または届出の履歴情報を記載する。例えば，過去に変更の履歴が一度もない場合であれば，「平成○年○月○日登録申請のとおり」と記載する事項もあるかと思われる(FDシステムの備考欄の入力については，図4の円で囲んだタグを選択し，完了をクリックする)。

これら一部記載の簡略化については，変更登録申請及び軽微変更届のどちらの場合でも利用可能である。また，従前の記載方法であっても差し支えない。

第3章 原薬等登録原簿（マスターファイル）の登録申請　111

表7．運用面における改訂～MF変更登録申請書の例②（【その他備考】）

※ MF変更登録申請の場合，これまで同様に変更しない事項の登録内容も記載する。

【変更前】
【備考】
【その他備考】
　　変更内容における変更前は以下の通り。
　　事項：H 001（成分及び分量又は本質）…平成□年×月△日**変更登録申請**の通り
　　事項：H 003（製造方法）…平成●年◇月△日**軽微変更届**の通り
　　事項：H 004（規格及び試験方法）…平成□年×月△日**変更登録申請**の通り
　　事項：H 006（貯蔵方法及び有効期間）…平成□年×月△日**変更登録申請**の通り
　　事項：H 008（原薬等の製造所）…平成●年◇月△日**軽微変更届**の通り

登録年月日を記載

（軽微変更届には登録年月日がないので）提出年月日を記載

※【変更事項】における【変更前】の記載を空欄とする代わりに，
　【変更前】の備考欄に正確な情報（直近の情報）を記入する。
※どの項目がどの申請または届の状態であるかを明確にする。

【その他備考】　事項ごとに記入する

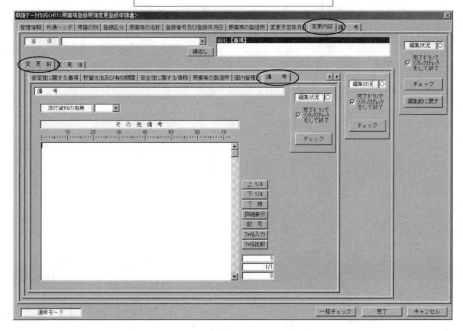

図4．入力画面（【その他備考】）

2）製造販売承認申請書の MF 関連事項の簡略化

　以前は，医薬品等の製造販売承認申請書に，MF の登録年月日のみならず，登録証の交付回数についても記載することとされていたが，現在，製造販売承認申請書への交付回数の記載は不要となっている（これについては，MF 記載事項ではなく，製造販売承認申請書に関する記載事項となる）。

⑸　CTD 第3部等添付資料/添付ファイル類等

　「CTD 第3部等添付資料」と，FD 申請書等へ取込む「添付ファイル類」については区別を行う（⑹CTD 第3部等添付資料提出の際の注意点①〜④（p.114）参照）。

　前述したように，登録時に必要な添付資料とは CTD 第3部等登録データのことである。なお，申請書・届書の製造工程流れ図（フロー図）や，一変・軽微設定根拠等は添付資料として取扱うことはできない。これらについては，書面として提出するとともに PDF 形式にて FD 申請書，軽微変更届書へ取込む（貼付する）。取込み方法については図5，図6のとおり，取込みたい PDF ファイルを選択して，申請書や届書にファイルの取込みを行う。なお，PDF 化して取込む資料については書面としても提出する。

　また，審査過程をふまえて審査部より別途提出を求められる資料等（例えば，照会回答集）についても，添付資料としては取扱わない。

第3章 原薬等登録原簿(マスターファイル)の登録申請　113

表8．CTD第3部等添付資料と添付ファイル類等

資料の種類	(補足)	書面	資料の PDF化	FD申請書等への貼付	電子媒体による提出	備考欄の【添付資料の有無】
①CTD第3部等添付資料	a	○	○	—	○	有
②申請書・届書における構造式，製造工程フロー図，一変・軽微設定根拠等の資料（ただし①ではないこと）	b, c	○	○	○	—	無
③審査部より別途提出を指示された資料等（例：審査過程のやり取りをまとめたもの。ただし①，②を除く）	d	○	○	—	○	無

【資料の種類の補足】
a) CTD第3部等品質に関する資料（登録根拠データ等）については書面及び電子媒体にて提出する（(6)CTD第3部等添付資料提出の際の注意点⑤（p.114）参照）。
b) 構造式，製造工程フロー図，一変・軽微設定根拠，新旧対照表等については書面として提出する他に添付ファイル類の資料として，PDF化してFD登録申請書/変更登録申請書/軽微変更届書等に貼付する（(7)添付ファイル類情報（p.117）参照）。
c) 必要と思われる資料等（例：簡易相談の結果等）がある場合は参考資料として積極的に提出を行う。
d) 審査過程をふまえて申請/届出を行う際に審査部より別途提出を求められる資料等についても書面のみならず，ファイルをPDF化し，電子媒体で提出する（③は②と同様，添付資料として取扱わないので注意すること）。

図5．添付ファイル類の貼付①

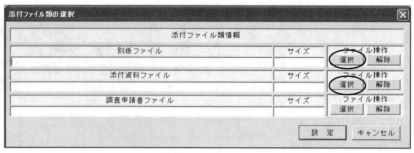

（注意）
　別紙ファイル，添付ファイルにはPDF形式のファイルは1つしか貼付することができないため，複数種類の資料を同一ファイルに貼付する場合には，1つのPDFファイルとしてまとめたうえで貼付する。

図6．添付ファイル類の貼付②

(6) CTD第3部等添付資料提出の際の注意点

① 品質に係るデータ等の資料を提出する際には，【添付資料の有無】の項は「有」とし，【その他備考】には「CTD第3部を提出する」等，提出する添付資料を簡潔に記載する。

② 表8の②bに該当する「新旧対照表」，「引用製剤一覧表」，「製造工程フロー図」，「一変及び軽微事項の設定根拠」，「宣誓書」等は，MF登録では添付資料として取扱わない（これらの資料をFD申請書にPDFファイルとして添付する場合も同様）。したがって，これらの資料のみの提出の場合，【添付資料の有無】の項は「無」となる。

③ 添付資料（CTD第3部等登録データ）の内容等に不備があると医薬品等の審査の進行に影響する場合もあるため，提出の際には不備がないことを十分確認する。

④ CTD第2部に該当する資料については，MF登録申請時に提出する必要はなく，審査部から依頼があったときに，直接審査部に提出する。

⑤ MF登録時に提出する添付資料（CTD第3部等登録データ）については，書面及び電子ファイル（PDFファイル）の両方を提出する。
　なお，添付資料については次の要領で提出する。

・書面はクリップ又は紐のみで綴じる状態ではなく，ファイルに綴じる。また，ファイルの表紙には品目名及び登録者名を記載する（背表紙への記載は不要）。
　※原薬等国内管理人は登録者ではない。

・書面と同じ内容の電子ファイル（PDFファイル）をFD又はCD-Rの電子媒体（電子媒体にも品目名及び登録者名を記載する）で提出する。ただし，この添付資料の電子媒体は「FD申請内容」を入れた電子媒体とは別にする。

・複数品目を同時に申請する場合，電子ファイルは品目別の電子媒体に入れて提出す

第3章　原薬等登録原簿（マスターファイル）の登録申請　115

表9．CTD第3部等添付資料提出の際の注意点

① MF登録における添付資料
- CTD第3部等の審査等で用いられる品質に係るデータを指す（培地等については「細胞・組織加工医薬品等の製造に関連するものに係る原薬等登録原簿登録申請書及びその申請書に添付すべき資料の作成要領について」（平成25年3月8日医薬食品局審査管理課事務連絡）を参考にする）。
- 品質に係るデータ等の資料を提出する場合，【添付資料の有無】の項は「有」とすること。また，【その他備考】には提出する添付資料を簡潔に記載すること（例：CTD第3部を提出する）。
- 「新旧対照表」，「引用製剤一覧表」，「製造工程流れ図」，「一変及び軽微事項の設定根拠」，「宣誓書」等はMF登録における添付資料として取扱わない（これらの資料をFD申請書にPDFファイルとして添付する場合も同様）。したがって，これらの資料のみの提出である場合，【添付資料の有無】は「無」となる。
- 添付資料（CTD第3部等登録データ）の内容等に不備等があれば製剤の審査の進行に影響する場合がある。提出にあたっては不備がないか十分確認を行うこと。
- CTD第2部に該当する資料については，MF登録申請時には必要なく，審査部から提出の依頼があった際に，直接審査部へ提出すること。

② 審査部から照会回答集の提出を求められた場合。
- 審査過程をふまえて新規登録申請/変更登録申請/軽微変更届出等を行う際に，審査部より登録者に対し，別途マスターファイル管理室へ提出を求める資料等（CTD第3部に相当する資料や照会回答集）についても，書面のみならず，PDFファイル化した電子媒体での提出とされたい（書面と電子媒体に齟齬がないよう，提出前に再度確認すること）。
なお，これらは新規登録申請書/変更登録申請書/軽微変更届書とともに，PMDA審査マネジメント部医薬品基準課マスターファイル管理室へ提出すること。

③ 提出方法
- 書面はファイルに綴じること（クリップ，紐等で綴じたものの提出は控える）。また，ファイルの表紙には品目名及び登録者名を記載すること（※原薬等国内管理人は登録者ではない）。なお，背表紙への記載は不要である。
- 書面と同じ内容の電子ファイル（PDFファイル）をFD又はCD-Rの電子媒体で提出すること（電子媒体にも品目名及び登録者名を記載する）。ただし，この添付資料の電子媒体は「FD申請内容」を入れた電子媒体とは別とすること。
- 複数品目を同時に申請する場合，電子ファイルは同一の電子媒体に入れず，各々の電子媒体に入れること。
- 可能なかぎり，（各々のPDFファイルを結合して）1つのPDFにまとめる形式にて，CTD第3部を作成すること（CD等の電子媒体内において，フォルダ内フォルダの多用による多層化を避けることが望ましい）。

④ その他
- 書面及び電子ファイルの両方の提出とされたい。
- 添付ファイル類の資料等については書面として提出する他に，PDF化してFD登録申請/変更登録申請書/軽微変更届書に貼付すること。
- 必要と思われる資料等（例：簡易相談の結果，理由書，顛末書等）がある場合は積極的に提出及び添付すること。
- CTD第3部等品質に関する資料（登録根拠データ等）については，FD申請書とは別媒体にて提出すること。

る（同一の電子媒体には入れない）。
・可能なかぎり，（各々のPDFファイルを結合して）1つのPDFにまとめる形式にて，CTD module 3（CTD第3部）を作成する（図7参照。CTD module 3作成の際には，CD等の電子媒体内において，フォルダ内フォルダの多用による多層化を避けることが望ましい）。

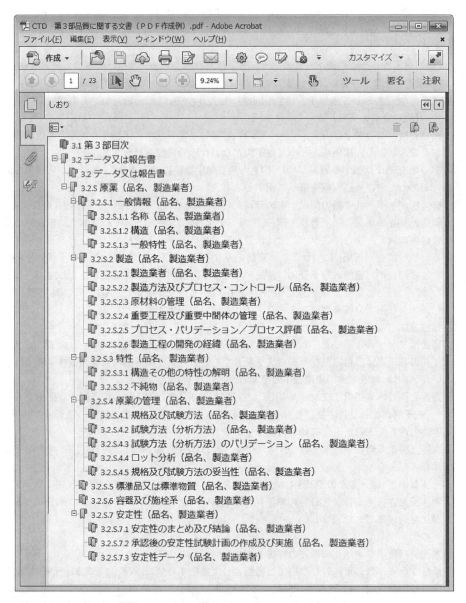

図7．CTD module 3（CTD第3部）の作成例

なお，【添付資料の有無】について，何も記載がない申請書や届出が多く見受けられる。これについては先述したように，添付資料を提出する場合であれば，【添付資料の有無】

第 3 章　原薬等登録原簿（マスターファイル）の登録申請　117

の項を「有」とし，添付資料がない場合であっても，【添付資料の有無】の項を「無」とすること。

　また，審査過程をふまえて変更登録申請，あるいは軽微変更届等を提出する際には，審査部からの指示に基づき CTD や照会回答集を提出することになるが，これについても電子化を進めており，書面だけでなく PDF ファイル化した電子媒体により提出すること。

⑺　添付ファイル類情報

　新規登録申請，変更登録申請及び軽微変更届の際に FD 申請書等へ取込む資料及び場所については表 10～12 のとおりである。

表 10．新規登録申請の添付ファイル類情報

資料名	別紙ファイル	添付ファイル
構造式	○	
製造工程フロー図	○(B)	○(A)
軽微・一変設定根拠		○(A)
引用製剤一覧	(○)	
その他		△

（○：貼付，△：必要に応じて貼付）

◆製造工程フロー図については，次の場合により PDF ファイルの貼付場所が異なるので留意されたい。

(A)：「改正薬事法に基づく医薬品等の製造販売承認申請書記載事項に関する指針について」（平成 17 年 2 月 10 日薬食審査発第 0210001 号）の場合

(B)：「医療用医薬品の製造販売承認申請書等における特定の原薬に係る製造方法の記載簡略化について」（平成 21 年 3 月 4 日薬食審査発第 0304018 号）の場合

表 11．変更登録申請の添付ファイル類情報

資料名	別紙ファイル	添付ファイル
構造式	○	
製造工程フロー図	○(B)	○(A)
軽微・一変設定根拠		○(A)
引用製剤一覧	○	
新旧対照表	○	
その他		△

（○：貼付，△：必要に応じて貼付）
◆製造工程フロー図については，次の場合により PDF ファイルの貼付場所が異なるので留意されたい。
(A)：「改正薬事法に基づく医薬品等の製造販売承認申請書記載事項に関する指針について」（平成 17 年 2 月 10 日薬食審査発第 0210001 号）の場合
(B)：「医療用医薬品の製造販売承認申請書等における特定の原薬に係る製造方法の記載簡略化について」（平成 21 年 3 月 4 日薬食審査発第 0304018 号）の場合

表 12．軽微変更届の添付ファイル類情報

資料名	別紙ファイル	添付ファイル
構造式	△*	
製造工程フロー図	△*(B)	△*(A)
軽微・一変設定根拠		△*(A)
宣誓書	○	
引用製剤一覧	○	
新旧対照表	○	
その他		△*

（○：貼付，△：必要に応じて貼付）
*変更内容により適切に対応を取る必要がある。
◆製造工程フロー図については，次の場合により PDF ファイルの貼付場所が異なるので留意されたい。
(A)：「改正薬事法に基づく医薬品等の製造販売承認申請書記載事項に関する指針について」（平成 17 年 2 月 10 日薬食審査発第 0210001 号）の場合
(B)：「医療用医薬品の製造販売承認申請書等における特定の原薬に係る製造方法の記載簡略化について」（平成 21 年 3 月 4 日薬食審査発第 0304018 号）の場合

　　取込み場所等については，資料の内容に基づき区別を行う必要がある。なお，製造工程フロー図や，軽微・一変設定根拠については品目により取扱いが異なるため，関係通知等を確認して適切に対応する。

　　また，簡易相談の結果等，必要と思われる資料等がある場合は，参考資料として提出する。この場合も PDF 化して取込みを行う。なお，複数の PDF ファイルは同一の場所

へ取込むことはできないため，１つのファイルにまとめて取込みを行う。

※CTD 第３部等添付資料は「別紙ファイル」や「添付資料ファイル」には取込まず，別の電子媒体にて提出する（(6) CTD 第３部等添付資料提出の際の注意点⑤(p.114)参照）。

⑻　MF 申請・届出の際の注意点

①　申請・届出にあたり記載内容や提出書類については，提出前に再度十分確認をする。なお，急いでいることを理由に記載不備，書類不足等の状態で受付を行うことはできない。

　　＜記載不備の事例＞

　　・「法人名」，「法人名ふりがな」（又は「名称」，「ふりがな」）等の入力項目の取り違い。

　　・【一般的名称】，【販売名】の両方を記載すべき箇所が一方しか記載されていない。

　　・【許可番号又は認定番号】，【許可年月日又は認定年月日】が正確に記載されていない。

　　・【業者コード】が正確に記載されていない。

　　・【備考】に記載すべき情報が記載されていない。

　　・新規申請以外の場合，【登録番号及び登録年月日】に誤りがある，【販売名】が変更されている　等

　　＜不足書類の事例＞

　　・変更登録申請時，書換え交付申請時の登録証の原本

　　・軽微変更届時の宣誓書　等

②　登録証，登録申請書等副本の返送用封筒については，簡易書留（副本等を封筒に入れた重量の送料と簡易書留分の切手）又は宅配便（信書扱い・着払い）で対応する。

③　FD 申請書等については，最新のバージョンに更新して提出する。

④　電子媒体（FD 又は CD-R）が正常に作動することを提出前に確認する。

⑤　【安定性に関する情報】，【安全性に関する情報】等，任意の登録項目について，特に申請書に記述の必要がないと判断した場合には，項目ごと削除する。

⑥　MF 登録者(外国製造業者の場合は，原薬等国内管理人)は，登録事項の変更を行う場合，軽微な変更の届出を行う場合であっても，関係する医薬品等の承認申請者及び承認取得者に対して通知する。

⑦　医薬品等が承認申請中で MF 番号を引用している場合，その医薬品等が承認されるまで引用している MF 変更登録申請は，審査部から指示がある場合以外は差し控える。場合によっては，MF 変更登録申請を受け付けられないこともあるので注意する。

表 13. MF 申請・届出の際の注意点のまとめ

・書類に記載されている事項に誤記がある。
・書類に記載されている事項が最新の情報になっていない。
・【添付ファイル類情報】に必要な情報が PDF 化して添付されていない又は添付先が異なる。
・【添付ファイル類情報】と【添付資料の有無】では異なる資料が必要になるが，それらが混在したまま提出されている。

⑼ 具体的な事例

1）【原薬等の製造所】に関する記載ミス

　表 14 は，【原薬等の製造所】に関する記載ミスについての事例をまとめたものである。特に⑤について，MF 登録申請者へ交付する登録証中の製造所の名称，所在地，許可または認定番号は，MF 登録申請書の【原薬等の製造所】欄へ最初に記載した製造所の情報が反映されるので，この事例のように製造実態に従って最上流の製造所を【原薬等の製造所】欄の最初に記載すると，最上流の製造所のみが登録証中に反映されてしまうため，MF 登録証に反映したい製造所の情報を MF 登録申請書の【原薬等の製造所】欄の最初に記載するよう，特に留意する必要がある。

表 14.【原薬等の製造所】に関する記載ミス

① 製造所の業者コードに記載ミスがある。
② 製造所の名称に記載ミスがある。
③ 製造所の許可認定番号に記載ミスがある。
④ 製造所の許可認定年月日に記載ミスがある（更新含む）。
⑤ 申請書上，当該項目において最初に記載されている原薬等製造所が登録証に反映される。製造実態に従って最上流の製造所を記載してしまい，登録証に最上流の製造所が反映されて MF ホルダーとの間に齟齬ができてしまう（必要に応じて，【原薬等の製造所】の記載順を検討する）。
⑥ 提出された FD 申請の紙媒体と電子媒体間で記載が異なる。
⑦ 登録者にあたる製造所の記載が漏れている。
⑧ MF 番号や MF 登録年月日に記載ミスがある。

2）【添付資料の有無】の「有」・「無」

　表 15 は，MF 登録申請書の備考欄における【添付資料の有無】の「有」・「無」についての事例である。先述したように添付資料とは，CTD 第 3 部等品質に係るデータのことである。したがって，CTD 第 3 部等品質に係るデータ等を添付資料として提出する場合は，【添付資料の有無】の項は「有」となる。

また，新旧対照表，引用製剤一覧表等は，MF 登録時の添付資料として取扱わないため，軽微変更届出等でCTD 第3部等品質に係るデータを提出することなく，新旧対照表，引用製剤一覧表等の資料のみを提出する場合は，【添付資料の有無】の項は「無」となる。

表 15．【添付資料の有無】の「有」・「無」

① 【添付資料の有無】の「有」の場合は，CTD module 3 相当の品質データの提出「有」を指すが，提出されていない。
② 【添付資料の有無】の「無」の場合は，CTD module 3 相当の品質データの提出「無」を指すが，提出されてしまっている。
③ 【添付資料の有無】の項自体が記載されておらず，CTD module 3 相当の品質データの提出がなされているかどうかがわからない。

3 ） 軽微変更届と変更登録申請

表 16 は，軽微変更届と変更登録申請の様式の違いについてである。軽微変更届は，変更箇所がある点について【変更事項】を選択し，そのうえで【変更前】，【変更後】を記載するので，【変更事項】は実態に従い，H 001（成分及び分量又は本質）欄から H 009（原薬等国内管理人）欄のいずれかの項目を選択する。一方，変更登録申請は，変更箇所にかかわらず【変更事項】をすべて選択するので，【変更事項】は H 001 欄から H 009 欄のすべての項目を記載することとなる。そのうえで，【変更前】，【変更後】として H 001 欄から H 009 欄のすべての項目を記載する（ただし，もともと登録していない事項は，変更事項に含めない）。

表 16．軽微変更届と変更登録申請

＜様式の違い＞
① 軽微変更届は，変更箇所がある点について【変更事項】を選択し，そのうえで【変更前】，【変更後】を記載する。したがって，【変更事項】は H 001 から H 009 のいずれかを選択する（複数選択可）。
② 変更登録申請は，変更箇所にかかわらず，【変更事項】をすべて選択する。そのうえで【変更前】，【変更後】を記載する。したがって，【変更事項】は H 001 から H 009 のすべてを記載する（登録していない事項は【変更事項】に入れない）。
＜共通様式＞
① 【変更前】，【変更後】を記載する。
② 【事項】を変更する際に，【 】の内容を丸ごと記載する（例えば，複数の製造所から1カ所のみを変更する場合，記載は全製造所となる）。

4）その他事務的な事項

表 17 にその他事務的な事項で見受けられる不備の事例をまとめた。⑥の【承継届】について，承継者が提出する承継届の添付資料の 1 つに，登録者の地位を承継する者であることを証明する書類がある。これは，元の登録者（被承継者）が承継者に地位を委譲することを意味しており，元の登録者（被承継者）名での提出となるが，承継者名と被承継者名が逆になっている事例があるので留意されたい。なお，製造所及びその他の製造技術等について一切変更がない旨の陳述書については，承継者名での提出となる。

表 17．その他事務的な事項

---

① 返信用封筒が提出されていない。
② 提出された CD-R に，FD 申請のデータが入っていない。または，保存されていない（保存形式が不適切）。
③ 別紙ファイル等に，他の原薬資料 PDF が添付されている。
④ 紙媒体 FD 申請書と電子媒体 FD 申請書の内容が異なる（一方が旧バージョンのままであり，提出前に自社で確認されていない）。
⑤ 宣誓書，新旧対照表，理由書，顛末書等の PDF が添付されていない。
⑥ 【承継届】：MF における承継者とは，登録者の地位を承継する者であり，被承継者とは，登録者の地位を承継者に移譲する者のことである。

⑽　MF 登録申請書類申請前チェックリスト

1）作成の背景・目的

MF 制度は，平成 17 年 4 月に施行された改正薬事法に基づき導入されたものの，運用面で，いまだ十分とはいえない状況にあり，平成 28 年 5 月末までに手続きが行われた，いわゆる「マル点検」*の実施前から，MF の登録内容の不備や誤りにより，承認審査の遅延や承認後の維持管理の不備に結びつく事例が一部生じている。このような状況を少しでも改善する方法として，関係団体の協力のもと，MF 登録申請に際し，MF 登録申請書の記載内容の確認及び医薬品等の承認審査への準備に資するよう，MF 登録申請書類申請前チェックリスト**を作成した（「マスターファイル登録申請書類申請前チェックリストについて」（平成 26 年 12 月 11 日独立行政法人医薬品医療機器総合機構規格基準部長事務連絡））。

このチェックリストは MF 登録申請時に添付して PMDA に提出する必要はなく，あくまで自己点検用のものであるが，次の点から活用することが推奨される。

① MF 登録申請書に不備がないことを確認すること。

② 必要とされる品質及び製造所等に関する情報について，すみやかに審査当局に提出できるよう，原薬製造業者，製造販売承認申請者，製造販売承認取得者及び原薬等国内管理人の間で適切に共有可能な体制を十分に整備した後に，MF登録申請等を行うこと。

なお，変更登録申請及び軽微変更届についても，本チェックリストを参考にして同様の確認を行うこと。

* 「医薬品の製造販売承認書と製造実態の整合性に係る点検の実施について」（平成28年1月19日薬生審査発0119第1号医薬・生活衛生局審査管理課長通知）
「医薬品の製造販売承認書と製造実態の整合性に係る点検後の手続きについて」（平成28年2月12日薬生審査発0212第4号医薬・生活衛生局審査管理課長通知）
** https://www.pmda.go.jp/review-services/drug-reviews/master-files/0005.html

2）チェックリストの概要

チェックリストは，大きく分けて次の2つにより構成されている。

① チェックリスト「1」：【提出者】等の欄（【製造方法】欄と【規格及び試験方法】欄を除く）。

→ MF登録申請者の基本情報全般についての確認項目

② チェックリスト「2」：【製造方法】欄及び【規格及び試験方法】欄。

→ 国内製造業者を主な対象とするチェックリスト「2a」と，外国製造業者，原薬等国内管理人を主な対象とするチェックリスト「2b」に分けられている。

なお，チェックリスト「1」及び「2b」については英語版もあるので，適宜参照されたい。

・チェックリスト「1」：【様式】，【提出先】，【提出年月日】，【提出者】をはじめ，【備考】までの各欄（ただし，チェックリスト「2a」及び「2b」の各欄を除く）。
・チェックリスト「2a」（国内製造業者用）：【製造方法】及び【規格及び試験方法】欄
・チェックリスト「2b」（外国製造業者・国内管理人用）：【製造方法】及び【規格及び試験方法】欄

チェックリストの内容について，参考として「2a」（国内製造業者用）の一部を表18に示した。「2a」のチェック項目は36あり，製造方法の全般にわたる項目をはじめ，製造スケール，原材料の管理・工程管理等の項目がある。特に表18では原薬製造業者及び製造販売業者の連携に関するチェック項目を抜粋しているが，他のチェック項目についても両者の連携が必要とされるものが含まれている。

なお，これらの項目は，MF登録申請内容と原薬製造所の製造実態に齟齬を生じさせないためには重要であるといえる。チェックリストを利用するのは一時的には原薬製造業者及び原薬等国内管理人であるが，製造販売承認申請者もチェックリストについ

て理解しておく必要がある。

表 18. チェックリスト「2a」（国内製造業者用） ※一部抜粋

〔原薬製造業者，製造販売業者の連携〕

22 □ MF の登録内容と製造実態に相違ないことを製造販売業者と定期的に確認する体制を構築している。

23 □ 外部の製造所（保管倉庫，粉砕工程等の委託先）及び外部試験検査機関を使用している場合，製造販売後にも変更に関する情報を製造販売業者と定期的に確認できる連携体制にある。

24 □ CTD module 3 のオープンパートについて，最新情報を製造販売業者との間で共有できている（確認日：　　年　　月　　日）。

25 □ 変更管理など必要な情報は，事前に製造販売業者に伝える体制を構築している。

⑾　各種関連通知

MF に関連する通知及び事務連絡等については，平成 27 年度より PMDA ホームページに参考情報として掲載している*。

ただし，すべてを網羅したものではなく，また，必要な情報については適宜最新の情報を収集する必要がある点については従前のとおりである。

*https://www.pmda.go.jp/review-services/drug-reviews/master-files/0006.html

各種関連通知等

・「新医薬品の製造又は輸入の承認申請に際し承認申請書に添付すべき資料の作成要領について」
（平成 13 年 6 月 21 日医薬審発第 899 号医薬局審査管理課長通知）
・「CTD－品質に関する概括資料の原薬・製剤のモックアップ（記載例）について」
（平成 14 年 8 月 13 日医薬局審査管理課事務連絡）
・「コモン・テクニカル・ドキュメントの電子化仕様について」
（平成 15 年 6 月 4 日医薬審発第 0604001 号医薬局審査管理課長通知）
・「コモン・テクニカル・ドキュメント CTD－品質に関する文書 Q&A/記載箇所に関する事項について」
（平成 15 年 11 月 5 日医薬食品局審査管理課事務連絡）
・「薬事法及び採血及び供血あつせん業取締法の一部を改正する法律等の施行について」
（平成 16 年 7 月 9 日薬食発第 0709004 号医薬食品局長通知）
・「改正薬事法に基づく医薬品等の製造販売承認申請書記載事項に関する指針について」
（平成 17 年 2 月 10 日薬食審発第 0210001 号医薬食品局審査管理課長通知）
・「改正薬事法の施行に伴う TSE 資料の取扱いについて」
（平成 17 年 3 月 25 日薬食審発第 0325003 号医薬食品局審査管理課長通知）
・「原薬等登録原簿に登録された品目の整理について」
（平成 18 年 2 月 8 日薬食審発第 0208001 号医薬食品局審査管理課長通知）
・「医薬品等の承認申請等に関する質疑応答集（Q&A）について」
（平成 18 年 11 月 16 日医薬食品局審査管理課事務連絡）

第 3 章　原薬等登録原簿（マスターファイル）の登録申請　125

- ・「医薬品等の承認申請等に関する質疑応答集（Q&A）について」
  （平成 18 年 12 月 14 日医薬食品局審査管理課事務連絡）
- ・「医療用医薬品の製造所の変更又は追加に係る手続の迅速化について」
  （平成 18 年 12 月 25 日薬食審査発第 1225002 号, 薬食監麻発第 1225007 号医薬食品局審査管理課長, 監視指導・麻薬対策課長通知）
- ・「平成 14 年薬事法改正に関連する通知の改正について」
  （平成 19 年 1 月 12 日薬食審査発第 0112001 号医薬食品局審査管理課長通知）
- ・「医薬品等の承認申請等に関する質疑応答集（Q&A）について」
  （平成 19 年 1 月 12 日医薬食品局審査管理課事務連絡）
- ・「製造所変更迅速審査の申請時に添付すべき資料等について」
  （平成 19 年 1 月 16 日医薬食品局審査管理課, 監視指導・麻薬対策課事務連絡）
- ・「製造所変更迅速審査に係る質疑応答集（Q&A）について」
  （平成 19 年 2 月 7 日医薬食品局審査管理課, 監視指導・麻薬対策課事務連絡）
- ・「外国製造業者の認定申請の取扱い等について」
  （平成 19 年 6 月 19 日薬食審査発第 0619004 号医薬食品局審査管理課長通知）
- ・「医薬品等の承認申請等に関する質疑応答集（Q&A）について」
  （平成 19 年 6 月 19 日医薬食品局審査管理課事務連絡）
- ・「医薬品の製造販売承認申請書における製造方法の記載に関する質疑応答集（Q&A）について」
  （平成 20 年 5 月 20 日医薬食品局審査管理課事務連絡）
- ・「医療用医薬品の製造販売承認申請書等における特定の原薬に係る製造方法の記載簡略化について」
  （平成 21 年 3 月 4 日薬食審査発第 0304018 号医薬食品局審査管理課長通知）
- ・「新医薬品の総審査期間短縮に向けた申請に係る留意事項について」
  （平成 22 年 6 月 9 日医薬食品局審査管理課, 監視指導・麻薬対策課事務連絡）
- ・「医薬品等の規格及び試験方法に係る変更等に関する質疑応答集（Q&A）について」
  （平成 22 年 7 月 26 日医薬食品局審査管理課事務連絡）
- ・「新医薬品の総審査期間短縮に向けた申請に係る CTD のフォーマットについて」
  （平成 23 年 1 月 17 日医薬食品局審査管理課事務連絡）
- ・「医療用後発医薬品に係る承認審査及び GMP 適合性調査申請のスケジュール等について」
  （平成 26 年 2 月 7 日医薬食品局審査管理課, 監視指導・麻薬対策課事務連絡）
- ・「承認事項一部変更承認後の製品切替え時期設定及びその記載方法について」
  （平成 27 年 7 月 13 日薬食審査発 0713 第 1 号, 薬食監麻発 0713 第 1 号医薬食品局審査管理課長, 監視指導・麻薬対策課長通知）
- ・「承認事項一部変更承認後の製品切替え時期設定に関する質疑応答集（Q&A）について」
  （平成 27 年 7 月 13 日医薬食品局審査管理課, 監視指導・麻薬対策課事務連絡）
- ・「医療用医薬品に係る CTD 作成の手引き及びモックアップ（記載例）について」
  （平成 27 年 9 月 7 日医薬食品局審査管理課事務連絡）
- ・「日本薬局方収載医薬品に係る残留溶媒の管理等について」
  （平成 27 年 11 月 12 日薬生審査発 1112 第 1 号医薬・生活衛生局審査管理課長通知）
- ・「日本薬局方収載医薬品に係る残留溶媒の管理等に関する質疑応答集（Q&A）について（その１）」
  （平成 27 年 11 月 12 日医薬・生活衛生局審査管理課事務連絡）
- ・「医療用医薬品の承認申請の際に添付すべき資料の取扱いについて」
  （平成 28 年 3 月 11 日薬生審査発 0311 第 3 号医薬・生活衛生局審査管理課長通知）
- ・「第十七改正日本薬局方の制定に伴う医薬品製造販売承認申請等の取扱いについて」
  （平成 28 年 3 月 31 日薬生審査発 0331 第 1 号医薬・生活衛生局審査管理課長通知）

- ・「医薬品の製造販売承認書に則した製造等の徹底について」
  （平成 28 年 6 月 1 日薬生審査発 0601 第 3 号，薬生監麻発 0601 第 2 号医薬・生活衛生局審査管理課長，監視指導・麻薬対策課長通知）
- ・「日本薬局方収載医薬品に係る残留溶媒の管理等に関する質疑応答集（Q&A）について（その 2）」
  （平成 28 年 6 月 3 日医薬・生活衛生局審査管理課事務連絡）
- ・「医療用後発医薬品に係る承認審査及び GMP 適合性調査申請のスケジュール等について」
  （平成 28 年 7 月 21 日医薬・生活衛生局医薬品審査管理課，監視指導・麻薬対策課事務連絡）
- ・「第十七改正日本薬局方の制定に伴う医薬品等の承認申請等に関する質疑応答集（Q&A）について」
  （平成 29 年 4 月 7 日医薬・生活衛生局医薬品審査管理課事務連絡）
- ・「医薬品の品質に係る承認事項の変更に係る取扱い等について」
  （平成 30 年 3 月 9 日薬生薬審発 0309 第 1 号，薬生監麻発 0309 第 1 号医薬・生活衛生局医薬品審査管理課長，監視指導・麻薬対策課長通知）
- ・「医薬品の残留溶媒ガイドラインの改正について」
  （平成 31 年 3 月 18 日薬生薬審発 0318 第 1 号医薬・生活衛生局医薬品審査管理課長通知）
- ・「第十七改正日本薬局方第一追補の制定に伴う医薬品等の承認申請等に関する質疑応答集（Q&A）について」
  （令和元年 5 月 10 日医薬・生活衛生局医薬品審査管理課事務連絡）
- ・「医療機器原材料の原薬等登録原簿の取扱いについて」
  （令和元年 5 月 30 日薬生機審発 0530 第 1 号医薬・生活衛生局医療機器審査管理課長通知）
- ・「第十七改正日本薬局方第二追補の制定等について」
  （令和元年 6 月 28 日薬生発 0628 第 1 号医薬・生活衛生局長通知）
- ・「第十七改正日本薬局方第二追補の制定に伴う医薬品製造販売承認申請等の取扱いについて」
  （令和元年 6 月 28 日薬生薬審発 0628 第 1 号医薬・生活衛生局医薬品審査管理課長通知）

6．再生医療等製品の MF の利用

　MF 登録の運用は，MF 指針にて示されているところであるが，「薬事法等の一部を改正する法律」（平成 25 年 11 月 27 日法律第 84 号），「薬事法等の一部を改正する法律の施行に伴う関係政令の整備等及び経過措置に関する政令」（平成 26 年 7 月 30 日政令第 269 号），「薬事法等の一部を改正する法律及び薬事法等の一部を改正する法律の施行に伴う関係政令の整備等及び経過措置に関する政令の施行に伴う関係省令の整備等に関する省令」（平成 26 年 7 月 30 日厚生労働省令第 87 号）が公布され，医薬品及び医療機器とは別に新たな区分として再生医療等製品が定義されたことをふまえ，「原薬等登録原簿の利用に関する指針について」（平成 26 年 11 月 17 日薬食審査発 1117 第 3 号，薬食機参発 1117 第 1 号医薬食品局審査管理課長，大臣官房参事官（医療機器・再生医療等製品審査管理担当）通知）が発出され，平成 26 年 11 月 25 日より適用されることとなった（これまでの MF 指針（平成 17 年 2 月 10 日薬食審査発第 0210004 号医薬食品局審査管理課長通知）は同日をもって廃

止となっている）。

　また，これまでの MF 指針に関し発出されてきた Q&A（「原薬等登録原簿に関する質疑応答集（Q&A）について」（平成 17 年 7 月 28 日，平成 17 年 12 月 20 日（その 2），平成 24 年 12 月 28 日（その 3），平成 25 年 10 月 29 日（その 4）医薬食品局審査管理課事務連絡））には，登録申請書，申請書に添付すべき資料の作成要領が示されているが，あくまで一般的な例を示したものであり，記載例そのままの資料を作成するのではなく，登録品目に求められている資料について主体的に検討を行い，必要に応じて資料を追加するなど，適切な対応をしなければならない。

　登録対象となった再生医療等製品原材料（細胞，培地，培地添加物，細胞加工用資材等）については，PMDA のレギュラトリーサイエンス戦略相談にて，MF 登録申請書及び添付資料作成に関する助言を行っているので適宜利用されたい。なお，これら MF 登録申請書及び添付資料作成に関しては，「細胞・組織加工医薬品等の製造に関連するものに係る原薬等登録原簿登録申請書及びその申請書に添付すべき資料の作成要領について」（平成 25 年 3 月 8 日医薬食品局審査管理課事務連絡）の他，「細胞・組織加工医薬品等の製造に関連するものに係る原薬等登録原簿登録申請書及びその申請書に添付すべき資料の作成要領に関する Q&A について」（平成 25 年 4 月 15 日医薬食品局審査管理課事務連絡）に詳細に示されているので，そちらも参照されたい。このうち，MF 登録申請時の製造業の許可番号や外国製造業者の認定番号に関し，許可または認定が不要の場合には，ダミー番号を設定してあるので利用されたい。

　MF 登録を行えば，すべての情報を非開示にできるわけではなく，情報の開示・非開示については，MF 登録者と MF 利用者との間で十分に意思疎通を図り，必要な情報については，相互での積極的な共有をお願いしたい。また，MF の維持，管理についても，これまでどおり登録時から医薬品等承認後にわたって適正な管理が求められるので，その点も留意されたい。

表 19. 再生医療等製品原材料（細胞，培地，培地添加物，細胞加工用資材等）に添付する資料

---

① 「細胞・組織加工医薬品等の製造に関連するものに係る原薬等登録原簿登録申請書及びその申請書に添付すべき資料の作成要領について」（平成 25 年 3 月 8 日医薬食品局審査管理課事務連絡）を発出。別添として添付すべき資料の概要についての記載例あり。

② 申請書に記載すべき事項及び添付資料の作成にあたり，一般的に留意すべき事項をまとめたもの（モノによっては一部簡略化することが可能であり，逆に品質や安全性を説明するうえで必要な資料があれば追加で提出することが求められる）。

③ MF 登録申請書及び当該申請書に添付すべき資料の作成にあたっては，別添の作成要領を参照するとともに，適宜，PMDA における相談制度を活用すること。

④ 「細胞・組織加工医薬品等の製造に関連するものに係る原薬等登録原簿登録申請書及びその申請書に添付すべき資料の作成要領に関する Q&A について」（平成 25 年 4 月 15 日医薬食品局審査管理課事務連絡）
・許可認定に関する記載について
　（99 AZ 555555 及び AG 99955555） →　許可または認定が不要な場合のダミー番号
・製造工程中の細菌，真菌，ウイルス等の不活化/除去処理の方法について
・試験法に関する取扱いについて
・登録資料の開示・非開示について

7．その他の留意事項

⑴　外国製造業者が MF 登録申請を行う場合の留意点

① 外国の原薬等製造業者が MF 登録申請を行う場合は，原薬等国内管理人の選任が必須となっているため，外国の原薬等製造業者が直接 MF 登録申請を行うことはできない。MF 登録申請を行う前に，必ず原薬等国内管理人を選任する。選任後，原薬等国内管理人は申請に係る書類の作成，申請等を行うことになる。

② 原薬等国内管理人は外国の原薬等製造業者に対して，日本の薬事制度（MF 制度を含む）等について十分説明を行う。

　なお，PMDA の英語版ホームページでは，日本における MF 制度の概要について説明しているので参考にされたい。

③ 申請書・届出書・差換え願等の表紙（鑑），宣誓書等については，外国の原薬等製造業者の代表者自筆の署名（サイン）をもって押印に代えることができるが，原薬等国内管理人の氏名・押印等で提出することはできないので，長期休暇等による不在も念頭にあらかじめ余裕をもって書類の準備をすること。

⑵ 原薬等製造所の認定申請中の MF 登録申請

① 原薬等製造所の認定申請の際に付番されるシステム受付番号を用いて MF 登録申請を行うことは可能である。ただし，認定が下りなければ MF 登録証の発行はできない。

② 認定申請中の場合，FD の入力方法は，【申請中の情報】のタグに【申請中を示す記号】，【システム受付番号】及び【申請年月日】を入力する。

③ 原薬等製造所の認定が下りた場合，差換えを行う必要があるので PMDA へ連絡する。なお，審査中の場合は審査担当者に相談する。

内容確認後，PMDA から出される差換え指示に従って，FD 申請書の差換えを行う。

⑶ MF 中に他の MF を引用する場合

MF 中に他の MF を引用している場合，引用する MF の登録者との MF 引用に関する契約書等の写し及びその引用する MF の登録証の写しを提出する。なお，書面だけでなく，電子媒体も添付すること（添付ファイル類情報の【添付資料ファイル】に添付する）。

⑷ MF 登録品目の販売名の変更

MF 登録品目の販売名の変更は，「第十七改正日本薬局方の制定に伴う医薬品製造販売承認申請等の取扱いについて」（平成 28 年 3 月 31 日薬生審査発 0331 第 1 号医薬・生活衛生局審査管理課長通知）及び「第十七改正日本薬局方第一追補の制定に伴う医薬品製造販売承認申請等の取扱いについて」（平成 29 年 12 月 1 日薬生薬審発 1201 第 3 号医薬・生活衛生局医薬品審査管理課長通知）に従う場合*を除き，認められない。また，承継等に伴い，屋号を変更したものについても，MF 登録品目の販売名の変更は認められない（いずれも MF 新規登録申請となる）。

販売名を変更するため，新規に MF 登録申請を行う場合は，登録申請書の【備考】欄に次の項目を記載する。

・先に登録している品目の名称

・登録番号

・登録年月日

なお，販売名の変更に伴う新規申請の場合も，CTD 第 3 部等の添付資料を新たに提出する必要がある（先に登録している品目については，登録整理届を提出すること）。

*第十七改正日本薬局方及び同第一追補にて名称が変更された品目については，MF の登録事項に変更があり，かつ MF の登録品目名に反映させる場合，変更登録申請あるいは軽微変更届出で MF 登録品目の販売名を変更することができる。

⑸　他の理由による変更の際に変更して良い承認事項

　「医薬品の品質に係る承認事項の変更に係る取扱い等について」（平成30年3月9日薬生薬審発0309第1号，薬生監麻発0309第1号医薬・生活衛生局医薬品審査管理課長，監視指導・麻薬対策課長通知）が発出され，MFの変更登録年月日が変更になった場合（登録事項を引用している場合であって，引用しているMF中，引用していない登録事項のみの変更に伴う場合に限る）に関しては，他の理由による変更の際に変更して良い承認事項となった（記の第5の(3)）。なお，これにともない，「原薬等登録原簿に関する質疑応答集（Q&A）について（その4）」（平成25年10月29日医薬食品局審査管理課事務連絡）の問2及びその回答が削除となっている。

8. MFの公示

　医薬品医療機器法第80条の6第3項の規定（p.91参照）に基づき，公示される（PDFファイル，Excelファイルの2種類で掲載）。内容については，PMDAホームページ（https://www.pmda.go.jp/review-services/drug-reviews/master-files/0001.html）を参照されたい。

　公示内容は，MF登録番号，登録年月日（最新登録年月日），登録者氏名及び住所，登録品目名，登録区分であるが，MFの新規登録，変更登録などの新たな情報も含め，概ね1ヵ月に2度を目安に内容を更新している。

　公示に関する問い合わせ先：㈱医薬品医療機器総合機構　審査マネジメント部医薬品基準課マスターファイル管理室

【参考：関連通知】

・「原薬等登録原簿の利用に関する指針について」

　（平成26年11月17日薬食審査発1117第3号，薬食機参発1117第1号医薬食品局審査管理課長，大臣官房参事官（医療機器・再生医療等製品審査管理担当）通知）

　また，2019年1月より国内管理人情報の任意公表が開始されている。これまでの公示内容に追加して，MF登録業者である外国製造業者からの要望がある場合，要望書の提出により国内管理人の法人名と住所を公表することとなった（要望書には外国製造業者名での記載が必要）。なお，要望書に基づいて公表するため，従前どおり国内管理人の情報を非公表とするのであれば，特に対応する必要はない。

　要望があった品目については，表20に示したように項目を追加したうえでMFが公示される。公表を希望する場合，MF品目ごとに要望書を提出することになるが，その場合分

けについては表21のとおりである。また，一度公表した国内管理人情報を再び非公表としたい場合には，非公表用の様式をMF管理室に提出すること。

　なお，要望書の記載に関し，MF登録者氏名欄に社長名（個人名）を記入して提出していた事例があったが，本欄には法人名を記入すること。

表20．国内管理人情報の任意公表①

・平成31年1月より，原薬等登録業者である外国製造業者からの要望がある場合に公表を開始（国内管理人の要望によるものではない）
・公表項目
　✓原薬等国内管理人の法人名
　✓原薬等国内管理人の住所

公示リストに項目を追加

MF登録番号	初回登録年月日		登録者住所	原薬等国内管理人の名称	原薬等国内管理人の住所
301 MF 000 XX	2019/XX/XX		○○…		
231 MF 000 XX	2019/XX/XX		××…	△△株式会社	◆◆県××市…

・MFごとに公表要望書又は変更要望書を提出
・従前どおり国内管理人情報を非公表とする場合，特段の対応は不要

表21．国内管理人情報の任意公表②

<提出書類>

	申請書/届	公表要望書	変更要望書（公表用）
新規でMFを登録する場合	登録申請書	○（※）	
登録済みMFの国内管理人を変更する場合	軽微変更届		○（※）
登録済みMFの登録者が承継される場合	承継届	○（※）	
登録済みMFについて公表を希望する場合	－		○

（※）　公表要望書/変更要望書（公表用）の提出がない場合は非公表。
※公表していた国内管理人情報を非公表としたい場合には，変更要望書（非公表用）をMF管理室に提出すること。

要望書の様式等はPMDAのwebサイトよりダウンロード可能
https://www.pmda.go.jp/review-services/drug-reviews/master-files/0008.html

9. 申請・受付等業務実施要領

　受付は，PMDA 窓口（新霞が関ビル 6 F 東側受付）で直接又は郵送にて受け付けている。MF 申請書又は MF 変更届書を郵送する場合は，封筒の外面の見やすい場所に「MF」と赤字で記載する。また，登録証等の郵送交付を希望する場合は，返送用封筒（信書便）をあわせて提出すること。

　なお，申請・受付等業務実施要領は，「独立行政法人医薬品医療機器総合機構が行う審査等業務に係る申請・届出等の受付等業務の取扱いについて」（平成 17 年 3 月 30 日薬機発第0330003 号独立行政法人医薬品医療機器総合機構理事長通知）に基づく。

・受付場所（送付先）

　　㈲医薬品医療機器総合機構　審査マネジメント部医薬品基準課マスターファイル管理室

　　〒100-0013　東京都千代田区霞が関 3 - 3 - 2　新霞が関ビル 6 階

　　TEL：03-3506-9437

　　FAX：03-3506-9442

・受付時間

　　月～金曜日（祝祭日，年末年始を除く）

　　9：30～12：00 及び 13：30～17：00

・受付窓口案内（PMDA ホームページ）

　　https://www.pmda.go.jp/review-services/drug-reviews/procedures/0021.html

10. お願い

① 　問い合わせ，質問は必ず所定の様式*を用い，FAX（03-3506-9442）又はメールにて行うこと（FAX 又はメールによる受付は，質問内容の文書的保存の意味だけでなく，質問者の意図に対し的確に回答するためのものでもあるので，電話での質問は控えること）。

*https://www.pmda.go.jp/review-services/drug-reviews/procedures/0024.html

② 　回答は電話にて行う。

③ 　PMDA へ相談する前に，相談内容がどの相談枠に該当するのか十分に自社にて確認すること*。相談内容が曖昧な場合や，適当でない相談枠に申し込んだ場合，事実確認に時間を要することがあるので注意すること。

*https://www.pmda.go.jp/review-services/f2f-pre/0001.html

④　簡易相談などの他の相談内容に該当するもの，あるいは審査やGMPに関する問い合わせには応じられない。

⑤　適切な相談枠がなく，かつ申請・届出等に関する記述方法や手続き（ただし，審査やGMP等に関する事項は除く）についての質問の場合はFAX又はメールにて問い合わせること。

⑥　問合せ票の内容は具体的な記載とすること。特に，区分の誤記載・チェック漏れによる事実確認に時間を要することがあるので注意すること。

⑦　申請書提出時に，申請書に関する事項以外の質問を申請窓口で行うことは，混雑の原因となるので控えること（あくまでFAX又はメールにて問い合わせること）。

⑧　審査部からの照会事項等についての対応等は行っていないので，直接審査担当者に確認すること。

⑨　申請ソフトの操作方法については，申請ソフトヘルプデスク（FAX：03-3507-0114，E-mail：fd_iyaku@pmda.go.jp）へ質問すること。

⑩　提出前には，資料全体（申請書及びCTD module 3を含む）を再度確認すること。

11. PMDA ホームページの掲載内容（MF 関連）

MFに関するPMDAホームページの掲載内容については，表22のとおりである。

表22. PMDA のホームページ掲載内容

ホーム　→　審査関連業務　→　承認審査業務（申請，審査等）　→　原薬等登録原簿（MF）

・原薬等登録原簿（マスターファイル）（MF）制度について
https://www.pmda.go.jp/review-services/drug-reviews/master-files/0007.html
①　MF制度の概要の説明
②　通知：「原薬等登録原簿の利用に関する指針について」（平成26年11月27日薬食審査発1117第3号，薬食機参発1117第1号）
③　原薬等登録原簿（MF）制度に関するQ&Aについて　4件
④　医療機器原材料の原薬等登録原簿（MF）の取扱いについて
⑤　再生医療等製品の原薬等登録原簿（MF）の利用　3件
・登録申請・届出手続きについて（手続きに関する案内）
https://www.pmda.go.jp/review-services/drug-reviews/master-files/0002.html
①　MF申請書，届書の様式ダウンロード
②　原薬等登録原簿制度概要
③　MF登録情報のうち，MF登録者が，医薬品（製剤）の承認申請者等及び承認取得者へ開示すべき情報の例（通知：「原薬等登録原簿の利用に関する指針について」の別紙4）
・原薬等登録原簿（MF）の公示について
https://www.pmda.go.jp/review-services/drug-reviews/master-files/0008.html
①　最新の公示内容
②　国内管理人情報の公表に関する様式等のダウンロード

③ MF登録整理届書について
・各種様式等
　https://www.pmda.go.jp/review-services/drug-reviews/master-files/0005.html
　① MF登録申請書類申請前チェックリスト
　② MF登録申請書等の記載例
・各種関連通知
　https://www.pmda.go.jp/review-services/drug-reviews/master-files/0006.html
　※MFに関連する通知及び事務連絡等の情報

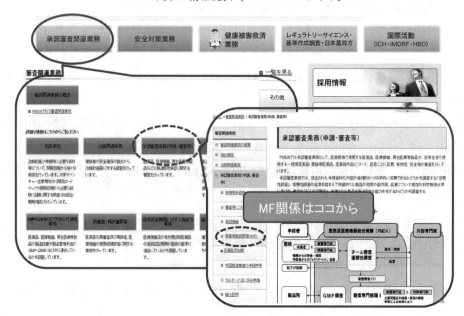

MFに関する情報提供（PMDA webサイト）

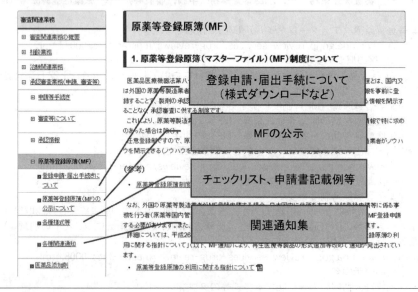

MF関連業務のページ

おわりに

MF 登録の際には，登録に必要な事項が記載されているか，CTD 第3部等の添付資料が提出されているか等の形式的なものについてチェックを行うのみであり，登録された内容の妥当性（製造方法等）についての審査は行っていない。したがって，MF 登録が受け付けられても，その登録申請書及び添付資料について審査当局により医薬品の原薬等としての適切性が審査されたことにはならない。また，登録することで，その製造等が許可，承認されるものではない。

MF 登録内容は，医薬品等の承認申請資料の一部として取扱われるため，次の点に留意されたい。

・MF 登録申請書の記載内容等について不備・不足があれば，その MF を引用している医薬品等の審査等に影響を及ぼす場合もある。したがって，MF 登録者（又は原薬等国内管理人）は，登録内容等を十分確認するとともに，関係通知等について理解するよう努めること。

・医薬品等に使用されることのない品目の MF 登録は好ましくないため，慎むこと。

・登録後に変更が生じる場合の対応は，日本の法規制に従い，適切に行う必要がある。

登録にあたっては，使用予定の原薬等の MF 登録者（又は原薬等国内管理人）及び当該 MF を引用する医薬品等の製造販売承認申請者及び製造販売承認取得者は密に連絡等を取り，変更等が生じた場合にはすみやかに対応ができるよう努めていただきたい。

第4章

要指導医薬品・一般用医薬品
－事例に基づく実務説明－

1.「一般用医薬品」とは

(1) 「一般用医薬品」の概念

　一般用医薬品とは,「一般の人」が,「薬剤師等から提供された適切な情報」に基づき,「自らの判断で購入」し,「自らの責任で使用する医薬品」であって,「軽度な疾病に伴う症状の改善等」を目的とするものである。

　つまり一般用医薬品とは,医療用医薬品として取り扱われる医薬品以外の医薬品のことをいう。

(医療用医薬品とは)

・医療用医薬品とは,医師もしくは歯科医師によって使用され又はこれらの者の処方せんもしくは指示によって使用されることを目的として供給される医薬品をいう。

・次のいずれかに該当する医薬品は,原則として医療用医薬品として取り扱う。

①　処方せん医薬品,毒薬又は劇薬。ただし,毒薬,劇薬のうち,人体に直接使用しないもの（殺虫剤等）を除く。

②　医師,歯科医師が自ら使用し,又は医師,歯科医師の指導監督下で使用しなければ重大な疾病,障害もしくは死亡が発生するおそれのある疾患を適応症にもつ医薬品。

③　その他剤形,薬理作用等からみて,医師,歯科医師が自ら使用し,又は医師,歯科医師の指導監督下で使用することが適当な医薬品。

---

(2) 「要指導医薬品」とは

　要指導医薬品とは,従来の一般用医薬品とはその性質が異なる「医療用に準じたカテゴリーの医薬品」であり,医薬品医療機器法第4条第5項第3号の厚生労働省令で定める期間*を経過しない,すなわち再審査期間を終了していないダイレクトOTCや,製造販売後調査の終了していないスイッチOTC,毒薬及び劇薬のうち,厚生労働大臣が薬事・食品衛生審議会の意見を聴いて指定するものである。

　また,要指導医薬品として指定された医薬品に含まれる有効成分は,原則としてその

水和物及びそれらの塩類も含まれ，指定された品目については厚生労働省のホームページでもその一覧を確認することができる。

　なお，要指導医薬品は，その適正使用にあたり，薬剤師の対面による情報提供及び薬学的知見に基づく指導が必要であるが，一定期間後に一般用医薬品とすることが認められた品目はネット販売も可能となることから，そのような動きも見据えた審査を実施することとしている。

*ダイレクト OTC の場合は再審査期間(原則 8 年)，スイッチ OTC の場合は承認条件として付される安全性に関する調査期間（原則 3 年）。

表 1．要指導医薬品の概念

医療用医薬品	要指導医薬品	一般用医薬品		
		第 1 類医薬品	指定第 2 類医薬品 第 2 類医薬品	第 3 類医薬品
人体に対する作用が著しく，重篤な副作用が生じるおそれのある医薬品	・ダイレクト OTC ・スイッチ直後品目 ・毒薬 ・劇薬	特にリスクが高い医薬品	リスクが比較的高い医薬品	リスクが比較的低い医薬品

※次の①～③のうち，その効能及び効果において人体に対する作用が著しくなく，薬剤師その他の医薬関係者から提供された情報に基づき，消費者の選択によって使用するものであり，かつ，その適正な使用のために薬剤師の対面による情報の提供及び薬学的知見に基づく指導が行われることが必要なもの。
① 製造販売の承認申請に際して，すでに製造販売の承認を与えられている医薬品と有効成分，分量，用法，用量，効能，効果等が明らかに異なると認められた医薬品であって，申請に係る承認を受けてから厚生労働省令で定める期間を経過していないもの。
② 製造販売の承認申請に際して，①の医薬品と有効成分，分量，用法，用量，効能，効果等が同一性を有すると認められた医薬品であって，申請に係る承認を受けてから厚生労働省令で定める期間を経過していないもの。
③ 毒性及び劇性が強いものとして，厚生労働大臣が薬事・食品衛生審議会の意見を聴いて指定するもの。

⑶　手数料

　平成 31 年 4 月 1 日より，医薬品医療機器法関係手数料令が一部改正（「医薬品，医療機器等の品質，有効性及び安全性の確保等に関する法律関係手数料令の一部を改正する政令」（平成 31 年政令第 49 号））され，要指導医薬品・一般用医薬品（以下，「要指導・一般用医薬品」という）については，一物多名称に係るコードが新たに設定(GBL, GBM, GBN, GCK, GCL, GCM, GGY, GGZ, GG 0, GG 1, GG 2, GG 3)されたが，次の 3 つの条件すべてに合致する場合のみに使用できるコードであるので留意すること。
・親品目と子品目の申請者が同一であること
・子品目は親品目と販売名のみが異なること
・子品目の申請日が親品目の申請日の一月以内であること
　条件に合致しない一物多名称品目については，添付資料の省略は可能であるが，手数料は親品目と同額となる。

※本書第2章の「8．手数料」の「(7)　一物多名称子品目の手数料」（p.85）も参照。

なお，手数料額等の詳細は，PMDAのホームページでも閲覧できるので，確認の際は利用すること。

⑷　一般用医薬品が具備すべき特性

一般用医薬品が本来期待される役割・機能を十分果たすためには，次のような特性を具備していることが求められる（「一般用医薬品承認審査合理化等検討会中間報告書」（平成14年11月18日））。

① 品質・有効性・安全性が確保されていること（適切な情報伝達によりこれらを確保することを含む）。

② 国民が自分で選択でき，適正に使用するための情報が整備されていること。

③ 生活環境，国民の健康ニーズ等が考慮されていること。

④ 医学・薬学等（衛生学・栄養学・保健学など関連科学領域を含む）の最新の科学水準が反映されていること。

2．審査の概略

⑴　医薬品の審査

医薬品の審査は，「申請された医薬品」について，「十分な科学的データ」が得られており，「厳密な薬効評価」が行われた結果，「適切な使用対象（効能・効果）と使用方法（用法・用量等）」が決められ，それにより「疾病の治療や診断に貢献する」ことを確認する作業である。これらの項目を申請資料で再検証することが望まれる。

⑵　要指導・一般用医薬品の承認審査の基本的考え方

申請された品目が，一般の人に直接使用される一般用医薬品として適切な医薬品であるか否かという点に基づいている。

① 配合成分の種類・配合量

有効性及び安全性が十分に確保できる範囲であること。

② 効能又は効果

軽度な疾病の治療。一般の人が自ら判断できる症状の記載が主体であること。

③ 用法及び用量，剤形

安全に使用できるもの，誤用や濫用が起きないもの。一般の人が自らの判断で使用

できるもの。

⑶ 要指導・一般用医薬品の申請から承認まで

① 要指導・一般用医薬品の申請から承認までは，概ね図 1 のとおりである。

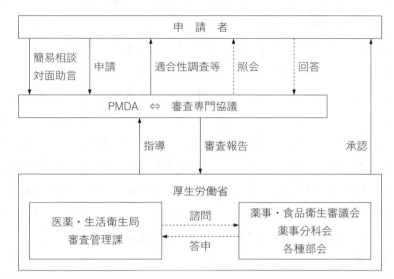

図 1．要指導・一般用医薬品の申請から承認まで
（厚生労働大臣による承認の要指導・一般用医薬品のうち，新規性の高い品目に係る承認までの概略）

② 薬事・食品衛生審議会への諮問

要指導・一般用医薬品（殺虫剤を除く）

	品　　　　目	部会	分科会	諮問
1	新有効成分含有医薬品，新投与経路医薬品，新効能・剤形・用量医薬品	○	△	有
2	既承認の要指導医薬品及び一般用医薬品の有効成分として含有されていない成分を含有するもの並びに既承認の要指導医薬品及び一般用医薬品と投与経路，効能，用量が明らかに異なるもの	○	▲	有
3	既承認の要指導医薬品及び一般用医薬品と剤形，有効成分の組合せ等が明らかに異なるもの	△	×	無
4	その他	×	×	無

注）○印は審議，△印は報告，▲印は文書配布による報告，×印は審議・報告なしを示す（薬事分科会における確認事項から抜粋）

③ 薬事・食品衛生審議会への提出資料等

薬事・食品衛生審議会（要指導・一般用医薬品部会又は薬事分科会）へ諮問する品目の提出資料については，当該審議会における当該品目の取扱い（審議・報告）によ

り異なる。そのため，審議会に諮問する品目の取扱い等について，あらかじめ審査担当に確認すること（「薬事・食品衛生審議会に関する資料提出について（要指導・一般用医薬品）」（平成27年12月1日））*。

*PMDAホームページ参照
https://www.pmda.go.jp/review-services/drug-reviews/procedures/0020.html

④　大臣承認と都道府県知事承認

　製造販売承認基準の定められている薬効群に属する一般用医薬品であっても，次に該当する医薬品は，厚生労働大臣による承認となる。

・昭和45年10月19日厚生省告示第366号*で定める事項に適合しない医薬品

*医薬品等の承認に係る厚生労働大臣の権限を都道府県知事へ委任するにあたり，その範囲を定めた告示。

　ただし，都道府県知事による承認の範囲内に属する医薬品であっても，次のいずれかに該当するものは，都道府県知事から医薬・生活衛生局長あての協議扱いとなる。

・用法及び用量が当該品目の属する製造販売承認基準に適合しない医薬品

・特殊な製剤

・医薬品への使用前例のない添加物を含有する医薬品

⑤　審査報告書

　PMDAのホームページに，既承認要指導・一般用医薬品の審査報告書等を公開*しているので参照されたい。

*https://www.pmda.go.jp/PmdaSearch/otcSearch/

⑥　承認拒否事由

　医薬品医療機器法第14条（医薬品，医薬部外品及び化粧品の製造販売の承認）第2項において，承認拒否となる事由が規定されている。

（医薬品医療機器法第14条第2項第3号）

三　申請に係る医薬品，医薬部外品又は化粧品の名称，成分，分量，用法，用量，効能，効果，副作用その他の品質，有効性及び安全性に関する事項の審査の結果，その物が次のイからハまでのいずれかに該当するとき。

イ　申請に係る医薬品又は医薬部外品が，その申請に係る効能又は効果を有すると認められないとき。

ロ　申請に係る医薬品又は医薬部外品が，その効能又は効果に比して著しく有害な作用を有することにより，医薬品又は医薬部外品として使用価値がないと認められるとき。

ハ　イ又はロに掲げる場合のほか，医薬品，医薬部外品又は化粧品として不適当なものとして厚生労働省令で定める場合に該当するとき。

3．申請区分と添付資料の範囲

⑴ 申請区分

改正薬事法（平成 25 年 12 月 13 日法律第 103 号）が平成 26 年 6 月 12 日に施行されたことにともない，要指導医薬品に関する申請区分名の変更があったが，考え方はこれまでと同様である（「医薬品の承認申請について」（平成 26 年 11 月 21 日薬食発 1121 第 2 号医薬食品局長通知））。

表 2．申請区分

申請区分⑴：新有効成分含有医薬品（ダイレクト OTC）
申請区分⑵：新投与経路医薬品
申請区分⑶
 ⑶-①：新効能医薬品
 ⑶-②：新剤形医薬品
 ⑶-③：新用量医薬品
申請区分⑷：要指導（一般用）新有効成分含有医薬品（スイッチ OTC）
申請区分⑸
 ⑸-①：要指導（一般用）新投与経路医薬品
 ⑸-②：要指導（一般用）新効能医薬品
 ⑸-③：一般用（要指導）新剤形医薬品
 ⑸-④：一般用（要指導）新用量医薬品
申請区分⑹：一般用（要指導）新配合剤
申請区分⑺
 ⑺-①：類似処方一般用配合剤
 ⑺-②：類似剤形一般用医薬品
申請区分⑻：その他の一般用医薬品（製造販売承認基準品目等）

⑵　承認申請書に添付すべき資料

左欄	右欄
イ　起原又は発見の経緯及び外国における使用状況等に関する資料	1　起原又は発見の経緯に関する資料 2　外国における使用状況に関する資料 3　特性及び他の医薬品との比較検討等に関する資料
ロ　製造方法並びに規格及び試験方法等に関する資料	1　構造決定及び物理的化学的性質等に関する資料 2　製造方法に関する資料 3　規格及び試験方法に関する資料
ハ　安定性に関する資料	1　長期保存試験に関する資料 2　苛酷試験に関する資料 3　加速試験に関する資料
ニ　薬理作用に関する資料	1　効力を裏付ける試験に関する資料 2　副次的薬理・安全性薬理に関する資料 3　その他の薬理に関する資料
ホ　吸収，分布，代謝，排泄に関する資料	1　吸収に関する資料 2　分布に関する資料 3　代謝に関する資料 4　排泄に関する資料 5　生物学的同等性に関する資料 6　その他の薬物動態に関する資料
ヘ　急性毒性，亜急性毒性，慢性毒性，催奇形性その他の毒性に関する資料	1　単回投与毒性に関する資料 2　反復投与毒性に関する資料 3　遺伝毒性に関する資料 4　がん原性に関する資料 5　生殖発生毒性に関する資料 6　局所刺激性に関する資料 7　その他の毒性に関する資料
ト　臨床試験の成績に関する資料	臨床試験成績に関する資料
チ　法第52条第1項に規定する添付文書等記載事項に関する資料	添付文書等記載事項に関する資料

　添付資料の提出に係る考え方については，平成26年11月21日薬食発1121第2号通知を参照されたい。

第4章　要指導医薬品・一般用医薬品－事例に基づく実務説明－　143

⑶　資料概要

　申請区分⑴～⑺-②に該当する品目については，資料概要の添付が必要となる。資料概要とは，添付した資料の内容を適確かつ簡潔にまとめ，また，効能・効果，用法・用量，使用上の注意（案）及びそれらの設定理由に関する情報を盛り込んだものをいう。

　資料概要では，当該品目の申請書及び添付資料等をふまえた当該品目に係る申請者の主張・考えを明確にする必要があり，資料概要の内容の充実度は非常に重要である。

　なお，スイッチOTC医薬品等の申請について，不十分な内容の資料概要が多く見受けられるので注意すること。また，添付資料との関連性を明確にするよう留意されたい。

　薬事・食品衛生審議会要指導・一般用医薬品部会において審議された品目に係る資料概要は，当該品目の承認後，PMDAのホームページに公表されることとなっている。

⑷　申請区分の考え方

　配合剤の申請区分に関する考え方は次のとおりであるが，判断に迷う場合などは簡易相談を活用し，事前に区分を確認すること。なお，ここでいう組み合わせとは，配合量を含めた組み合わせのことをいう（新一般用医薬品成分との組み合わせについては，個別にPMDAへ相談すること）。

　「要指導・一般用医薬品の承認申請区分及び添付資料に関する質疑応答集（Q&A）について」（平成28年6月24日医薬・生活衛生局医薬品審査管理課事務連絡）のQ&A2に従い，複数の申請区分にまたがる場合は，最も上位となる区分が申請区分となるが，この条件に適合する場合であっても，新たに配合する成分によっては申請区分⑹より上位に該当する場合がある（添付資料については，それぞれの申請区分において必要とされる資料が求められる）。

1）区分⑹

　リスク区分において，第一類及び第二類医薬品に該当する成分の配合割合が，既承認品目と異なる製剤が該当する。

【例1】

　第二類医薬品に該当する成分A，B，Cの3種類を含む製剤を申請する場合，A＋B，B＋C，A＋Cの組み合わせ前例があっても，A，B，Cを同時に含む組み合わせがなければ，区分⑹に該当する。

【例2】

　A，B，Cの3種類を同時に含む前例があり，Cを除いたA＋Bの製剤を申請する場合，Cを含まないことで組み合わせが前例と異なるので，区分⑹に該当する。

2）区分(7)-①

区分(6)に該当しないもののうち，「薬効に直接関わる成分」どうしの組み合わせ，又は「薬効に直接関わる成分」と「作用緩和で薬効に直接関わらない成分」の組み合わせが，既承認品目と異なる製剤が該当する。なお，「作用が緩和でない成分」は，申請区分の考え方では「薬効に直接関わる成分」と同等の扱いとなる。

3）区分(8)

区分(6)，区分(7)-①以外の製剤，つまり，有効成分の組み合わせが，既承認品目と同一である製剤や，「作用緩和で薬効に直接関わらない成分」どうしの組み合わせのみが既承認品目と異なる製剤，製造販売承認基準適合品目が該当する。

⑤　添付資料

承認申請に際して添付すべき資料の範囲については，平成26年11月21日薬食発1121第2号通知により申請区分ごとに示されているが，これはあくまで目安であり，一般的には添付不要とされていても個別の審査において必要と判断されれば，提出を求められることがある。

また，審査を迅速に進めるうえで有用な資料については，申請時に積極的に提出すること。なお，必要とされる資料が添付されておらず，審査を継続できない事例が見受けられるので，資料に不足がないか十分に確認すること。

1）区分(6)

比較的リスクが高い成分の新規配合剤であるため，臨床試験が必要である。この区分に該当する製剤の申請は，特に配合意義を明確に示す必要がある。

2）区分(7)-①

① 「薬効に直接関わる成分」どうしの組み合わせが異なる製剤
  ・当該成分が同種の薬理作用である場合：臨床試験が必要となる。
  ・当該成分が異種の薬理作用である場合：薬理作用の増強がないことを示す客観的データが必要となる。
② 「薬効に直接関わる成分」と「作用緩和で薬効に直接関わらない成分」の組み合わせが異なる製剤
  ・添付資料概要の「イ　起原又は発見の経緯及び外国における使用状況等に関する資料」等で配合の妥当性について説明する必要がある。
  ・「承認基準で類似した配合実績がある」等の簡易な説明のみで，配合意義が十分説

明されていない申請が多く見受けられる。この場合，審査に時間がかかり，承認が困難な場合もあるため留意すること。

3）区分(8)

同一処方又は有効成分ごとの組み合わせを示した前例一覧表を提出する必要がある。

⑥ 手数料・申請区分前例一覧表

審査を円滑に進めるためにも，申請時には表3に示した手数料・申請区分前例一覧表を必ず添付（簡易相談等において前例を示す場合にも提出すること）したうえで，申請区分等の根拠を示すこと（添付されていない場合，申請区分の判断に時間を要し，承認が遅れる場合がある）。なお，その際，各有効成分のリスク区分を忘れずに記載すること（製剤のリスク区分については不要である）。

表3．申請区分前例一覧表（例）

・配合成分量，効能・効果，用法・用量等について理解しやすい一覧表を作成されたい。なお，承認前例となる製剤についても同様に記載すること。
・製造販売承認基準が制定されている薬効群では，基準内の配合量・組合せについては基準を示すことで差し支えない（下記の例では前例1は不要）。また，製造販売承認基準から外れる点については，前例を示すこと。

1日量（1回量）

剤形	リスク区分	申請製剤 錠剤	前例1 錠剤	前例2 錠剤	前例3 錠剤	◆◆薬承認基準 錠剤，顆粒剤…
有効成分A	第二類	2g（1g）	－	2g（1g）	2g（1g）	－
有効成分B	第二類	2g（1g）	2g（1g）	2g（1g）	－	1～2g(0.5～1g)
有効成分C	第三類	2g（1g）	2g（1g）	－	2g（1g）	1～2g(0.5～1g)
効能・効果		○○，××			△△	○○，××
用法・用量		1回○錠　1日2回服用する。ただし，服用間隔は…			1回○錠1日2回服用する。	1回○錠　1日2回服用する。ただし，服用間隔は…

※上記の例では，承認基準を示すことで前例1は記載不要。
※製剤のリスク区分は記載しないこと。
※効能・効果，用法・用量は，順序等も含め，省略せず正確に記載すること。

⑺ 手数料・申請区分前例一覧表における留意事項

① すべての有効成分のリスク区分をよく確認のうえ，忘れずに記載すること。

② 手数料と申請区分前例一覧表は共通とすることで差し支えない。

③ リスク区分は，第一類，第二類だけでなく，第三類の成分についても記載すること（区分の確認が必要なため）。

④ 配合量が同じか，上限及び下限の前例を示すこと。

⑤ 配合成分量，効能又は効果，用法及び用量等についてわかりやすい形で作成し，承認前例となる製剤の処方については，成分のみを記載せずに効能又は効果，用法及び用量についても記載すること。

⑥ 製造販売承認基準が制定されている薬効群について，製造販売承認基準内の配合量・組み合わせは前例があるものとして製造販売承認基準を示すことで差し支えない（製造販売承認基準から外れる点に関しては前例を示すこと）。

⑦ 貼付剤には膏体中濃度の他に単位面積あたりの量を記載すること。

⑧ 生薬・漢方エキスは原生薬換算量を記載すること。

⑻ 承認前例に関する考え方

① 承認前例となるもの
  ・製造販売承認基準品目，新指定・新範囲医薬部外品（OTC 医薬品から移行した品目に限る）は前例とみなす。
  ・申請製剤と剤形の相違が軽微な製剤は前例とみなす。
  ・ビタミン含有保健薬，生薬主薬保健薬（ニンジン主薬製剤）は，それぞれの有効成分の配合量の前例があれば，組み合わせによらない。
  ・ビタミン含有保健薬，生薬主薬保健薬（ニンジン主薬製剤）に限り，もともと医薬品であった新指定医薬部外品のビタミン含有保健剤製造販売承認基準の配合量も前例として取り扱うので，前例一覧表において当該基準を示すこと。

② 承認前例とならないもの
  承認前例として取り扱えないものは，次のとおりである。しかし，これらの条件に該当しない品目でも，現在の審査水準等から見て妥当でないものは，前例とはみなされないことがある。
  ・基本方針（「医薬品の製造承認に関する基本方針について」（昭和 42 年 9 月 13 日薬発 645 号薬務局長通知））制定前に承認になった品目（承認番号が医療用（AM）と一般用（AP）に分かれていない）及びその代替新規品目
  ・医薬部外品（OTC 医薬品から移行した品目を除く）

第4章　要指導医薬品・一般用医薬品－事例に基づく実務説明－　147

・迅速審査で承認になった品目
・製造販売承認基準のある薬効群で基準制定前に承認された品目（鎮痒消炎薬を除く）
※代替新規で新たに承認番号を取得した品目は，承認年月日が新しくても，元の承認が基本方針制定前のものであれば前例として取り扱うことはできない。

⑼　マル42品目の前例としての取扱い

「昭和42年の基本方針前に承認された一般用医薬品等の取扱いについて」（平成20年8月1日薬食審査発第0801001号医薬食品局審査管理課長通知）が発出され，昭和42年の基本方針制定前の承認品目の効能・効果等が一般用医薬品として適当なものに整備された。

これらは薬事・食品衛生審議会一般用医薬品部会において「製造販売承認基準及び再評価とは異なる取扱いとなること，また，緊急的な措置となることから，いわゆる承認前例として取扱わない」こととされたので，類似品目の申請を検討する場合には十分に留意すること。

また，一つの承認書に医療用医薬品と一般用医薬品の効能・効果等が区別して記載されている医薬品については，「医療用医薬品と一般用医薬品の両方の効能・効果等を有する昭和42年の基本方針前に承認された医薬品の取扱いについて」（平成22年4月1日薬食審査発0401第12号医薬食品局審査管理課長通知）により，その承認書をそれぞれ分割し，一般用医薬品は新規申請を行うこととなった。このため，一般用医薬品として新たな承認番号が付され，販売名も変更されるが，これらの品目については，従来どおり承認前例として取扱わない。

⑽　迅速審査品目の承認前例としての取扱い

先述したように迅速審査品目は，原則として承認前例として取り扱わないが，表4に示すものに限り，承認前例として取り扱う（ただし，マル42品目等の承認前例とならないものは除く）。

表4．承認前例として取り扱う迅速審査品目

・マルリゾチ
・マルコデのうち，小児（12歳未満）の用法・用量の削除のみが行われた品目
・マル名，マルT
・マル動，マルジャにおいて変更された成分以外の成分（ただし，当該成分が作用緩和で薬効に直接関わらない成分である場合に限る）
※徐放性製剤については，これらに該当する場合でも承認前例とはしない（他の特殊な剤形の製剤も同様の可能性があるため留意すること）。

また，迅速審査前の承認品目は承認前例として取り扱うが，迅速審査対象箇所（マルPPA，マルリゾチ，マルコデの成分・分量，効能・効果，用法・用量など）は含まれないので留意すること。なお，あくまで一例であるが，迅速審査品目に関する通知を表5にまとめたので参考にされたい。

表5．迅速審査品目関連通知の一例

マルPPA（PPA含有医薬品）	平成15年8月8日薬食審査発第0808003号
マルリゾチ（リゾチーム含有医薬品）	平成27年12月11日薬生審査発1211第4号 平成28年3月25日薬生審査発0325第10号
マルコデ（コデイン類含有医薬品）	平成29年7月4日薬生薬審発0704第3号，薬生安発0704第6号
マル名（商標権抵触等による販売名の変更）	平成4年2月14日薬審第37号 平成12年9月19日医薬審第1078号
マルT（承継及び承継に準ずる申請）	昭和61年3月12日薬発第238号
マル動	昭和55年8月11日薬審第1055号
マルジャ	昭和59年12月28日薬審第892号

⑾ 剤形の考え方

医療用医薬品においても新剤形医薬品として取り扱われる場合，申請区分は「(3)-②：新剤形医薬品」に該当する。

既承認の医療用医薬品及び要指導・一般用医薬品の徐放性製剤と，成分・分量，用法・用量，効能・効果は同一であっても，成分の放出に関わる薬剤学的な特性が異なる製剤を申請する場合，申請区分は「(3)-②：新剤形医薬品」又は「(5)-③：一般用（要指導）新剤形医薬品」に該当する。

また，既承認の要指導・一般用医薬品と，放出に関わる薬剤学的な特性も含めて同一であり，溶出特性及び薬物動態が同等である製剤を，再審査又は製造販売後調査終了後に申請する場合，申請区分は「(7)-②：類似剤形一般用医薬品」に該当する。

なお，「要指導・一般用医薬品の承認申請区分及び添付資料に関する質疑応答集（Q&A）について」（平成28年6月24日医薬・生活衛生局医薬品審査管理課事務連絡）のQ7【剤形の相違が軽微とみなせる例】における外用剤の記載は，一般外用剤の例であり，他の外用剤（耳鼻科用剤，眼科用剤，歯科口中用剤等）には適用されない。

第4章　要指導医薬品・一般用医薬品－事例に基づく実務説明－　149

４．承認申請に際しての留意事項

⑴　手数料

・適切なコードを選択すること。

・【手数料】欄における「適合性調査の有無」とは，適合性書面調査（信頼性調査）の有無のことであり，GMP 調査の有無ではないので留意すること。

・新たに臨床試験を実施している場合，申請時点で「適合性調査あり」のコードを選択して申請すること。また，親品目（新たに実施した臨床試験成績を添付資料として提出する品目）についてのみ，調査手数料「あり」のコードを選択すること。なお，一物多名称や軽微な剤形違い品目であって，臨床試験成績の提出を省略する品目については，調査手数料「なし」のコードを選択すること。

・コードを間違えると還付請求手続き等の作業が発生するため，申請前に十分確認すること。

⑵　販売名

　販売名は，保健衛生上の危害が発生するおそれのないものであり，かつ，医薬品としての品位を保つものであること。また，既承認品目と同一の販売名は原則として認められない。代替新規申請の場合も，原則として既承認品目と同一の販売名を用いることは避けること。ただし，製造販売承認基準に適合させるために有効成分の変更及び分量の変更を行うが，当該医薬品本来の性質に変更をきたさない場合や，これまで販売していなかった品目について代替新規申請を行う場合は差し支えない。

　販売名は本来，申請前に十分検討したうえで申請すべきであり，申請後の安易な変更を認めることは審査の公平性の観点から望ましくない。さらに，再度検討を要することから審査の遅延にもつながるため，申請後の申請者都合による販売名変更は認められない（ただし，特段の理由がある場合は審査担当者に相談すること）。また，効能・効果等を誇大に表現する名称や，医薬品以外（医薬部外品や化粧品）の製品と誤解されるおそれのある名称は認められない。

　なお，効能・効果等が異なる類似販売名の既承認品目が存在する場合は，使用者に誤解を与えて不適正使用につながることがないよう，販売名の適切性を検討する必要がある。

　なお，表6に示したような販売名は不可となる。

表６．販売名として不適当な名称

- ・虚偽及び誇大と思われるもの
- ・一般的名称の一部を使用したもの
- ・２つ以上の有効成分を含有する製剤で，特定の成分のみの製剤と誤解されるようなもの
- ・有効成分の含量が正しく表されていないもの
- ・適応症，効能・効果をそのまま表すような名称・分類的名称
- ・特定の効能・効果のみを強調したもの
- ・医薬品としての品位に欠け，誇大に過ぎる等の名称
- ・剤形等と異なるもの
- ・既承認品目の販売名と同一のもの
- ・通称的名称を使用したもの
- ・医薬品以外のものと誤解されるおそれのあるもの
- ・他社が商標権を有することが明白なもの
- ・アルファベットのみで構成されるもの
- ・紛らわしい記号を含むもの
- ・外国語としての意味を有するもの　等

⑶　配合剤の必要性・妥当性

　配合剤の申請においては，確固とした配合理由をデータ等で明確に示す必要がある。妥当性のみられないものは承認に至るのは困難であるといえる。特に，新規性の高い配合剤を申請する場合や，有効性が高く，また安全性に対しても慎重な配慮が求められる成分に新たな成分を組み合わせる場合等には，その意義を十分に説明するとともに，例えば，既存製剤を上回る有効性・安全性などを客観的なデータによって示さなければならない。

　例えば，単一の有効成分で医療上の効能・効果をうたえるにもかかわらず，他の成分を配合する製剤の場合，その成分が必要ないものと判断されれば，たとえ安全性に問題がないとしても承認されないこともあるので注意すること。

⑷　新規性の高い要指導・一般用医薬品の申請

　スイッチOTC医薬品等，新規性の高い要指導・一般用医薬品の承認審査においては，情報提供を充実させ，適正使用を担保するため，従来からチェックシートや「薬局・販売店向け情報提供資料」及び「使用者向け情報提供資料」の充実を図っているところである。「使用者向け情報提供資料」の作成にあたっては「『患者向医薬品ガイドの作成要領』について」（平成17年6月30日薬食発第0630001号医薬食品局長通知）を参考に使用者の目線に立ってわかりやすく作成すること。

第4章　要指導医薬品・一般用医薬品－事例に基づく実務説明－　　151

　要指導・一般用医薬品の適正使用推進のため，審査の際に情報提供資料の作成を求める品目があるが，承認後の状況によっては，再審査または製造販売後調査（PMS：Post Marketing Surveillance）終了時において，これらの情報提供資料の見直しを求める場合がある。

　また，再審査又は製造販売後調査終了後に申請される先の承認品目と同一性を有する品目であっても，使用者に対する情報提供が重要であると考えられる場合は，申請時に先の承認品目と同様の情報提供資料の作成を求めることがある。現時点では特に適正使用の確保が重要と考えられる表7に示した製剤について，情報提供資料の作成が求められているが，対象となる品目は今後追加される可能性がある。

　特に要指導医薬品の場合，購入者本人が使用することを確認する等，チェックシートを工夫すること。薬事・食品衛生審議会要指導・一般用医薬品部会においても，情報提供資料の内容について厳しい意見が出されているので，使用者にとって見やすく，理解しやすい資料を作成すること。

　また，要指導・一般用医薬品部会への提出にあたっては，レイアウトを含め，ほぼ完成したものを提出すること。なお，添付文書理解度調査について，「要指導医薬品の添付文書理解度調査ガイダンスについて」（平成28年5月20日薬生審査発0520第1号医薬・生活衛生局審査管理課長通知）及び「要指導医薬品の添付文書理解度調査ガイダンスに関する質疑応答集（Q&A）について」（平成29年5月19日医薬・生活衛生局医薬品審査管理課事務連絡）が発出されているので，こちらも確認すること。

表7．情報提供資料が必要な品目

> 　次の製剤（現時点）は，特に適正使用の確保が重要であると考えられ，再審査またはPMS期間終了後に申請される先の承認品目と同一性ありの場合であっても，申請時に先の承認品目と同様の情報提供資料案を提出する必要がある。
> ・ミノキシジルを含む製剤
> ・ジフェンヒドラミンを含む製剤のうち，「一時的な不眠の次の症状の緩和：寝つきが悪い，眠りが浅い」を効能・効果とする製剤
> ・膣カンジダ再発治療薬
> ・口唇ヘルペス再発治療薬
> ・ステロイドを含む点鼻剤
> ・ソフトコンタクトレンズに適用をもつ点眼剤
> ・ヘパリン類似物質とジフェンヒドラミンの配合剤

1）スイッチOTC医薬品の申請

　原則として，医療用医薬品承認時及びそれ以降のデータにアクセスできる必要があ

る。
(理由)
- 公表データのみでは,通常,評価で求められる患者情報,投与期間等と臨床評価結果を関連づける解析等ができないため。
- 副作用についても,詳細な情報(重篤度や軽微な症例を含む発生頻度,投与日数,因果関係の評価など)が得られないため。

2) スイッチ成分の選択の要件

① 医療用医薬品としての使用実績があり,再審査又は再評価が終了しており,副作用の発生状況,海外での使用状況,再審査又は再評価結果等からみて要指導・一般用医薬品として適切であること。

② 医師の指導監督なしで使用しても,重篤な状態となるおそれのないもの(初回の医師の診察を受けた後の再使用を含む)。

③ 習慣性,依存性,耽溺性がないこと。

④ 麻薬,覚醒剤,覚醒剤原料,毒薬,劇薬でないこと。

⑤ 薬物相互作用により重篤な副作用が発生しないこと(「使用上の注意」で対応できる範囲)。

⑥ 国民の選択の幅の拡大が期待できるもの。

なお,スイッチOTC医薬品の候補となる成分について,多様な主体からの意見がス

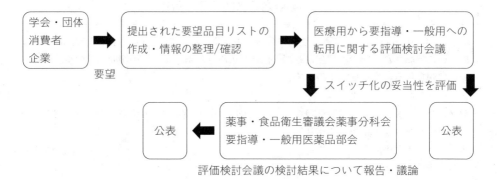

「医療用から要指導・一般用への転用に関する評価検討会議」
- 医学・薬学の専門家,医療関係者,消費者等から構成され,公開で議論される。
- スイッチ化について,欧米諸国での承認状況及び消費者・学会等からの要望等を定期的に把握し,要指導・一般用医薬品としての適切性・必要性を検証する。
- 消費者等の多様な主体からの意見がスイッチ化の意思決定に反映される仕組み。
- 開発可能性について,その予見性を向上させる。
- 透明性を確保する。資料等は厚生労働省ホームページを参照すること。

図2.スイッチOTC医薬品の新スキーム

イッチ化の意思決定に反映される仕組みが構築され，「医療用から要指導・一般用への転用に関する評価検討会議」が開催されている。

※詳細については，厚生労働省ホームページ参照（https://www.mhlw.go.jp/stf/seisakunitsuite/bunya/0000127534.html）。

3）スイッチ成分の処方等

① スイッチ成分の処方（単味剤か配合剤か）

医療の現場において他の成分と組み合わせて使用されることの多い成分については，要指導・一般用医薬品の特性である複数成分配合による便宜性・合理性も考慮に入れるべきである。

② スイッチ成分の配合量

医療用医薬品の使用量を超えない範囲であって，要指導・一般用医薬品としての有効性・安全性が認められる配合量とする。

4）スイッチ OTC 医薬品の用法・用量等

① 用法・用量

・使用者が誤解なく理解できる表現であること。

・誰でも間違うことなく使用できる用法であること。

・服用時期が明示されていること。

・長期連用を推奨するものでないこと。

② 効能，効果

医療用医薬品の適応症の範囲で，使用者が理解しやすい症状表現に置き換えることを原則とする。

5）スイッチ OTC 医薬品の使用上の注意等

① 使用上の注意

副作用発生等に関する注意喚起及びその対処について，使用者に理解しやすい表現で記載する。

② 販売名称

薬局店頭あるいは家庭内で医療用医薬品との混同・誤用による危険を避ける必要がある。この観点から，販売名称は医療用医薬品と明確に区別する必要がある。

③ 包装

薬剤の性質によっては，1回用量ごとの個別包装も考慮する。

6）資料概要の記載において求められること

　当該品目の申請書及び添付資料等により申請者の主張・考えを明確にすることが第一であるが，スイッチOTC医薬品の場合，スイッチ元の医療用医薬品の承認時・再審査終了時における情報を単に添付あるいは整理しただけでは不適切であり，少なくとも次の事項について客観的なエビデンスを得る必要がある。

① 　要指導・一般用医薬品とする当該品目について，（薬剤師を通じて）どの対象に，どのように使用させることで，何を期待できるのかを明確にすること。

② 　要指導・一般用医薬品として適切であるか，適切とする理由は何かに関し，最新の医療における位置づけ等も考慮して検討する。

③ 　得た結果は医薬品として妥当か。

　特に効能又は効果，用法及び用量，使用上の注意の設定根拠の記載は重要である。また，解析や試験のデザインの検討等に際しても，臨床統計の基本に十分留意すること。

（例）

・適切なメタ・アナリシス的手法を伴わない臨床試験の統合は意味がないこと。

・多重性の問題を念頭に置くべきであること。　等

7）いわゆる西洋ハーブ通知に基づく品目

① 　「外国において一般用医薬品として汎用されている生薬製剤を一般用医薬品として製造販売承認申請する際の取扱いについて」（平成19年3月22日薬食審査発第0322001号医薬食品局審査管理課長通知）に基づく品目の開発に際しては，あらかじめ当該通知の内容を十分に確認し，検討すること。

② 　既承認の医薬品の有効成分として含有されていない有効成分を含有する生薬製剤の申請区分は，「(1)　新有効成分含有医薬品」（いわゆるダイレクトOTC医薬品）であること。

③ 　申請に際して添付すべき資料のうち「臨床試験」の検討に関して，「国内で承認申請を予定している生薬製剤」と「『精密かつ客観的な臨床試験』の成績等を提出できる生薬製剤」の品質が同等であることを考慮する場合は，その同等性を十分検証すること。

④ 　「品質の同等性」の検証に際しては，両生薬製剤の基原植物，使用された植物部位，栽培・加工方法（抽出溶媒，抽出時間等を含む），一連の製造工程・方法等をふまえること。

第4章　要指導医薬品・一般用医薬品－事例に基づく実務説明－　155

⑸　製造販売後調査（PMS）

1 ）再審査，製造販売後調査の対象

　新規性の高い要指導・一般用医薬品については安全対策の一環として，原則として製造販売後，使用時の安全性に関する調査（以下，「製造販売後調査」という）を行う。

① 　申請区分(1)～(3)

　医薬品医療機器法第14条の4の規定に基づき，再審査の対象となる。なお，再審査期間は，原則として次のとおり指定される。

・申請区分(1)新有効成分含有医薬品は8年

・申請区分(2)新投与経路医薬品は6年

・申請区分(3)-①新効能医薬品
　　　　　　　(3)-②新剤形医薬品　　　は4～6年
　　　　　　　(3)-③新用量医薬品

② 　スイッチOTC医薬品（申請区分(4)）等

・医薬品医療機器法第79条の規定に基づき，製造販売後調査に係る承認条件が付された場合，当該調査（原則として販売後3年を経過するまでの間）が課せられる。

・一般用（要指導）新配合剤などの成分の組み合わせにより，作用が増強する場合等についても，同様に当該調査を課せられる場合がある。

2 ）製造販売後調査報告書の提出

　製造販売後調査は，承認条件として製造販売開始後の一定期間（通常，販売後少なくとも3年間）実施することが義務づけられており，当該調査報告書の提出については，次のとおりとなっている。

① 　要指導医薬品のうち，再審査の対象となる新医薬品で行う調査

　医薬品医療機器法施行規則第62条第2項及び第3項並びに第4項の規定に基づき実施すること。なお，報告時期，報告様式等については，「薬事法施行規則の一部を改正する省令の施行及び新医療用医薬品に関する安全性定期報告制度について」（平成25年5月17日薬食発0517第2号医薬食品局長通知）及び「安全性定期報告書別紙様式及びその記載方法について」（平成25年5月17日薬食審査発0517第4号，薬食安発0517第1号医薬食品局審査管理課長，安全対策課長通知）を参照すること。

② 　要指導医薬品のうち，製造販売承認の条件として当該承認を受けた者に対し付された製造販売後安全性調査

　調査報告書の提出は，調査開始日を起点に1年ごと，調査期間満了時まで1年未

満であって調査予定症例数に到達した時点（中間報告）及び調査期間満了時とされている。ただし，定期報告時に調査予定症例数に達した場合，中間報告は不要である。

最終年次の報告時には，当該年次の報告書とは別に，第一次から最終年次までの全調査期間の結果をまとめた報告書を提出すること。

なお，要指導医薬品の販売開始日や製造販売後調査期間等を把握するため，当該情報の事前届出が必要となる。くわしくは「要指導医薬品の販売日等の届出に関する取扱いについて」（平成26年6月12日医薬食品局審査管理課，安全対策課事務連絡）を参照されたい。

3）製造販売後調査期間中の取扱い

製造販売後調査の実施を課せられている要指導・一般用医薬品とその成分・分量，用法・用量及び効能・効果が同一性を有すると認められる医薬品を調査期間中に申請する場合にあっては，当該調査を課せられている期間が終了するまでの間，調査を行わせることとする。

① 製造販売後調査期間中の申請の手数料区分は，原則として，「医薬品，医療機器等の品質，有効性及び安全性の確保等に関する法律関係手数料令（以下，「医薬品医療機器法関係手数料令」という。）第32条第1項第1号イ⑽」となる。

② 製造販売後調査期間中に申請された当該事項に基づかない申請については，調査期間終了まで保留することはできないので，改めて申請を行うこと。

4）製造販売後調査期間中の成分を配合する製剤

製造販売後調査期間の終了日は，承認後3年ではなく，原則として製造販売開始後3年である。製造販売後調査期間中は，当該成分を配合する製剤の申請区分及び手数料は前例と同じとなり，添付資料は前例と同等以上のものが必要となる。なお，製造販売後調査期間中に誤った区分で申請する事例も見受けられるので，医薬品医療機器法関係手数料令等に照らし，適切な区分を選択すること。

⑹ 漢方処方に化学合成医薬品（化成品）等を組み合わせた製剤

① かぜ薬製造販売承認基準外の解熱鎮痛有効成分と当該基準内9漢方処方（半量未満）を組み合わせる場合は，比較臨床試験等で配合意義の妥当性を十分に説明する必要がある。

② 漢方処方に作用緩和な成分（ビタミン等）を配合する場合，組み合わせの妥当性が説明可能であれば，申請区分(7)-①として審査する。ただし，原則として用法及び用量，

第4章　要指導医薬品・一般用医薬品－事例に基づく実務説明－　157

効能又は効果は一般用漢方製剤製造販売承認基準の範囲内であるので，それをふまえて必要な臨床試験を行うこと（「要指導・一般用医薬品の承認申請区分及び添付資料に関する質疑応答集（Q&A）について」（平成 28 年 6 月 24 日医薬・生活衛生局医薬品審査管理課事務連絡）参照）。

③　①，②以外については，原則として，要指導・一般用医薬品の申請区分(1)（ダイレクト OTC 医薬品）と同程度の添付資料が必要となる。ただし，要指導・一般用医薬品としての妥当性，組み合わせの妥当性，医療現場での使用状況等から申請品目の有用性が十分に説明できる場合は，資料の軽減が可能となることがある。

⑺　単味生薬のエキス製剤

①　「生薬のエキス製剤の製造販売承認申請に係るガイダンス」（平成 27 年 12 月 25 日薬生審査発 1225 第 6 号医薬・生活衛生局審査管理課長通知）の別添に基づく品目の開発に際しては，あらかじめ当該通知の内容を十分に確認し，検討すること。なお，申請の際には申請書の【備考 2】の【その他備考】欄に，ガイダンスに基づく申請である旨を記載すること。

②　申請区分は(8)とし，申請手数料は医薬品医療機器法関係手数料令第 7 条第 1 項第 1 号イの(9)，(10)及び第 32 条第 1 項第 1 号イの(11)とすること。

⑻　一般用生薬製剤製造販売承認基準

「一般用生薬製剤製造販売承認基準について」（平成 29 年 12 月 21 日薬生発第 1221 第 4 号医薬・生活衛生局長通知）が発出されたが，当該基準に記載されているものすべてが都道府県知事承認となるわけではなく，これらのうち，粉末生薬及びユウタンは厚生労働大臣承認となる。

⑼　有効成分等を添加物として配合する場合

欧米等の他国も含めて，海外で医薬品の有効成分として認められている成分（各国の薬局方，モノグラフに収載されている成分を含む）や，民間薬として使用されている植物（エキス，由来成分を含む）等で，従来，添加物としての配合実績がない成分については，配合の必要性があること及び薬理作用のないこと等が合理的に示されない限り，添加物としては認められない。

⑽　特殊な製剤

口腔内崩壊錠，持続型点眼剤など，有効成分に新規性はないが，添加物の変更等により既承認一般用医薬品と比較して特殊な製剤（剤形を含む）を申請する場合は，その内

容を明らかにする必要がある。また，その製剤の有効性及び安全性について検討する必要があれば，資料を添付していただきたい。

今後，医療用医薬品からいわゆる「効き目の鋭い有効成分」がスイッチされた場合などは，特に重要な審査項目になると考えられ，同等性を示す等の必要があるものと思われる。なお，都道府県知事に承認権限が委任されている品目については，申請前に都道府県へ相談すること。

⑾　口腔内で溶解するフイルム状製剤

口腔内で溶解するフイルム状製剤については，フイルム状とする必要性及び妥当性について説明できない場合は認められない。また，製造販売承認基準内成分からなる製剤の場合でも，特殊な剤形であることから厚生労働大臣あてに申請すること。なお，申請区分は同一剤形での承認前例のある有効成分であっても，添加物の違いによる放出性への影響を考慮し，申請区分は⑻ではなく，少なくとも⑺-2とすること（剤形コードは「AZZZ」とすること）。

また，安全性の観点において小児への適用は原則として適切でないと考えられるが，その必要性があり，誤用・乱用を防ぐ対策が十分に講じられれば認められる場合もある。なお，溶解性のデータ等を基にして，本剤が咽喉につまらないことや，口腔内や気道等に一定時間吸着した場合の安全性等を十分に担保する必要がある。

⑿　口唇に適用する製剤

口唇に適用する製剤の添加物については，歯科外用及び口中用剤を前例として確認すること（一般外用剤を前例とすることはできない）。

⒀　眼科用剤

添加物とする成分が微量記載可能な0.1％以下であっても，それを超える前例がなければ新添加物に該当する。また，微量記載とする場合，0.1％以上の前例がなければ，【成分及び分量又は本質】欄のテキスト欄に配合量の上限を明記すること。なお，香料を眼科用剤に配合することは，ベネフィットとリスクのバランスの観点から適切ではなく，原則として認められない（既存の成分であって，清涼化剤など他の目的による配合前例があり，その目的で配合する場合を除く）。

ソフトコンタクトレンズの適用を有する一般点眼薬（製造販売承認基準内）が承認され，他の点眼薬でも同様の製剤の申請が増えているが，承認されたそれらの製剤が適正に使用されていることを確認できるまでは，その範囲を外れる品目の承認審査は慎重に行うべきと考えており，当分の間は，ソフトコンタクトレンズの適用以外は一般点眼薬

第4章　要指導医薬品・一般用医薬品－事例に基づく実務説明－　159

製造販売承認基準の範囲内とすること。

　また，抗アレルギー成分，抗菌成分等を含む点眼薬において，現在認められている適用範囲以外でのコンタクトレンズへの適用申請については，コンタクトレンズの装着自体が原疾患を増悪させるおそれがあるため，承認は困難である。

　ソフトコンタクトレンズ適用人工涙液等の資料に関しては，各種ソフトコンタクトレンズへの使用が適切であることを証明するため，原則として，「ソフトコンタクトレンズ及びソフトコンタクトレンズ用消毒剤の製造（輸入）承認申請に際し添付すべき資料の取扱い等について」（平成11年3月31日医薬審第645号医薬安全局審査管理課長通知）に示されている各種レンズ（グループⅠ～Ⅳ）について提出することとされているが，現在は，シリコンハイドロゲルレンズについても，同様の資料の提出を求めている。これについては今後，新たな素材によるコンタクトレンズが発売されれば，専門家の意見も聴きつつ必要となる資料を追加していく予定である。

⒁　ポンプタイプの内服液剤

　ポンプタイプの内服液剤を申請する場合は，厚生労働大臣あてに申請を行うこと。また，当該成分を初めてポンプタイプの内服液剤の剤形とする場合，申請区分は(7)-②となる。その他，1プッシュあたりの量，正しく使用するための説明書及び容器の形状等の資料を提出する。なお，小児に対しては誤用・乱用のおそれがあることから，安全性については十分な検討を行う必要がある。

⒂　薬液を担体に含浸させた製剤

　既承認品目と同一の有効成分及び効能・効果をもつ医薬品において，初めて薬液を担体に含浸させた製剤や，異なる担体の製剤（例：脱脂綿　→　綿棒）を新規申請する場合，申請区分は(7)-②とすること。

　申請にあたっては，担体に含浸させる必要性及び妥当性の他，衛生面において問題がない旨を説明すること。なお，開封が繰り返される製剤とする場合は，開封後の安定性についても説明すること。

　また，申請書の【成分及び分量又は本質】のテキスト欄に薬液と担体の割合を記載し，不織布等の貼付可能な担体については，添付文書の用法・用量に関連する注意事項として「患部に貼付しないこと」と記載すること。

⒃　泡状の殺菌消毒剤

　容器から出すとき，泡状となる殺菌消毒剤を申請する場合，「製剤が泡状である」旨を説明するとともに，申請書の【規格及び試験方法】欄の「性状」の項に「容器から出す

時，泡状となる」等の記載をすること。

また，配合する有効成分に関し，初めて泡状の製剤として申請する場合は，その殺菌効果が別剤形の当該有効成分を含む既承認品（液状等）と同等であること，泡状とすることの必要性・妥当性及び注意すべき点等を説明すること。その他，問題等が生じないかということについても事前に検討しておくこと（例えば，均一に塗布できるか，医療機器等への使用において問題はないか等）。

⑰　漢方製剤

日本薬局方（日局）に収載された漢方エキスについては，申請書の【成分及び分量又は本質】欄において日局の名称及び対応する成分コードを記載すること。

また，1日2回の用法・用量で申請する場合は，当該用法・用量が記載されている出典元あるいは医療用医薬品または一般用医薬品での承認前例を示すこと（医療用医薬品で1日2回ないし3回の用法があれば，その前例を示すことで差し支えない）。

⑱　原薬たる漢方エキス等の軽微変更届の取扱い

原薬たる漢方エキス等の軽微変更届の取扱いについては，別紙規格として製法が規定されている成分（例えば，原薬としての漢方エキス等）について，製造方法に変更がなく，製造場所のみの変更である場合は一部変更承認（一変）申請ではなく，軽微変更届とすることで差し支えない（「医薬品等の承認申請等に関する質疑応答集（Q&A）について」（平成18年4月27日医薬食品局審査管理課事務連絡）のQ5参照）。

⑲　同等性を検証すべき成分

ミノキシジル及びニコチンの他，同様のリスクが考えられるものを有効成分として配合する場合は，安全性確保等の観点から，ヒトでの同等性を検証する必要があるため，生物学的同等性に関する資料が必要となる（「医薬品の承認申請に際し留意すべき事項について」（平成26年11月21日薬食審査発1121第12号医薬食品局審査管理課長通知））。

⑳　個々の有効成分に関する留意事項

1）ジクロフェナクナトリウム外用剤（皮膚透過性亢進に関わる成分を配合する場合）

メントールがジクロフェナクナトリウム等の消炎鎮痛成分の皮膚透過性を亢進するとの文献が複数存在することから，メントールの配合が3％を超える場合，「局所皮膚適用製剤（半固形製剤及び貼付剤）の処方変更のための生物学的同等性試験ガイドライン」（平成22年11月1日薬食審査発1101第1号医薬食品局審査管理課長通知（以下，「ガイドライン」という。））に準じた皮膚透過性の同等性を示す資料を提出するこ

と（ガイドラインの「第3章　製剤の処方変更水準と要求される試験」のD水準はC水準として取り扱う）。なお，メントール以外であっても皮膚透過性を亢進する可能性のある成分を配合する際は，同様の対応を求めることがあるので留意すること。

2）ジクロフェナクナトリウム貼付剤

ジクロフェナクナトリウム配合の外用剤のうち，貼付剤（テープ剤・パップ剤）については安全性確保のため，【製造方法】欄に包装単位の上限を記載する必要がある。具体的には，7×10 cm の製剤の場合では，包装単位を1袋中最大7枚まで，1箱中最大21枚までとし，10×14 cm の製剤の場合では，1袋中最大7枚，1箱中最大7枚までとすること。

3）ジクロフェナクナトリウムテープ剤

ジクロフェナクナトリウム配合のテープ剤について，既承認品目（医療用医薬品を含む）と膏体の成分構成が異なる場合には，その変更の度合いに応じて，放出性，皮膚透過性の同等性を示す資料を求めることがある。なお，この場合はガイドラインに従い，変更水準に応じた資料を提出すること。

ただし，作用緩和で薬効に直接関わらない成分を配合する場合，ジクロフェナクナトリウム以外の有効成分は添加物と同様に取扱い，処方変更水準を判定すること。また，ガイドラインの「第3章　製剤の処方変更水準と要求される試験」のD水準は，C水準として取り扱う。

4）ステロイド口内炎治療薬

トリアムシノロンアセトニドを有効成分とする口内炎治療薬は，感染症による口内炎に使用すると，その感染症を悪化させるため，感染症による口内炎との鑑別が必要であることから，添付文書の効能・効果欄には「口内炎（アフタ性）」と明記するとともに，アフタ性口内炎がどのようなものであるかがわかるような図又は写真を示すこと。

なお，多発する口内炎は感染症によるものであることが疑われるため，包装単位は大容量を避け，5g以下とし，承認申請書の【製造方法】欄に包装単位の上限を記載すること。

5）口唇ヘルペス再発治療薬

アシクロビル，ビダラビンの口唇ヘルペス再発治療薬については，適用部位（口唇部）以外への使用及び長期連用を防止する観点から，包装単位は一般用医薬品の対象

となる範囲である口唇ヘルペスの治療1回分で使用すると考えられる2g以下とし，【製造方法】欄に包装単位の上限を記載すること。

6）ナファゾリン塩酸塩及びケトチフェンフマル酸塩配合の点鼻薬

効果発現の遅いケトチフェンフマル酸塩による治療において，投与初期の鼻閉に対する効果を補完する目的で，ナファゾリン塩酸塩が追加されることがある。

ケトチフェンフマル酸塩は長期投与される可能性があるが，血管収縮剤であるナファゾリン塩酸塩は長期連用や過度の使用により薬剤性鼻炎が起こることが懸念されるため，安全性の観点から本処方の使用期間は2週間までとすること。

また，このことをふまえ，容器の容量は原則として2週間分（15mL）までとし，承認申請書の【製造方法】欄に上限を記載すること。

7）プラノプロフェンを含有する点眼剤

プラノプロフェンを配合する抗アレルギー用点眼剤については，平成20年5月28日及び8月28日に開催された一般用医薬品部会（当時）において，既承認のアレルギー薬との使い分けを明確にすべきとの議論がなされたことをふまえ，アレルギー症状が続き，かつ炎症を伴う場合に使用する製剤という位置付けとなった。

そのため，使用者が適切に選択できるよう，添付文書や外箱の見やすい位置に「アレルギー症状が続き，かつ炎症を伴う方にお勧めします」と記載し，症状が現れる前（花粉飛散前）から使用されることのないように配慮すること。

8）ロキソプロフェンナトリウム外用剤（皮膚透過性亢進に関わる成分を配合する場合）

既承認品目のPMS終了後，メントールの配合が3％を超えるロキソプロフェンナトリウム配合外用剤を申請する場合，ジクロフェナクナトリウムと同様，ガイドラインに準じた皮膚透過性の同等性を示す資料を提出すること（ガイドラインの「第3章　製剤の処方変更水準と要求される試験」のD水準はC水準として取り扱う）。なお，メントール以外であっても，皮膚透過性を亢進する可能性のある成分を配合する際は，同様の対応を求めることがあるので留意すること。

9）ロキソプロフェンナトリウム内服剤

ロキソプロフェンナトリウム錠が日局に収載されたため，錠剤については，規格を日局に適合させる必要がある。また，剤形が異なる場合でも，規格内容は日局と同等以上とすること。

包装単位については，適正使用の推進及び安全性確保の観点から12回分までとし，

申請書の【製造方法】欄に包装単位の上限を記載すること。

10）リゾチーム塩酸塩を含有する製剤

リゾチーム塩酸塩を含有する医療用医薬品（軟膏剤，貼付剤，点眼剤を除く）の再評価結果による取扱い*にともない，一般用医薬品の鼻炎用内服薬，かぜ薬及び鎮咳去痰薬のうち，リゾチーム塩酸塩を含有する製剤については，今後新たな承認は行わないこととなった。

*「リゾチーム塩酸塩を含有する一般用医薬品の取扱い等について」（平成27年12月11日薬生審査発1211第4号医薬・生活衛生局審査管理課長通知）
「リゾチーム塩酸塩を含有する一般用医薬品の取扱い等（その2）について」（平成28年3月25日薬生審査発0325第10号医薬・生活衛生局審査管理課長通知）

㉑「ぜんそく」効能を有する既承認品目

「鎮咳去痰薬の製造販売承認基準について」（平成27年3月25日薬食発0325第26号医薬食品局長通知）の発出に伴い，鎮咳去痰薬の製造販売承認基準が改正され，「ぜんそく」の効能・効果を有するものについては，当該効能・効果を「喘鳴（ぜーぜー，ひゅーひゅー）をともなうせき」とすることとされたが，承認権者を厚生労働大臣とする既承認の鎮咳去痰薬についても，ぜんそく効能を有するものは同様の対応が必要となる（「かぜ薬等の製造販売承認事務の取扱いに関する質疑応答集（Q&A）について」（平成27年5月14日医薬食品局審査管理課事務連絡））。

㉒ TSE資料が登録されたMF

TSE資料が登録されているMFであれば，一般用医薬品ではそれを利用することが可能である。仮にMF登録年月日に変更があった場合でも，製剤では必ずしも一変が必要というわけではなく，軽微変更届で対応して差し支えないこともある（例えば，MFの変更内容が製剤の承認事項の軽微な変更に該当する場合は，MF登録年月日が変更されていても，軽微変更届を提出することで差し支えない）。

㉓ 差換え指示後の変更・審査終了後の再差換え（再差換えの頻発防止）

差換え指示後の変更や，審査終了後の再差換えが頻発している。これは他品目の審査の遅延にもつながるため，次の点に留意すること。

① 差換えの内容を十分確認し，対応もれがないようにすること。また，一物多名称品目に関しては「子」品目すべてについて対応しているかを確認すること。

② PMDAによる審査が終了した品目は，すみやかにGMP適合性調査を受けていただきたい。GMP適合性調査申請が行われないまま長期間経過した品目については，その

後の製造所情報の変更等により，承認申請書の再差換えが必要になる事例が多く見受けられる。そのような事例では，すでに他部署へ書類が回ってしまっているケースがほとんどであるため，やり取りに時間を要するので留意されたい。

③　差換え指示後，製造所の許可年月日の更新がある場合，更新後の日付を記載し，差換えを実施することで差し支えない。

5．承認申請書の作成における留意事項

(1)　適合性書面調査

　「要指導・一般用医薬品の承認申請資料に係る適合性書面調査の実施手続について」(平成29年3月6日薬機発第0306053号独立行政法人医薬品医療機器総合機構理事長通知)が発出されたことにともない，新医薬品を除く要指導・一般用医薬品（申請区分(4)～(8)）に関し，申請時に新たに実施した臨床試験は，原則，適合性書面調査の対象となる。また，申請区分(3)-①～(3)-③は，本通知に基づいた調査を実施する場合があるため，詳細についてPMDA一般薬等審査部に問い合わせること。

　なお，原則として調査はPMDAにて実施する。調査前にはPMDAホームページ*で公開している「新医薬品GCP実地調査・適合性書面調査チェックリスト（治験依頼者用）」を確認し，必要資料をすべて搬入できるよう準備すること。

*https://www.pmda.go.jp/review-services/inspections/gcp/0002.html

表8．調査の流れ（概略）

①　品目の申請 　※新たに臨床試験を実施している場合は，申請時点において適合性調査「有」の手数料コードを選択すること。 ②　調査の日程調整 ③　実施通知書の交付 ④　事前提出資料をPMDAに提出（薬機発第0306053号通知の別紙2「要指導・一般用医薬品の事前提出資料の提出について」参照） 　※ウイルスチェックした電子媒体を提出すること。 ⑤　調査の実施 ⑥　照会事項への対応 ⑦　結果通知書の交付

⑵ 新電子申請ソフト（新ソフト）

従来の「医薬品等新申請・審査システム」が医薬品医療機器法に対応した新システムに移行したことに伴い，平成 26 年 11 月 25 日以降の申請品目については，旧ソフトでの申請書の作成が原則不可となった。

なお，新ソフトでは，様式・入力項目（特に手数料コード）等が変更されたが，【備考1】に新たに設けられた「コンビネーション製品該当の有無」に関しては，「コンビネーション製品の承認申請における取扱いについて」（平成 26 年 10 月 24 日薬食審査発 1024第 2 号，薬食機参発 1024 第 1 号，薬食安発 1024 第 9 号，薬食監麻発 1024 第 15 号医薬食品局審査管理課長，大臣官房参事官（医療機器・再生医療等製品審査管理担当），医薬食品局安全対策課長，監視指導・麻薬対策課長通知）の 1 .に該当する場合を除き，「無」と記載すること。

⑶ GMP 適合性調査

GMP 適合性調査に関しては，承認を受けようとする品目と同一の品目について，すでに適合性が確認されている場合であって，当該 GMP 適合性調査結果通知書の写し及び同一であることを確認することのできる文書の写しを提出する場合，GMP 適合性調査は「無」として申請することで差し支えない（「GMP 適合性調査申請の取扱いについて」（平成 27 年 7 月 2 日薬食審査発 0702 第 1 号，薬食監麻発 0702 第 1 号医薬食品局審査管理課長，監視指導・麻薬対策課長通知）の 1 の(3)参照）。

承認申請において GMP 適合性調査を省略する場合は，交付日から 2 年以内の結果通知書の写しを添付する。ただし，調査日から 2 年以内の結果報告書の写しを添付する場合であれば，結果通知書の写しは 5 年以内のものであっても差し支えない。なお，通知書，報告書とも，製造する品目と同一品目でなければならないが，外部試験機関についてはこの限りではない。

一物多名称品目については，一括して GMP 適合性調査申請を行うことが可能である。また，新規申請品目と同時に一物多名称品目を申請する場合は，原則としてすべての品目の適合性調査を「有」とすること。なお，新規申請の親品目から遅れて子品目の承認申請をする場合には，本通知を参考とすること。

⑷ 成分及び分量又は本質

１）成分及び分量又は本質の記載

要指導・一般用医薬品を申請する場合，構成は次のようにすること。また，規格の設定にあたっては，医薬品の成分として適切な規格を設定すること。

① 内服薬：1日量で規定（mg, mL等）

1日量に幅がある場合は，1日最大分量，小児の場合は最高年齢の1日最大分量で記載する。

② 外用薬：単位量（100 g あたり，100 mL あたり）で規定。

※医療用医薬品の記載方法とは異なる。

ローヤルゼリーを含む製剤を申請する場合，「成分及び分量または本質」のテキスト欄及び前例一覧表に，当該原薬が「やや粘稠な液」または「粉末」のいずれに該当するのかを明記すること。

また，「一般用漢方処方の手引き」に収載されている出典はあくまで一例であり，たとえ，その内容と配合比率等が異なっていても，他に根拠となる成書等を出典として示すことができる場合，基準内処方として申請すること（これについては「一般用漢方製剤製造販売承認基準について」（平成29年3月28日薬生発0328第1号医薬・生活衛生局長通知）における成分分量の範囲から外れている場合であっても同様である）。

2）配合が認められない成分等

① 配合が認められない成分や，配合量に制限のある成分に注意すること（関係通知及び「医薬品製造販売指針2018」（株式会社じほう）のp.635（第2-4表），p.636（第2-5表）等を参照）。

② 濃度によっては麻薬や毒薬・劇薬等に該当する場合（例：ジヒドロコデインリン酸塩）があるので注意すること（麻薬及び向精神薬取締法別表第一（麻薬），医薬品医療機器法施行規則別表第三（毒薬・劇薬）等を参照）。

また，毒薬・劇薬の該当性については，審査中に毒薬・劇薬に指定されていることが判明するケースがあるため，その該当性について申請前に十分確認するとともに，特に次の点に注意すること。

・有効成分だけでなく，剤形あるいは1個あたりの量などで除外規定されている場合があるため，それらを前例から変更することで毒薬・劇薬に該当するもの。

例：ラニチジン塩酸塩（錠剤以外は劇薬），トリメブチンマレイン酸塩（1個あたりトリメブチンとして100 mg以下又は20％以下（それを超える場合は劇薬））。

・一般名ではなく，化学名のみが記載されている場合。

3）添加物等の考え方

添加物の配合量や配合目的については，「医薬品添加物事典」を参照する。「医薬品

添加物事典」に記載されている最大使用量は，投与経路ごとに整理されており，前例の範囲内であっても薬効群によっては添加物としてではなく，有効成分として取り扱われる場合もあるので，有効成分に該当しない配合量であることを十分に確認すること。

① 医薬品を構成する成分

・有効成分と添加物（有効成分以外の成分）で構成される。

② 添加物の概念

・基本的には，製剤化を果たす目的等で配合する成分である。

・有効成分的性質を期待して配合するものではない。

・当該成分の薬理作用等の特性，配合量，海外での使用状況等から医薬品としての有効性が期待できる場合には，当該成分は有効成分として扱うべきである。

・個々の製剤ごとに客観的及び科学的観点から妥当な配合目的を付すこと。

・添加物の配合目的の妥当性については，審査段階で問うことがある。

なお，OTCから移行した新指定医薬部外品，新範囲医薬部外品の添加物は，医薬品添加物の配合前例として取り扱う（承認前例の考え方と同様である）。

4）新添加物への該当性に係る考え方

① 次の場合は，新添加物を配合している扱いとなる場合がある。

・既承認医薬品等の添加物として使用前例のない添加物を配合する場合。

・既承認医薬品等の添加物として使用前例があるが，投与経路が異なるもしくは前例の範囲を超えた量を配合する場合。

② 新添加物を配合している場合は，当該添加物の品質，安全性等に関する資料をあわせて提出する必要がある（平成26年11月21日薬食発1121第2号）。

③ 新添加物を配合している場合は，【備考2】の【新添加物】に新添加物のコードを記載し，必要な添付資料を提出すること。

5）テキスト欄への追加記載

成分によっては，テキスト欄に追加記載が必要な場合があるが，その中でも，次に示すものはそれらの記載がされていないことが多いので，特に留意すること。

・硬化油：由来

・疎水化ヒドロキシプロピルメチルセルロース：動粘度（「○〜○ mm²/s」）のような「幅」ではなく，「○ mm²/s」のように「点」で規定）

・ヒプロメロース：置換度タイプ，粘度（「幅」ではなく「点」で規定）

・ゼラチン：ゼリー強度（ブルーム値（「幅」ではなく「点」で規定））

なお，テキスト欄で規定された規格を変更する場合は，原則として一変申請を行うこと（「第十七改正日本薬局方の制定に伴う医薬品等の承認申請等に関する質疑応答集（Q&A）について」（平成29年4月7日医薬・生活衛生局医薬品審査管理課事務連絡）のQ13参照）。

6）生薬を配合する場合の使用前例等の考え方

① 「末」と「エキス」は，基原植物が同一であっても，それぞれ異なるものとして取り扱われる（原則として「末」は「エキス」の，「エキス」は「末」の使用前例とはならない）。

② 使用前例等と基原植物が同一であっても，使用された植物部位，栽培・加工方法（抽出時間等を含む），一連の製造方法等の同等性が確認できないものは，異なるものとして取り扱われる場合がある。

7）生薬エキスの別紙規格

① 含有規格，重金属，ヒ素，灰分，酸不溶性灰分等の規格が著しく広く設定されている場合がある（可能なかぎり良品質で均一な製剤を製造できるよう努力すること）。

② 製造工程や抽出溶媒，抽出温度，抽出時間等も審査の判断基準となる。

③ 生薬エキスの製造方法を変更する場合，変更前後で成分の本質に変更がないことを示す資料を提出すること。なお，基原や原生薬換算量等，当該成分の本質に影響を与える変更を伴う場合は，一変申請ではなく新規申請とし，必要な資料を添付して申請すること。

④ 水又は30 vol%以下のエタノール以外で抽出する場合，その溶媒での承認前例を示すこと。

⑤ 酵素処理をして作成されたものは，既存の生薬エキスと本質が変化している場合があり，新有効成分に該当する可能性があるので留意すること。

8）日局で「別に規定する」とされている項目

日局に収載されている医薬品（原薬）であって，医薬品各条の試験において「別に規定する」とされている規格項目については，「医薬品等の承認申請等に関する質疑応答集（Q&A）について」（平成20年8月26日医薬食品局審査管理課事務連絡）において，承認申請書への記載例が示されているので，該当する品目の場合は参考とすること。

第4章　要指導医薬品・一般用医薬品—事例に基づく実務説明—　169

表9．日局で「別に規定する」とされている項目の記載

日局に収載されている医薬品（原薬）であって，医薬品各条の試験において「別に規定する」とされている規格項目については，承認申請書は次を参考に記載すること。
・【成分及び分量又は本質】欄の記載例
　ー規格には「日局」を記載。
　ーテキスト欄に，次の事項を記載する。
　　「なお，日局○○で「別に規定する」と規定されている△△（例：純度試験）は，別紙規格に規定する」
・別紙規格の記載例
※平成20年8月26日医薬食品局審査管理課事務連絡のQ6を参考とすること。

⑤　製造方法

1）製造方法の記載（剤形分類）

①　適切な剤形分類コードを記載すること。

②　第十六改正日本薬局方により追加された剤形分類については，「第十六改正日本薬局方の制定に伴うコード等について」（平成23年4月6日，平成24年10月1日医薬食品局審査管理課事務連絡）を参照すること。

2）製造方法

　製剤及び原薬の製造所（委託した製造業者の製造所及び試験検査に係る施設を含む）ごとに名称，住所，製造工程の範囲及び許可又は認定番号を記載する。

①　【製造所の名称】は製造業許可証のとおりに記載すること。

②　【製造方法】の記載内容と製造工程図との整合を図ること。

3）3種類以上の有効成分を含む医薬品の申請書における製造方法欄の記載

①　「3種類以上の有効成分を含む医薬品及び医薬部外品の製造販売承認申請書における製造方法欄の記載について」（平成26年5月30日薬食審査発0530第8号医薬食品局審査管理課長通知）の発出にともない，3種類以上の有効成分を含む医薬品の場合，同通知による記載方法を用いることも可能となった（従前の記載方法でも差し支えないが，どちらかに統一すること）。

②　既承認の品目についても適用可能であるが，その場合は軽微変更届で対応すること。なお，その場合，【備考2】の【その他備考】に「変更理由：平成26年5月30日付薬食審査発0530第8号通知による記載方法の変更」と記載すること（当該通知に関連しない変更は含めないこと）。

③　製造方法に関する別紙は，承認事項の一部であるため，変更部分だけでなく，すべてを添付すること。また，添付ファイルはテキスト情報を含んだ PDF 形式とすること。

④　申請書の【添付ファイル情報】の【別紙ファイル名】に添付ファイルを添付すること。

4 ）製法を設定する原薬

「一般用医薬品等の承認申請等に関する質疑応答集(Q&A)について」（平成 17 年 10 月 21 日医薬食品局審査管理課事務連絡）の Q 16 で示されているとおり，次に示した成分の別紙規格では製造方法を【製造方法】欄ではなく，別紙規格の【規格及び試験方法】欄に試験名を「製法」として項を設けて記載することとされているが，生薬エキス，漢方エキス以外の臓器製剤や酵素製剤で適切に対応していない事例が見受けられるので注意すること。

①　生薬製剤（生薬エキス等）

②　漢方エキス以外の臓器製剤（肝臓加水分解物等）

③　漢方エキス剤

④　消化酵素（リパーゼ等）

⑤　整腸生菌成分

5 ）要指導医薬品及び第一類医薬品の取扱い

「『改正薬事法に基づく医薬品等の製造販売承認申請書記載事項に関する指針について』の一部改正について」（平成 18 年 4 月 27 日薬食審査発第 0427002 号医薬食品局審査管理課長通知）により，一般用医薬品に係る原薬（生物学的製剤等に係る原薬及び指定医薬品成分*を除く）の製造場所及び製造方法の変更は，原則として軽微変更届で差し支えないとされているが，当該通知及び旧薬事法における指定医薬品の定義に鑑み，要指導医薬品及び第一類医薬品については，当該変更をする場合は一変申請での対応となる（特に第一類医薬品に関しては，軽微変更届での対応としないよう留意すること）。なお，当該成分を含む配合剤の場合，当該成分以外の変更は軽微変更届として差し支えない。

*指定医薬品：厚生労働大臣の指定する医薬品であり，薬局又は一般販売業において薬剤師による取扱いを必要とするもので，薬種商販売業においては販売することができないもの（現在，旧薬事法における指定医薬品の規制区分は廃止されている）。

第4章　要指導医薬品・一般用医薬品－事例に基づく実務説明－　171

⑹　用法及び用量（用法及び用量の考え方）

① 一般の人が自らの判断で使用できるものであること。

② 誤用される余地のない明確な表現で記載すること。

③ 濫用を招く危険性がある表現，又は特性を強調するような表現は適当ではない。

④ 分割服用は認められない場合がある。

・1個として把握できる製剤を分割服用する用法は，認められる製剤と認められない製剤がある。

例えばドリンク剤は，開封後の品質確保等の観点から1回用量は1瓶を原則としている。また，現在100 mLを超える容量のものは認められていない。

・1回に2包以上服用する用法は原則として適当ではない。

・使用時に水等で溶解して服用する用法については，白糖や甘味料を添加して服用しやすくする目的のものが大部分である。製造販売承認基準で定められているもの以外は，この用法を採用することについての妥当性が必要である。

・用量は，安全性及び有効性を確保できるよう十分に検討すること。

・用量は，日本薬局方及び関連通知等で示した基準量を参考にして十分に検討すること。

・小児の用法・用量は，原則として年齢別に記載するべきである。

⑤ 「体表面積○○ m²あたり○○ gを服用する」という表現は好ましくない。

⑺　効能又は効果（効能又は効果の考え方）

要指導・一般用医薬品は軽度な疾病に伴う症状の改善等が目的であって，一般の人が自ら判断できる症状の記載を主体とする必要がある。

① 一般の人にもわかりやすい用語で記載する必要がある。

② 重篤な疾患に対する効能は認められない。

③ 漠然とした広範囲な意味をもつ効能は，原則として避ける必要がある。

④ 誤解を招くおそれのある効能は認められない。

⑤ 効能の重複は避ける必要がある（必ずしも標榜する効能が多ければ良いというわけではない）。

⑥ 配合剤の効能は十分に検討すること。

⑦ 剤形によって，効能に一定の制限が設けられる場合があること。

⑧ 基準等で定められた効能は厳守すること。

⑨ 科学的なエビデンスに基づき，当該品目ごとで個別に標榜する効能・効果を検討する必要がある。

⑻ 規格及び試験方法

1） 最終製品の品質確保

① 当該製品の品質を確保するうえで，規格及び試験方法に設定すべき項目の検討は非常に重要である。

② 設定すべき項目については，当該製品の安全性及び有効性を保証するうえで必要な項目を，当該製品の特性，配合する成分，製造工程あるいは安定性試験の結果等をふまえ，総合的にかつ当該製品個別に設定する必要がある。

2） 有害試薬等の使用不可

① 有害な試薬・溶媒の使用は避けること。

・原則使用しない

水銀化合物，シアン化合物，ベンゼン，四塩化炭素，1,2-ジクロロエタン，1,1-ジクロロエテン，1,1,1-トリクロロエタン

・極力使用しない

1,4-ジオキサン，ハロゲン化合物（クロロホルム，ジクロロメタン等）

② 代替溶媒や試験の代替法を十分に検討すること。

③ やむを得ず使用する場合には，代替溶媒での検討結果も必ず提出すること（一変申請についても同様の対応が必要であり，代替溶媒での検討結果を提出したうえで承認された場合においては，その後も代替溶媒の検討を継続し，試験方法が確立され次第すみやかに一変申請を行うこと）。

④ 原則として，新規申請での使用は認められない。

3） 漢方製剤の規格及び試験方法等

① 原則として，含量規格は 3 指標成分以上設定すること。設定できない場合には，検討結果を添付資料で十分に説明すること。また，平均±50％とすることはやむを得ない場合であり，可能なかぎり±30％程度で設定すること。

② 溶かして服用する漢方製剤は，溶解試験を規格として設定する。また，溶かして服用する剤形において重要な点は，溶解させてすべて溶かしきることにあるので，溶解後に残留物が認められる場合には，「溶かす」用法は原則として認められない。

なお，小児の用法をもつ場合など，分割服用の可能性がある製剤についても，封を切った場合での吸湿性等安定性試験結果を添付すること。

⑼　製造販売する品目の製造所等

1）製造販売する品目の製造所の記載

① 【名称】，【国名コード】，【所在地】，【許可区分又は認定区分】，【許可番号又は認定番号】，【許可年月日又は認定年月日】，【適合性調査の有無】（調査「有」の場合は【適合性調査申請書提出予定先】），【外部試験機関】等を記載すること。

② 最新の製造業許可証のとおりに記載すること。業許可を更新した場合は，更新後の情報を記載すること。

③ 外部試験検査機関等がある場合，製造方法欄と整合性を図ること。

④ 業許可を新規申請中である場合は，システム受付番号及び申請年月日を記載すること（業許可取得後，すみやかに PMDA 審査担当に連絡すること）。

⑤ 承認申請後，業許可が廃止になった場合は，すみやかに PMDA 審査担当に連絡すること。

2）原薬の製造所の記載

① 各製造所（委託した製造業者の製造所及び試験検査に係る施設を含む）ごとに名称，住所及び許可番号あるいは認定番号を記載する。

② 【名称】，【国名コード】，【所在地】，【許可区分又は認定区分】，【許可番号又は認定番号】，【許可年月日又は認定年月日】，【適合性調査の有無】，【外部試験機関】等を記載すること。

⑽　備考欄

1）備考1の記載

① 【製造販売業許可】の【許可の種類】，【許可番号】及び【許可年月日】を記載すること。

② 「要指導・一般用」と記載すること。

③ 製造販売承認基準に適合する場合には，【承認基準】に該当するコードを記載すること。

④ 製剤が規格書に適合する場合には，【規格書】に適合する規格書のコードを記載すること。

2）備考2の記載

① 【申請区分】，【添付資料の有無】を記載すること。

② 【その他備考】については，次の事項を記載すること。

- ・申請時点で安定性試験継続中の場合は，当該試験の終了予定日。
- ・共同開発において共同開発先も申請を行う場合は，その旨とその者の名称等。
- ・製造販売承認基準に基づき申請する場合は，「○○○製造販売承認基準による」と記載。
- ・厚生労働大臣あての申請となった理由。
- ・日本薬局方収載品目を申請する場合は，その旨。
- ・日本薬局方未収載の漢方製剤の場合は，その出典。
- ・新指定医薬部外品（特にビタミン含有保健剤）及び新範囲医薬部外品と重なる薬効群の要指導・一般用医薬品を申請する場合は，新指定医薬部外品あるいは新範囲医薬部外品から外れる箇所（成分・分量，効能・効果など）及びその説明。
- ・外字表，新旧対照表等の別紙等の添付がある場合にはその旨の記載（【添付ファイル情報】の【別紙ファイル名】にすべての別紙の PDF を登録すること）。なお，別添（業許可証，理由書，製造工程図，製造販売承認基準との対比表，規格及び試験方法に関する資料，安定性に関する資料等）の添付に係る旨の記載は不要（【添付ファイル情報】の【添付資料ファイル名】に原薬転用の理由書及び顛末書の PDF を登録すること）。
- ・一物多名称品の場合には，親品目の情報。
- ・過去の一変承認や軽微変更届の経緯（一変申請の場合）。
- ・小分けコードが設定されていないので，小分けの場合にはその旨の記載。

⑪　一部変更承認申請（一変申請）

1）一変申請に際しての注意事項

①　共通ヘッダ，【備考1】，【備考2】の大項目以外は，変更する大項目のみ記載すること（差換え時に不必要な項目を記載しているケースがある）。

②　【備考2】の【その他の備考】に，過去のすべての一変申請及び軽微変更届，承継等の経緯を記載すること。また，当該一変申請に係る変更要旨と変更理由を記載すること。

③　GMP 適合性調査を受ける場合，【製造販売する品目の製造所】は，変更の有無にかかわらず設定すること。また，【適合性調査の有無】を「有」とすること。なお，適合性調査申請提出予定先の記載漏れが見受けられるので注意すること。

④　一変申請中に，軽微変更届あるいは記載整備届を提出した場合は，すみやかにPMDA の担当者に連絡すること。

⑤　新旧対照表を必ず添付し，変更事項及び当該変更理由をすべて記載すること。
　　なお，添加物の変更がある場合等については，原則として，安定性に関する資料等を添付すること。

⑥　一変申請及び軽微変更届において，別紙規格を公定書規格へ変更するなど，別紙規格の項目がすべて無くなる際には，表10に示した形で記載し，【別紙規格】の項目自体は削除しないこと（見かけ上は削除されても，システム上は表10のように上

第4章　要指導医薬品・一般用医薬品－事例に基づく実務説明－　175

書きをしない限り，変更前の規格が残ってしまうため）。

　ただし，一部のみが不要となる場合は，それ以外の別紙規格をそのまま記載しておくことで差し支えない（複数の別紙規格のうちの1つだけが不要になった場合，残りのものは申請書に記載することとなる）。

表10．別紙規格が不要となる場合

一変申請及び軽微変更届において，別紙規格を公定書規格へ変更すること等によりすべてが不要となる場合，1つの別紙規格を次のように記載し，それ以外の内容はすべて空白（何も記載しない）にしておくこと。

変更前	変更後
【別紙規格】 　【名称】　　　　　　：○○ 　【製造方法】 　　【連番】　　　　　：001 　　【製造所の名称】：△△ 　　【製造方法】 　　　　　　　　　　…（略）	【別紙規格】 　【名称】　　　　　：<u>全削除のための仮入力</u> 　【製造方法】 　　【連番】　　　　：<u>999</u> 　　【製造所の名称】：<u>全削除のための仮入力</u> 　　【製造方法】 　　　　<u>全削除のための仮入力</u>

2）照会が多い事例

①　新旧対照表に変更事項のすべてが正確に記載されていない。

　　→　新旧対照表の作成にあたっては，変更事項ごとに変更前の内容と変更後の内容を列挙し，変更箇所に下線を引くなど，わかりやすいものとすること。

②　変更理由が不明確である。

　　（例）変更理由として変更箇所が挙げられている。

　　→　当該変更箇所を変更した理由を示すこと。

⑿　一物多名称の申請

　一物多名称の場合の【備考1】，【備考2】の記載については，次の点に留意すること。

①　【備考1】の【一物多名称】を記載すること。

②　【備考2】の【その他備考】に次の事項を記載すること。

- 当該品目のいわゆる親品目（規格及び試験方法の実測値資料等が添付されている品目）と同時申請の場合
  - → 「本品は平成○○年○月○日申請の販売名△△△と同一であるため，添付資料は省略する」
- 当該品目の親品目が既に申請中の場合
  - → 「本品は平成○○年○月○日申請のシステム受付番号◎◎◎◎の販売名△△△と同一であるため，添付資料は省略する」

③　一物多名称の新規申請で，親品目と異なる事項が承認された後，親品目の承認内容を合わせる際に，当該事項が軽微変更届の範囲を逸脱する場合は，一物多名称で承認されたことをもって親品目の変更を軽微変更届で対応することは認められていないため，必ず一変申請を行うこと。

④　親品目の申請中に，その一物多名称品が申請され，申請日が親品目と1ヵ月以上離れている場合，原則，同時審査は行わない。なお，子品目の【その他備考】に，親品目の申請日や販売名を記載し，一物多名称品であるため添付資料を省略する旨を記載すること。また，一物多名称コードも設定すること。

⒀　小分け申請

小分けの場合，【備考2】の【その他の備考】に次の事項を記載すること。

- 当該品目のいわゆる親品目と同時（1週間以内）申請の場合
  ※小分け製造販売承認申請である旨及び親品目のシステム受付番号
  ※親品目が承認された後，次のとおり差し換える
  - → 「平成○○年○月○日承認番号（××××）で△△が製造販売承認を受けた販売名××を小分け製造する」
  (参考：「平成14年薬事法改正に関連する通知の改正について」（平成19年1月12日薬食審査発第0112001号医薬食品局審査管理課長通知))
- 当該品目の親品目が既に承認されている場合
  - → 「平成○○年○月○日承認番号（××××）で△△が製造販売承認を受けた販売名××を小分け製造する」

⒁　同一審査担当者による審査

同一審査担当者が審査を担当する方が効率的であると思われる複数の申請について，次の条件を満たす場合，今後，同一審査担当者による審査について検討することとした。
- 同一申請日であること。
- 該当するすべての申請製剤の【備考2】欄に，同一の審査担当者に審査を実施してほしい旨とその理由が記載されていること（差換え時までには削除すること）。

第4章　要指導医薬品・一般用医薬品－事例に基づく実務説明－　177

なお，条件を満たしていても一般薬等審査部の判断により，異なる審査担当者が審査を行う場合がある（同一審査担当者とならなかった理由等の照会は受け付けられない）。

⒂　記載整備チェックリスト

「一般用医薬品の製造販売承認申請時における記載整備チェックリストの利用について」(平成27年5月18日薬機般発第150518001号独立行政法人医薬品医療機器総合機構一般薬等審査部長通知）が発出され，承認申請書の記載内容の確認時には，この記載整備チェックリストを活用すること（最新版はPMDAのホームページにて公開している*）。

*https://www.pmda.go.jp/review-services/drug-reviews/about-reviews/otc/0005.html

6．承認申請添付資料等についての留意事項

⑴　製造工程図

① 製造工程図（平成17年10月21日医薬食品局審査管理課事務連絡の別紙1）を品目ごとに1部提出すること。ただし，同時申請の一物多名称の品目等は，品目ごとに各1部添付する必要はない。

② 製造工程図に誤記載があり，申請書と整合性がとれていない場合が多く見受けられるので，①で述べた審査管理課事務連絡を参考に，正確に作成すること。

⑵　規格及び試験方法の実測値資料

① 実測値は3ロット以上，各ロット3回の試験結果を示すこと。

② 確認試験にTLCを用いて行った場合は写真を添付すること（デジタルカメラによる写真可。ネガの提出不要）。

③ 定量法をクロマトグラフィーで行った場合はそのチャートを添付すること。

④ 試験結果は省略せず，実際に測定された数値をすべて示すこと。

⑤ 定量法の結果に計算例を示すこと。また，計算の確認ができるように必要な数値は漏れなく記載すること。

⑶　安定性に関する資料

医薬品としての品質を担保するにあたり，安定性試験の添付が必要である。留意事項については次のとおりである。

① 加速試験により3年以上の安定性が推定されないものについては，申請時に1年以上の長期保存試験成績が必要である。
- ・申請時において長期保存試験により，暫定的に1年以上の有効期間を設定できるものについては，長期保存試験の途中であっても承認申請して差し支えない。その場合申請者は，承認時までにその後引き続き実施した長期保存試験の成績を提出すること。

② 申請時に安定性試験が終了している場合は，当該試験結果を添付して申請すること。

③ 安定性試験実施途中における申請は可能であるが，申請前に適切な条件下ですべての試験を開始したうえで申請すること。申請後の再試験や追加試験（容器の追加等）を行うことは認められない。申請時点で安定性試験が継続中の場合は，必ず【備考2】に安定性試験継続中のコードを記入し，【その他備考】に試験終了予定日を記載すること。申請時に添付されていない当該試験結果の提出時期については，資料散逸等を避けるため，試験が終了した場合であっても，審査担当からの指示（審査に入る前の段階または審査時の照会の際に連絡する）を受けてから提出すること（通常，照会事項がある場合には，初回の照会に対する回答とともに提出する）。なお，継続中の安定性試験が複数ある場合はその旨も記載すること。

④ 申請品目について，申請後に提出された試験結果等から安定性が確認できなかった場合であっても，原則として申請後の処方変更等には応じられないので，安定であることが十分に見込まれる処方・容器で申請するよう留意すること。

⑤ 複数の包装材質を使用する場合や複数の容れ目違いがある場合は，あらかじめ予備試験を行い，最も安定性に影響があると思われる材質等を用いて試験を実施すること。なお，その予備試験の結果も提出すること。

⑥ 不透過性容器については，通常のガラス瓶やプラスチックボトル等は該当しないので留意すること（「安定性試験ガイドラインの改定について」（平成15年6月3日医薬審発第0603001号医薬食品局審査管理課長通知）を参照）。

⑷ 承認書等の写しの添付

次の場合は，承認書，記載整備届及び軽微変更届の写しを参考資料として添付すること。

① 一変申請あるいは代替新規（マル名等）申請の場合
- ・当該品目の過去の一変を含むすべての承認の承認書及び当該承認内容の写し。

② 既承認の一物多名称や小分け申請の場合
- ・いわゆる親品目の過去の一変を含むすべての承認書及び当該承認内容の写し。
- ・いわゆる親品目が一変申請中の場合は，当該申請書の写し。

③ 記載整備届出や軽微変更届出を行っている場合

・当該届出書の写し。

また，代替新規品目を前例として新規申請する際，その前例が自社のものである等，承認書の写しの提出が可能であれば，元の品目の承認書についてもその写しを提出する（添付資料として提出されない場合，前例の確認に時間を要し，承認が遅れる可能性がある）。特に当該前例が迅速審査で承認された品目である場合には，必ずその旨を知らせること。

⑤ 小分けの場合の添付資料の取扱い

一般用医薬品の小分け申請の際に必要な添付資料については，表11のとおりである。

表11. 小分けの場合の添付資料の取扱い

【小分け】
・ケース1：親への一部製造委託（従来どおりの小分け）
　　① すでに承認されている製剤（親）と実質的には同一物である。
　　② 一部の製造（小分け包装，表示工程等）を親承認とは異なる製造所で行う。
・ケース2：親への全面製造委託
　　① すでに承認されている製剤（親）と実質的には同一物である。
　　② すべての製造工程及び製造所が，親承認と同一である。つまり，親の承認事項の
　　　範囲内に収まっていること（必須要件）。
＜承認申請に必要な添付資料＞
・ケース1：実測値資料
・ケース2：なし
・両ケース共通：親の承認書の写し，各種承認取得時に審査を受けた添付資料の写し

いわゆる「子」の製造方法が，「親」の承認事項の範囲を少しでも逸脱する場合，表11にあるケース2（親への全面委託製造）には当てはまらない。また，ケース1（親への一部製造委託）にも当てはまらない場合には，完全な新規申請として取り扱う。

小分け品目の「子」の申請書の【その他備考】に，小分け製造販売承認申請である旨を必ず記載すること。また，「親」の承認後，その承認情報に差し換える必要があるため，「親」が承認され次第，すみやかに修正案を提出すること（「子」は「親」が承認されてから審査を進める）。なお，「子」の申請中に「親」の軽微変更届出が行われた場合は，「子」の審査担当者へすみやかに差換え案を提出すること。

⑥ その他の添付資料

その他の添付資料については次のとおりであるが，審査の迅速化のため，参考となる

資料は積極的に添付していただきたい。

① 最新の製造販売業許可証（写）を提出すること。

② TSE 資料について，MF 登録されたものを使用する場合には，MF 登録証(写)，原薬等製造業者との契約書（写）を提出すること。

③ 別紙規格の成分がある場合には，規格設定の妥当性に係る審査の効率化を図るため，当該別紙規格の設定根拠（医薬品における承認前例等）に係る資料を提出すること（図3）。これについては，提出されていないケースが見受けられるので留意されたい。

　承認前例（製剤もしくは原薬）を示すにあたっては，「販売名」や「承認番号」等，可能なかぎりの情報を記載すること。また，他社の承認前例を用いる場合，製法及び規格の同一性については申請者の責任で担保すること。なお，当該別紙規格の一部に承認前例と異なる箇所がある場合は，その設定の根拠となる実測値資料を提出すること。

④ 医薬部外品ではなく，医薬品の前例を示すこと。

成分名	承認前例
原薬 X	平成○年△月□日承認（##### APZ ########）販売名○○○
	承認前例との相違点：（相違点を記載）
添加物 Y	平成○年△月□日承認（##### APZ ########）販売名○○○
	承認前例との相違点：（相違点を記載）
⋮	⋮

図3．別紙規格の設定根拠に係る資料（記載例）

⑤ 審査の迅速化のため，参考となる資料は積極的に添付すること。

⑺　その他

1）共通ヘッダの FAX 番号等

　担当者の FAX 番号や電話番号は正確に記載すること（変更が生じた場合はすみやかに PMDA 審査担当に連絡すること）。

2）FD 申請の【添付ファイル情報】

　次の資料については書面としての提出に加え，資料の種類に応じ，FD 申請の【添付

ファイル情報】に添付することが望ましい。

① PDF 化したうえで【別紙ファイル名】に添付

- ・構造式の図面
- ・参照スペクトル
- ・製造方法欄，用法及び用量欄，規格及び試験方法欄等で別紙参照の旨の記載がある場合における別紙
- ・容器の図面（添付がある場合）
- ・新旧対照表（一変申請の場合）
- ・外字表
- ・平成 26 年 5 月 30 日薬食審査発 0530 第 8 号通知に基づく原薬の製造方法に関する別紙

② PDF 化したうえで【添付資料ファイル名】に添付

- ・原薬転用の理由書
- ・顛末書

3）照会に対する回答を行う場合の留意点

① 照会に対する回答書

- ・照会に対する回答書の冒頭に，回答日，システム受付番号，販売名，申請年月日，会社名，担当者氏名，連絡先（住所，電話番号，FAX 番号）等を正確に記載すること。また，照会をふまえた添付資料を再提出する場合は，資料の表紙等に提出年月日を明記すること。
- ・差換え案のみではなく，回答書を添付すること。
- ・すべての照会事項に対して回答しているかを事前に確認すること。
- ・説明を求めている照会については，結論に至った経緯等がわかるように回答すること。
- ・修正案等には変更箇所に下線等を示すこと。

② 照会箇所以外の変更

- ・照会箇所以外は変更しないこと。やむを得ない理由等により変更がある場合には，あらかじめ PMDA 審査担当に連絡すること。

4）差換えの際に注意すべき事項

① 販売名が変更となった場合は，申請書の鑑（申請時と同じ印があるもの 3 部）が必要となる。

② 差換え願いを提出する際には，照会に対する回答の内容を適切に反映させること。

③ 照会に対する回答の内容以外の箇所は，差換えをしないこと。

④ 一変申請の場合，新旧対照表へ照会に対する回答の内容を適切に反映させること。

⑤ 差換えの際，再度担当者のFAX番号や電話番号の確認を行うこと。

5）FDに添付されている添付ファイルの差換え

① FDに添付されている添付ファイル（別紙ファイル及び添付資料ファイル）のファイル内容は，変更が生じた頁を含む全頁とすること。

② FD添付の別紙ファイルのファイル内容（構造式，参照スペクトル，一変申請の新旧対照表等）に変更があった場合は，各3部を提出し，FD打ち出し書面に添付すること。

③ FDに添付されている添付資料ファイルのファイル内容に変更があった場合は，1部を提出すること。

6）添付資料の差換え

申請時に提出した添付資料について，照会のやりとりにより修正が必要となった際は，審査中に提出するものは「差換え案」とすること。また，最終的な差換え資料（該当頁のみでも可）はFDの差換え時に提出すること。

① 差換えを要する頁が少ない場合は該当頁のみの送付で差し支えないが，修正頁が多岐にわたり，当該資料全体を再提出する際などは，どの添付資料の差換えなのか等，変更箇所が容易に判別できるよう付箋を貼付する等の工夫を施すこと。

② 申請書の鑑の差換えが必要な場合も，同様に対応すること。

③ 資料提出について不明な点がある場合は，あらかじめPMDA審査担当に連絡すること。

7）添付資料等の提出部数

添付資料等の提出部数については，表12のとおりである。

第4章　要指導医薬品・一般用医薬品－事例に基づく実務説明－　183

表12. 添付資料等の提出部数

添付資料及び別添(参考資料)の提出部数は1部のみとすること。なお，別紙は3部提出すること。

別紙（3部提出)*	添付資料，別添（1部提出）
・外字表 ・新旧対照表 ・（粘着試験）装置図 ・容器の図面 ・参照スペクトル ・構造式図面 ・薬食審査発0530第8号に基づく原薬の製造方法に関する別紙	・製造工程図 ・前例一覧表 ・原薬転用の理由書** ・顛末書** ・使用上の注意（案） ・別紙規格の前例，根拠となる実測値資料 ・規格及び試験方法，安定性に関する資料等***

*FDの【別紙ファイル名】の項に登録すること
**FDの【添付資料ファイル名】の項に登録すること
***区分3以上では3部必要

8）添付資料における留意点

添付資料について，簡易な綴じ方である場合（クリップ止め等）が散見されるが，審査の過程での資料の散逸等を防ぐためにも，ファイルに綴じる等の措置を講じること。また，細い紐で綴じている場合，審査中に資料の一部が破れることがあるので，この点についても留意すること。

なお，資料内容の確認がしやすいよう，添付資料の目次や，ページ番号を付す等の対応について検討すること。特に，ページ番号がない場合，照会する際に正確に該当箇所を示せないことがあるため，必要な情報を的確に把握でき，円滑な審査が進められるような資料作成をすること。

7．第十七改正日本薬局方，第一追補及び第二追補の制定に伴う承認申請等の取扱い

⑴　第十七改正日本薬局方，第一追補及び第二追補の制定に伴う関連通知

平成28年4月1日の「第十七改正日本薬局方」の施行に加え，平成29年12月1日より「第十七改正日本薬局方第一追補」が，また，令和元年6月28日より「第十七改正日

本薬局方第二追補」が施行されている。主な関連通知は次のとおりである。

- ・「日本薬局方収載医薬品に係る残留溶媒の管理等について」（平成27年11月12日薬生審査発1112第1号医薬・生活衛生局審査管理課長通知）
- ・「日本薬局方収載医薬品に係る残留溶媒の管理等に関する質疑応答集（Q&A）について（その1）（平成27年11月12日医薬・生活衛生局審査管理課事務連絡）
- ・「第十七改正日本薬局方の制定等について」（平成28年3月7日薬生発0307第3号医薬・生活衛生局長通知）
- ・「第十七改正日本薬局方の制定に伴う医薬品製造販売承認申請等の取扱いについて」（平成28年3月31日薬生審査発0331第1号医薬・生活衛生局審査管理課長通知）
- ・「日本薬局方の医薬品各条における製剤の試験方法の取扱いについて」（平成28年3月31日医薬・生活衛生局審査管理課事務連絡）
- ・「日本薬局方収載医薬品に係る残留溶媒の管理等に関する質疑応答集（Q&A）について（その2）」（平成28年6月3日医薬・生活衛生局審査管理課事務連絡）
- ・「第十七改正日本薬局方の制定に伴う医薬品等の承認申請等に関する質疑応答集（Q&A）について」（平成29年4月7日医薬・生活衛生局医薬品審査管理課事務連絡）
- ・「第十七改正日本薬局方第一追補の制定等について」（平成29年12月1日薬生発1201第3号医薬・生活衛生局長通知）
- ・「第十七改正日本薬局方第一追補の制定に伴う医薬品製造販売承認申請等の取扱いについて」（平成29年12月1日薬生薬審発1201第3号医薬・生活衛生局医薬品審査管理課長通知）
- ・「『第十七改正日本薬局方第一追補の制定等について』の訂正について」（平成30年6月7日医薬・生活衛生局医薬品審査管理課事務連絡）
- ・「第十七改正日本薬局方第一追補の制定に伴う医薬品等の承認申請等に関する質疑応答集（Q&A）について（令和元年5月10日医薬・生活衛生局医薬品審査管理課事務連絡）
- ・「第十七改正日本薬局方第二追補の制定等について」（令和元年6月28日薬生発0628第1号医薬・生活衛生局長通知）
- ・「第十七改正日本薬局方第二追補の制定に伴う医薬品製造販売承認申請等の取扱いについて」（令和元年6月28日薬生薬審発0628第1号医薬・生活衛生局医薬品審査管理課長通知）
- ・「第十七改正日本薬局方第二追補の制定により削除された参考情報の取扱いについて」（令和元年6月28日医薬・生活衛生局医薬品審査管理課，監視指導・麻薬対策課事務連絡）

⑵ 新規収載品目の取扱い

平成 29 年 12 月 1 日薬生発 1201 第 3 号通知の第 1 の 4 の(1)の別紙第 3 に示す新規収載品目については，2019 年 5 月 31 日までは従前の例によることができる。ただし，同日以降は日本薬局方に収められていない医薬品として，製造販売又は販売することは認められないので，遅滞なく手続きを行うこと。

8. 相談業務

⑴ 実施要綱

「独立行政法人医薬品医療機器総合機構が行う対面助言，証明確認調査等の実施要綱等について」（平成 24 年 3 月 2 日薬機発第 0302070 号独立行政法人医薬品医療機器総合機構理事長通知（最終改正：令和元年 7 月 1 日薬機発第 0701001 号））を参照。

⑵ 簡易相談

1）相談の対象範囲と応じることができない相談内容
① 相談の対象範囲

実際に申請を予定している製剤の成分・分量，効能又は効果，用法及び用量から判断できる申請区分　等

② 応じることができない相談内容
・販売名の妥当性，個別の試験方法や試験結果の妥当性，別紙規格成分の規格内容の確認，効能又は効果，用法及び用量の妥当性といった事前審査に該当する事項
・承認の是非
・申請中（審査中）の品目に関する相談
・業許可関係，GMP 関係
・表示又は広告に関する事項
・医薬品等への該当性に関する事項
・有効成分又は添加物に関する使用前例の上限値及び下限値とその範囲　等
※実施要綱をふまえ，相談内容が適切かどうか確認すること。

2）申込む際の留意事項
① 相談は，申込みの段階で FAX 送信した内容に限ること。

② 相談内容は具体的かつ簡潔に記載すること。

③ 添加物の相談では，規格は記載しないこと。

④ 相談時間は1社あたり15分以内としているため，時間内に終了できる相談件数・内容とすること（場合によっては事前に質問の量を制限することがある）。目安としては，質問事項は2つまでとし，開発予定製剤の申請区分の確認の場合であれば薬効群は2つまで，処方案は合わせて5処方までとすること。また，添加物の確認の場合であれば5成分までとすること（質問を組み合わせる場合は，処方案及び添加物を合わせて5つまでとすること）。

⑤ 添付資料に関する相談は，原則として関連通知を提示するだけなので，必要に応じて対面助言を利用すること。

⑥ 出席者は1相談につき3名以内とすること。

⑦ 依頼者（相談者）以外の会社等に所属する者（例えば，共同開発先の担当者等）が同席する場合，相談申し込み時にその者全員の所属及び氏名を明示すること（PMDAでは企業出身者に対する就業制限があるため，当日に担当者が急に出席できず，相談を留保せざるをえない場合がある）。

⑧ 関連する事項について過去に簡易相談を受けている場合は，必ずその相談実施日を「医薬品・医薬部外品対面助言申込書（簡易相談）」の「関連する相談内容についての過去の対面助言」欄に記載すること。また，相談申し込み時点において簡易相談結果要旨確認書等の情報を提出すること。

⑨ 事前に厚生労働省や都道府県に相談している場合，相談申し込み時点においてその旨を記載すること。

⑩ 回答内容については事前にPMDA内部で確認を行っているため，当日その場での急な質問に応じることは場合によっては困難である。したがって，相談結果要旨の確認を希望する場合の簡易相談結果要旨確認依頼書には，原則として当初の相談事項に対するPMDAの回答のみを記載すること（簡易相談結果要旨確認依頼書の別添資料として対面助言申込書の内容がそのまま提出されているケースがあるので，別添資料は1枚以内とし，簡潔にまとめること）。

⑪ 申請区分の相談の場合は，前例一覧表を添付すること。なお，調査時間の関係上，前例一覧表に示されたすべての前例の記載内容が正しいかどうかについては確認しないので，区分の判断に必要な前例以外は示さないこと。

⑫ 文字に網掛け等の効果が入っている，あるいは文字が小さい（特に数字）と，FAXでは判読できない場合があるため避けること。

⑬ 簡易相談を受けた品目を申請する場合には，審査を迅速に行うためにも，申請時には簡易相談に関する情報（例えば，簡易相談結果要旨確認依頼書の写し等）をす

べて提出すること。なお，対面助言を受けた品目についても同様に対応すること。

⑭　まれに前例の成分量や効能・効果等が誤っている事例が見受けられる。その場合，適切な申請区分が判断できないことがあるので，申し込みの際は十分確認すること。

⑮　平成27年度より，次の内容に限り，相談者が希望する場合には書面でも簡易相談を実施しているので，必要に応じて利用されたい（「対面助言予約依頼書（簡易相談）」の備考欄に，書面による助言を希望する旨を記載すること）。

・申請区分の判断のみに関する相談

・添加物の使用前例に関する相談

・軽微変更届出対象の該当性に関する相談

⑯　書面での相談の場合，原則として相談実施日に電話にて回答する形（通常の簡易相談と異なるのは，面会ではなく電話となる点のみである）とし，文書による回答提示等は行わないので留意すること。電話する時間帯についてはあらかじめ連絡するので，該当する時間帯には電話に出られるよう協力されたい。なお，回答は相談内容に係るPMDAの見解を示すのみとし，回答時における追加質問等には応じられない。

⑰　関西医薬品協会での簡易相談の実施が不可能な日があるので，申込みにあたっては事前にPMDAのホームページを確認すること。

⑱　申請書の誤記載や届出の対応もれ等については，簡易相談ではなく，厚生労働省医薬・生活衛生局医薬品審査管理課に報告する等，適切な対応をとること。

⑶　対面助言

PMDAでは要指導・一般用医薬品の開発等に係る相談制度の充実を図るため，平成22年6月より対面助言制度を実施しているが，従来の3区分（「スイッチOTC等申請前相談」，「治験実施計画書要点確認相談」，「新一般用医薬品開発妥当性相談」）に加え，平成31年度より新たな相談区分として「スイッチOTC等開発前相談」及び「OTC品質相談」が設けられた。

1）要指導・一般用医薬品の対面助言の概要

対面助言については，相談区分ごとに申込方法，実施日等が異なるので，詳細についてあらかじめPMDAのホームページに掲載されている実施要綱を確認すること。

なお，対面助言は，テレビ会議システムを利用して関西支部にて実施することも可能なので，利用を希望する場合は事前面談までに相談担当者へ連絡すること。必要な手続き等については，実施要綱の別添23（対面助言等における関西支部テレビ会議システム利用要綱）を確認すること。

対面助言前に実施する事前面談の注意事項については次のとおりである。

① 関連する相談を以前に実施している場合等は，必ず事前面談質問申込書にその旨を記載すること。

② 先述したように，他企業の担当者や，通訳を要する者が対面助言に参加する場合は，事前面談申込みの段階で申し出ること。

③ 事前面談希望日が申込日に近いと対応が難しい場合があるので，面談日は日程調整期間も考慮して設定すること（申込日より1週間程度後とすること）。

④ 担当分野の欄について，OTC医薬品の相談においては「一般用医薬品」と記載すること。

⑤ 事前面談についてはテレビ会議システム（関西医薬品協会，一般社団法人富山県薬業連合会）を利用することも可能なので，希望する場合は事前面談質問申込書にその旨を記載すること。

相談区分 （　　　）は相談時間等	相談内容
スイッチOTC等申請前相談 （120分）	スイッチOTCや他の一般用医薬品（新添加物を含む）に関し，これまでに得られている安全性情報，有効性情報，海外における承認状況及び類似薬等の情報（申請予定添付資料（概要）も含む）等に基づき，資料の十分性等について指導・助言を行う。
スイッチOTC等開発前相談[*1,*2] （120分）	スイッチOTCや他の一般用医薬品（新添加物を含む）に関し，これまでに得られている安全性情報，有効性情報，海外における承認状況及び類似薬等の情報（申請予定添付資料（概要）も含む）等に基づき，申請に至るまでに必要な試験，開発計画策定等について，指導・助言を行う。
治験実施計画書要点確認相談 （60分）	新規性の高い一般用医薬品に係る治験実施計画書の要点について確認し，指導・助言を行う。
新一般用医薬品開発妥当性相談 （30分）	① 一般用医薬品としての効能など，構想段階での開発の妥当性 ② 新配合剤の配合意義の考え方の妥当性 ③ 新添加物としての妥当性　等 新たな一般用医薬品の開発初期段階における開発の妥当性について指導・助言を行う（データの評価を行うものは該当しない）。
OTC品質相談[*1,*2] （書面）	予定する別紙規格，規格及び試験方法に関し，同成分の承認前例と比較等を行うことにより，規格を追加する必要性及び規格値の妥当性について，指導・助言を行う（新有効成分又は新添加物は該当しない）。

[*1] 当面の間，試行的に実施。試行期間中の相談枠は事前面談等で通知する。

[*2] 厚生労働省の「医療用から要指導・一般用への転用に関する評価検討会議」において，一般用医薬品とすることを可とされた成分については，次のような優先対応を行う。
・スイッチOTC等開発前相談では，優先して枠を確保することができることとする。
・OTC品質相談では，設定された相談枠にかかわらず，すべての相談に対応する（試行期間を除く）。

※詳細はPMDAのホームページ（実施要綱）を確認すること。

第4章　要指導医薬品・一般用医薬品－事例に基づく実務説明－　189

2）新一般用医薬品開発妥当性相談に関する留意事項

① 相談時間は30分であるため，時間内で対応できる相談件数，内容とすること。また，当日は，時間内でスムーズな議論ができるよう，あらかじめ相談者の見解をまとめておくこと。

② 相談資料は，次の点に留意して作成すること。

・相談事項は明確にすること

・簡潔な内容とすること（必要事項のみでまとめること）

・相談事項の概要を作成する場合は，相談資料本文との整合性を必ず確認すること

・相談内容の本文には，開発が妥当であると考える理由について，その根拠を示すこと

・可能な限り電子媒体も提出すること

3）対面助言の実施要綱

申込み受付については次のとおりとなっている。

① 「スイッチOTC等申請前相談」，「スイッチOTC等開発前相談」及び「治験実施計画書要点確認相談」

原則，相談実施月の前月の第1営業日：10：00～12：00

② 「新一般用医薬品開発妥当性相談」及び「OTC品質相談」

原則，相談希望日の1ヵ月前の月曜日：10：00～12：00

すべてあらかじめ事前面談を行い，相談内容の確認等を行ったうえで実施する（詳細は，平成24年3月2日薬機発第0302070号の別添7）。

9．要指導・一般用医薬品の適正使用と薬剤師の役割

薬剤師は，医薬品の専門家として地域の中で一般消費者の医薬品に関する相談等に応じることにより，要指導・一般用医薬品の適正使用に際して，その信頼性を高めることが求められている。そのためには，次の役割を果たすべきであるといえる。

① 要指導・一般用医薬品の適切な選択及び使用法・保管法等の相談応需

② 要指導・一般用医薬品使用者の自己の健康状態に対する理解度や，症状等を考慮した医薬品使用の可否判断と必要に応じた受診勧告

③ 製造販売後調査等への協力を含む使用後のフォローアップ　等

10. その他

PMDA の一般用医薬品担当部門の連絡先は表 13 のとおりである（あて先，電話番号及び FAX 番号の間違いに留意すること）。

表 13．一般用医薬品担当部門

一般薬等審査部　一般用医薬品審査担当
〒 100-0013 東京都千代田区霞が関 3 - 3 - 2　新霞が関ビル 8 階（受付は 6 階及び 14 階） TEL：03-3506-9430 FAX：03-3506-9481 ・医薬部外品　TEL：03-3506-9002

現在も申請書や添付資料等に記載漏れや誤記載，添付資料等の不足が多く見受けられるので，十分注意すること。特に申請書の FAX 番号に間違いがある場合，自動 FAX により書類が送付されるので，情報漏洩につながるおそれがある。このため，申請者においては申請前や差換え前には必ず FAX 番号等を確認すること。また，初回照会時には FAX 番号の確認を行っているので協力をお願いしたい。

第5章

医療用後発医薬品－事例に基づく実務説明－

---

1. 医療用後発医薬品の承認申請と審査の流れ

⑴　承認申請要件

　医療用後発医薬品（以下，「後発医薬品」という）の申請時には，次の承認申請要件を満たしていることを確認のうえ，申請する。

①　先発医薬品の再審査期間が終了していること。

②　先発医薬品と同等の品質，生物学的同等性が確保されていること。

　・先発医薬品と有効成分及びその含量，用法及び用量，効能又は効果が同一であり，貯蔵方法及び有効期間，品質管理のための規格及び試験方法が同等以上であること。

　・生物学的同等性を有すること。

　・放出制御機構などを有するものについては，その機構が先発医薬品と著しく異ならないこと。

③　効能・効果（有効性及び安全性）に係る再評価指定中の場合，再評価に係る資料が添付されていること。

　※効能や効果に係る再評価指定中の場合は，申請自体が認められないということではなく，通常の後発医薬品の承認申請で求められる資料に加え，再評価申請と同等の資料が必要となる。この資料が提出されない場合には，申請要件を満たしていないということになる（再評価指定中の効能を除外した虫食い申請は認められない）。

⑵　申請区分

＜承認申請区分から見た後発医薬品への該当性＞

①　「医薬品の承認申請について」（平成 26 年 11 月 21 日薬食発 1121 第 2 号）の「別表 2 -⑴医療用医薬品」のうち，次に該当するもの。

　・（8 の 2）剤形追加に係る医薬品（再審査期間中でないもの）

　・（10 の 3）その他の医薬品（再審査期間中でないもの）

・（10の4）その他の医薬品（（10の3）の場合であって，生物製剤等の製造方法の変更に係るもの）

② 「医薬品の承認申請に際し留意すべき事項について」（平成26年11月21日薬食審査発1121第12号医薬食品局審査管理課長通知）の「別表1-(1)パッチテスト用医薬品」，「別表1-(2)殺虫剤・殺菌消毒剤」のうち，次に該当するもの。

・パッチテスト用医薬品：(2)その他の医薬品
・殺虫剤・殺菌消毒剤　　：(3)その他の医薬品

⑶　審査のポイント

① 先発医薬品との生物学的同等性が確保され，品質が同等以上であること。

・適切な評価方法に基づき，生物学的同等性が検証されていること。
・製造工程の管理が適切に設定されていること。
・安定性試験成績に基づき有効期間が担保されていること。

② 先発医薬品の代替品として使用できること。

③ 先発医薬品が有していない剤形又は含量違いのものは，医療上の必要性及び有用性があること。

※「医療上の必要性及び有用性があること」については，臨床使用実態に関する具体的なデータ等を提示し，当該製剤の開発の経緯，医療上の必要性等を説明すること。また，適応外使用を助長するおそれがないか，取り違いのおそれがないか等，医療安全上の観点からもあらかじめ十分に検討すること。

※OD錠とODフィルム剤は異なる剤形であるため留意すること。

④ 医療事故防止，適正使用確保のための方策が適切に講じられていること。

⑷　承認審査（審査の主な内容）

後発医薬品の承認審査は，同一性調査と適合性調査に分けられ，それらについて総合的に審査を行ったうえで，承認の可否が判断される。

① 同一性調査

既承認品目との成分，分量，効能・効果，用法・用量，品質等の同一性の確認。

② 適合性調査

◆添付資料が信頼性の基準（医薬品医療機器法施行規則第43条）に沿って作成されていることの確認。

・添付資料と原資料（生データ）の整合性の確認（書面適合性調査）
・生物学的同等性試験等に係るGCP実地調査

◆製造管理・品質管理の基準に沿って製造が行われていることの確認。

・製造所及び製造工程に係るGMP調査

⑤ 承認審査の流れ

医薬品医療機器法上，審査等結果通知とGMP適合性結果通知の両方の結果が揃わないと承認には至らないため，承認審査の進捗とGMP適合性調査申請，並びに同調査結果が得られるまでに要する時間については十分注意すること。また，GMP適合性調査の指摘を受けて，申請内容（製造方法欄）の差換えを求められる場合もある。GMP適合性調査は，GMP適合性調査権者であるPMDA又は都道府県によって標準的事務処理期間が異なるので，事前に確認を行い，審査の進み具合に応じて適切な時期に調査申請を行う。

また，MFを利用する場合，MFの製剤引用部分の審査が終了し，変更登録申請または軽微変更届の手続きが完了しないと，FD申請書の差換え指示に進めないので，審査に遅延をきたさないよう，MF登録業者との情報共有は十分に行うこと。

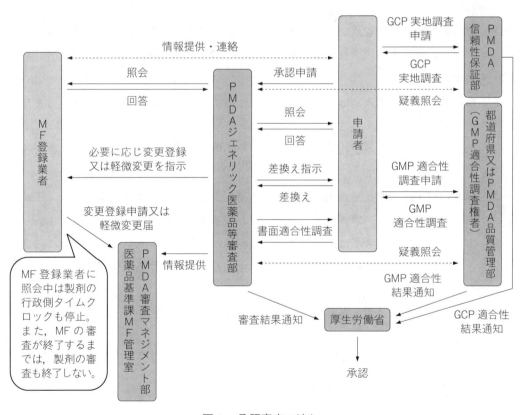

図1．承認審査の流れ

⑥ PMDAにおける担当部署

① 承認申請，軽微変更届出：審査業務部

② 審査・書面適合性調査：ジェネリック医薬品等審査部

③ GCP 実地調査：信頼性保証部

④ GMP 適合性調査：品質管理部（ただし，生物製剤，放射性医薬品を除く国内製造所については各都道府県が担当する）

2．承認申請上の留意点

⑴ 承認申請方法等について

① 原則として，「医薬品医療機器申請・審査システム（新システム）」によりフレキシブルディスク等を用いて申請すること（FD 申請 HP：https://web.fd-shinsei.go.jp 参照）。

② 申請書作成上の留意点については，「フレキシブルディスク申請等の取扱い等について」（平成 26 年 10 月 27 日薬食審査発 1027 第 3 号医薬食品局審査管理課長通知）を参考にすること。

③ 自社都合による差換えは原則認められないので，記載不備，誤記等がないことをあらかじめ十分に確認すること。

④ 過去に受けた照会及び指摘等をふまえ，その内容を新たな承認申請に反映させること。

⑤ 承認申請上，不明な点がある場合には簡易相談等の各種相談制度を活用し，手続き上誤りがなく，また，審査がスムーズに行われるよう配慮すること。

⑥ 申請手続きにあたっては，記載不備や誤記等がないよう，あらかじめ十分に確認すること。特に，申請コードを旧コードにて申請及び差換えする事例が見受けられるので注意すること。

　なお，ジェネリック医薬品等審査部が担当する申請区分の申請コードは次のとおりである。

・申請区分（8 の 2）*の場合の申請コード：180

・申請区分（10 の 3）**の場合の申請コード：185

　* 剤形追加に係る医薬品（再審査期間中でないもの）
　**その他の医薬品（再審査期間中でないもの）

⑵ 共通ヘッダに関する注意事項

① FD 申請書の【担当者】は【提出者】と同一の法人の者とする。なお，共同開発の同

第5章 医療用後発医薬品－事例に基づく実務説明－ 195

時申請を除き，承認申請に係る照会事項等の対応を申請者以外の法人が代行すること
はできないので留意すること。

② 承認申請書の連絡先（特にFAX番号）には誤りがないことを十分確認する（誤った
連絡先は，照会事項等を送付する際の誤送信の原因となる）。

③ 審査中に担当者が変更になった場合は，FD差換え案に変更後の担当者を記載する。

④ 連絡先（特にFAX番号）に変更がある場合には，申請中品目一覧を添えて，文書で
連絡すること。

表1．共通ヘッダ

```
                    申請書記載項目
【提出者】
  【業者コード】          ：000000000
  …（省略）…
  【法人名】              ：PMDA
  【法人名ふりがな】      ：ぴーえむでぃーえー
  【代表者氏名】          ：機構太郎
  【代表者氏名ふりがな】：きこうたろう
【担当者】
  【郵便番号】            ：100-0013
  【住所】                ：東京都機構区1-1
  【氏名1】               ：機構花子
  【氏名1ふりがな】       ：きこうはなこ
  【連絡先】
  【所属部課名等】        ：審査部審査課
  【電話番号】            ：01-2345-6789
  【FAX番号】             ：01-2345-6789
  【メールアドレス】      ：pm-da@pmda.go.jp
【再提出情報】
  …（省略）…
```

⑶ 添付ファイル情報

FD申請書の【添付ファイル情報】には，【別紙ファイル名】及び【添付資料ファイル
名】があり，次のように区別して添付する。

表２．添付ファイル情報

申請書記載項目	関連する留意点
【添付ファイル情報】 【別紙ファイル名】　　　：E 01-xxxxx.pdf 【添付資料ファイル名】：E 01-xxxxxb.pdf	PDF 化し，以下のとおり区別して添付する。

資料名（例）	別紙ファイル	添付資料ファイル
構造式	○	
容器の図面	○	
新旧対照表（一変申請）	○	
製造工程流れ図		○
一変・軽微設定根拠		○
転用の理由書		○
安定性試験の実施に関する資料（一変申請）		○

① 別紙ファイル名

・図などの承認事項についても PDF 化して添付する。

例：構造式，容器の図面など

・新旧対照表（一部変更（一変）承認申請の場合）

② 添付資料ファイル名

・参考資料についても，PDF 化して【添付資料ファイル名】に添付する。

・各項目について１つのファイルしか添付できないため，複数の資料がある場合は１つのファイルにまとめて添付する。

例：製造工程流れ図，一変事項及び届出事項の設定根拠，食品及び工業用品の転用の理由書，安定性試験の実施に関する資料（一変申請の場合）等

⑷ 名称・販売名

【参考：関連通知】

・「医療事故を防止するための医薬品の表示事項及び販売名の取扱いについて」

（平成 12 年 9 月 19 日医薬発第 935 号医薬安全局長通知（「医薬品関連医療事故防止対策の強化・徹底について」（平成 16 年 6 月 2 日薬食発第 0602009 号医薬食品局長通知）により一部改正））

・「医療用後発医薬品の承認申請にあたっての販売名の命名に関する留意事項について」

（平成 17 年 9 月 22 日薬食審査発第 0922001 号医薬食品局審査管理課長通知）

・「医療用配合剤及びヘパリン製剤（注射剤）の販売名命名並びに注射剤に添付されている溶解液の表示の取扱いについて」

（平成 20 年 9 月 22 日薬食審査発第 0922001 号, 薬食安発第 0922001 号医薬食品局審査管理課長, 安全対策課長通知）

・「『医療用配合剤の販売名命名の取扱い』及び『インスリン製剤販売名命名の取扱い』の一部改正について」

（平成 26 年 7 月 10 日薬食審査発 0710 第 6 号, 薬食安発 0710 第 4 号医薬食品局審査管理課長, 安全対策課長通知）

1）単一の有効成分からなる品目

① 販売名については,「名称（一般的名称）＋ 剤形 ＋ 含量（濃度）又は容量 ＋ 屋号（会社名等）」という形式にすること。なお, 原則として単位を付すこと。

② 複数の濃度又は容量を有する注射剤等については, 一申請中に一含量又は濃度となるように分けて申請すること。なお, 個々の販売名には, 含量又は濃度, 必要に応じて容量を付すこと。

③ 意味の明確でないアルファベット等の記号は用いないこと。

④ ブランド名で承認を受けている後発医薬品の剤形違い, 含量違い製剤等を申請する際には, できる限り一般的名称を使用した販売名を検討すること。また, 既承認製剤である後発医薬品のブランド名についても, 一般的名称に切り替えることを検討すること。なお, このように申請製剤の販売名を一般的名称とする場合は, 既承認製剤のブランド名を一般的名称に変更すること。

⑤ 承認申請者とは異なる販売会社等（別法人）の屋号（会社名等）を, 承認申請する医薬品の販売名に使用することは可能である。ただし, 申請時に, 屋号の使用に関する契約書（屋号の使用許諾書）等の写しを提出すること。

2）医療用配合剤（複数の有効成分を含有する品目）

① 販売名については,「ブランド名 ＋ 剤形」という形式とし, 一般的名称を基本とするのではなく, ブランド名を付すこと。

② 共通のブランド名を用いる場合は, 末尾に屋号を付すこと。

③ 錠剤であれば「配合錠」, 顆粒剤であれば「配合顆粒」等とすること。

④ 配合成分の種類が異なる品目又は配合成分の配合量が異なる品目について, 同一のブランド名を使用する場合には, 適宜接尾字等を付すこと。

⑸　成分及び分量又は本質

① 　添加剤は，原則として日本薬局方（日局）収載品を使用すること。

② 　プレミックスとして構成されている有効成分や添加剤については，具体的な構成成分の情報（名称，規格，配合量等）を記載すること。

・プレミックス添加剤中の個々の成分を分離定量することが困難な場合，承認申請書の記載方法は，「別紙規格」中の「製造方法」欄にプレミックス添加剤の各成分の混合比が明らかになるように製造方法を記載する。なお，プレミックス添加剤として必要な規格（確認試験，定量法等）についても別紙規格欄に記載すること。

・個々の成分が公定書の規格に適合する場合など，成分ごとに管理項目がある場合は，それらが明確となるよう記載すること。

③ 　添加剤の配合目的は，製造方法等から適切な記載とすること（不適切な配合目的は審査の遅延につながるため，避けること）。

④ 　テキスト欄には，製剤単位，複数の MF を使用する場合の MF 登録番号，添加剤の特定等を記載する。

＜例＞

・結晶セルロース：平均重合度，乾燥減量値，かさ密度

・クロスポビドン：粒度タイプ

・ヒプロメロース：置換度タイプ，粘度

第5章　医療用後発医薬品－事例に基づく実務説明－　199

表3．成分及び分量又は本質

申請書記載項目			
成分及び分量又は本質			
簡略記載			
	基本単位	02（1製剤単位）		
	分量	60		
	単位	02（mg）		
構成	**成分**	配合目的	規格	成分コード
		000（有効成分）	01（日局）	123456
		成分名		
		ユウコウセイブン		
		原薬等登録番号	原薬等登録番号	
			226MF10999	
			登録年月日	
			2260707（平成26年7月7日）	
			原薬等販売名	
			ユウコウセイブン	
		分量（又は分量上限）	分量下限	単位
		50		02（mg）
		プレミックス、エキスを示す番号	プレミックス、エキスの構成成分を示す記号	
	成分	配合目的	規格	成分コード
		137（崩壊剤）	01（日局）	101247
		成分名		
		デンプングリコール酸ナトリウム		
		分量（又は分量上限）	分量下限	単位
		10		02（mg）
		プレミックス、エキスを示す番号	プレミックス、エキスの構成成分を示す記号	
成分及び分量又は本質	1製剤単位は、1錠。 ユウコウセイブンはMF登録番号226MF10999（平成26年7月7日）である。 デンプングリコール酸ナトリウムの中和度タイプはA。			

⑹　製造方法

① 　製造方法の記載については，「医薬品の製造販売承認申請書における製造方法の記載に関する質疑応答集（Q&A）について」（平成 20 年 5 月 20 日医薬食品局審査管理課事務連絡）を参考にすること。

② 　軽微変更届への該当性に関する考え方については，「改正薬事法に基づく医薬品等の製造販売承認申請書記載事項に関する指針について」（平成 17 年 2 月 10 日薬食審査発第 0210001 号医薬食品局審査管理課長通知）を基に，各製薬企業で適切に判断すること（判断に迷った場合は簡易相談を利用することが可能）。なお，軽微変更届出の内容を適切に説明できる資料を次回の同じ項目の一変申請時に提出すること。

　◆包装，表示，保管施設は軽微変更届出で追加できる旨の記載があるが，医薬品の製造所として適切な変更管理がなされたことを確認したうえで届け出ること。

◆2年以内の他品目のGMP結果を利用して軽微変更届により製造所を変更する場合，「関連工程を共有する同系統の品目」への該当性については，次の点を確認したうえで届け出ること。

・変更後の製造所において，届け出る品目の変更前後と調査対象品目が同一の製造ラインを使用していること（使用機器及びパラメータも含む）。

・届け出る品目と調査対象品目の製剤設計（重要品質特性）が類似していること。

◆初回承認後，ただちに軽微変更届出によってスケールアップを行うケースが見受けられるが，生物学的同等性の評価（試験製剤の妥当性等）に疑義が生じる場合があるので，適切に対応すること。

③　その他，製造方法に関しては，次の通知を参考にすること。

・「医薬品等の承認申請等に関する質疑応答集（Q&A）について」

（平成18年4月27日，平成18年11月16日，平成18年12月14日，平成19年1月12日，平成19年6月19日，平成20年8月26日医薬食品局審査管理課事務連絡）

・「平成14年薬事法改正に関連する通知の改正について」

（平成19年1月12日薬食審査発第0112001号医薬食品局審査管理課長通知）

・「軽微変更届出の範囲の明確化に関する検討結果について」

（平成22年6月28日医薬食品局審査管理課事務連絡）

・「3種類以上の有効成分を含む医薬品及び医薬部外品の製造販売承認申請書における製造方法欄の記載について」

（平成26年5月30日薬食審査発0530第8号医薬食品局審査管理課長通知）

・「GMP適合性調査申請の取扱いについて」

（平成27年7月2日薬食審査発0702第1号，薬食監麻発0702第1号医薬食品局審査管理課長，監視指導・麻薬対策課長通知）

④　化学合成医薬品（化成品）の原薬の製造方法の記載については，平成17年2月10日薬食審査発第0210001号の別添1に従い，適切な出発物質から記載し，原則として反応工程は複数とすること。反応工程は，共有結合の形成あるいは切断を伴う工程で，塩交換や精製工程は含まない。ただし，反応工程数の充足性のみではなく，出発物質の選定，管理基準等を含む管理戦略を評価すること。また，出発物質，基本骨格を形成する原材料，重要中間体，最終中間体，最終中間体以降の原材料の管理基準（管理項目，管理値）を適切に設定すること。出発物質の妥当性並びに出発物質における管理項目及び管理値の妥当性については，ICH Q11（原薬の製造と開発）を参考に適切に説明すること。

⑤　「医療用医薬品の製造販売承認申請書等における特定の原薬に係る製造方法の記載簡略化について」（平成21年3月4日薬食審査発第0304018号医薬食品局審査管理課

長通知）の別添1で定められた特定の原薬については，製造方法の記載を簡略化しても差し支えない。なお，製造工程の概略が確認できるよう，製造所情報，製造工程の範囲及び製造方法の流れ図を記載すること（流れ図は別紙（PDFファイル）として添付すること）。

⑥　化成品製剤の製造方法に関する記載については，平成17年2月10日薬食審査発第0210001号の別添2に従って記載すること。承認申請時にパイロットスケールでの標準的仕込量を記載する場合，添付資料に実生産スケールとは異なる旨を明記するとともに，実生産スケールが確定した段階ですみやかに審査担当者に連絡すること。なお，差換え時には実生産スケールでの記載が求められる（GMP適合性調査は実生産スケールで行われるため）ので，スケジュールを考慮した対応が必要となる。

⑦　受入試験工程として，原薬が規格に適合することをいずれの製造所で担保するのか明確となるよう記載すること。

⑧　平成17年2月10日薬食審査発第0210001号の別添2（2．化学薬品製剤の製造方法の承認申請書記載要領）の「用語」を参考に「重要工程」を設定すること。特に，滅菌工程などの重要工程については漏れなく記載すること。重要工程としての設定の要否については，品質に及ぼす影響等に基づいて判断し，添付資料にはその設定根拠を記載すること。

　　なお，審査の過程で重要工程の設定に関して照会があった場合は，申請者が検討の際に収集したデータ等に基づき科学的に説明できるようにしておくこと。

⑨　無菌医薬品について，滅菌条件に関する記載が不明瞭な場合，審査において大きな論点となるため，滅菌条件は「『最終滅菌法による無菌医薬品の製造に関する指針』の改訂について」（平成24年11月9日医薬食品局監視指導・麻薬対策課事務連絡）に従い，適切に設定すること。

⑩　原薬及び製剤の残留溶媒は製造工程や溶媒のクラス及び残留量を加味して，製造方法欄の工程管理又は規格及び試験方法欄の規格値として設定する必要がないか検討すること。なお，「必要なし」とする場合は，実測値等の科学的根拠に基づき説明すること。

　　※申請時に実測値及び分析法バリデーション結果を添付し，規格や工程管理としての設定の要否及び規格値の妥当性について説明すること。

⑪　プレミックス添加剤の製造方法については，平成18年12月14日医薬食品局審査管理課事務連絡のQ6にあるとおり，適切に管理しなければ製剤の品質管理に問題が生じるおそれのある場合等にあっては，審査の過程で記載を指示されることがあるので注意すること。

⑫　滑沢剤（ステアリン酸マグネシウム等）を添加する場合，混合不足による打錠障害

や過混合による被膜の形成が製剤の品質に影響を与えるため，添加後の混合時間を記載すること。

⑬　工程管理として錠剤質量を設定している場合，測定に用いる試料数を記載すること。

⑭　一次包装品の気密性担保のための工程管理を設定する必要がないか検討すること。設定不要と判断する場合，無包装品での苛酷試験等による科学的根拠で説明すること。なお，注射剤の密封性の確認については，目視では不十分であるため，リーク試験を実施すること。

⑮　コンビネーション製品に用いる医療機器については，その承認又は許可情報を明記すること。

＜記載例＞

・一般的名称：○○○○

・販売名：△△△△

・承認（認証・届出）番号：（承認，認証又は届出番号を記載。承認申請中の場合はシステム受付番号）

・承認（認証・届出）年月日：平成××年××月××日

・製造販売業者：□□□□

その他，コンビネーション製品については，次の通知を参考にすること。

・「『コンビネーション製品の承認申請における取扱いについて』の改正等について」
（平成 28 年 11 月 22 日薬生薬審発 1122 第 4 号，薬生機審発 1122 第 10 号，薬生安発 1122 第 7 号，薬生監麻発 1122 第 4 号医薬・生活衛生局医薬品審査管理課長，医療機器審査管理課長，安全対策課長，監視指導・麻薬対策課長通知）

・「コンビネーション製品の承認申請における取扱いに関する質疑応答集（Q&A）について」
（平成 28 年 11 月 22 日医薬・生活衛生局医薬品審査管理課，医療機器審査管理課，安全対策課，監視指導・麻薬対策課事務連絡）

⑯　注射剤のキット製品の場合，剤形分類に「C1ZZ（注射剤その他）」を併記すること。

⑰　新規承認申請後（審査中）に，申請者の都合による原薬の変更等新たな製造所や製造方法の追加及び変更は受け付けられないため，申請前に十分確認すること。

・特に新規申請の場合は，承認取得後に一変申請又は軽微変更届での対応の可能性を検討すること。

・やむを得ない事情がある場合には，審査担当者に相談すること。

ただし，審査終了時期の遅延につながるので十分に留意すること。また，FD 申請書差換え後は，記載整備であっても変更は原則受け付けられないので，提出前に十分確認すること。

⑺ 用法及び用量，効能又は効果

① 先発医薬品の承認事項と同一内容にすること。

② 再審査・再評価結果が公表されているものは，同結果に厳密に適合させること。

なお，再審査結果が未公示の場合には，「再審査結果が公示された際に，同結果に合致すべく適切な措置を講ずる」旨の念書を提出すること（用法及び用量，効能又は効果を追加するための一変申請を行う場合も同様）。これについては，再審査結果状況を確認すること。

③ すでに承認を取得している品目で，上記の①及び②の対応が取られていないものについては，すみやかに適合させるための一変申請を行うこと。

④ 先発医薬品が一変申請により用法及び用量や効能又は効果について追加を行った場合，これらの内容を含む新規又は一変申請の際は，再審査の有無，承認条件の有無，特許の有無について確認を行うこと。

⑻ 貯蔵方法及び有効期間

① 申請区分（10の3）に該当する品目の場合，原則として，有効期間は先発医薬品と同等以上確保されなければならない。

② 有効期間を設定するための安定性試験については，安定性試験の項（p.214〜216）を参照すること。

③ 後発医薬品については，申請区分に応じた安定性に関する資料を申請要件として求めているところではあるが，製剤の承認時点で長期保存試験成績が有効期間を保証する期間まで得られていない場合には，当該期間における安定性を確認するために，承認後も長期保存試験を継続すること。

④ コミットメントに基づく有効期間の延長

承認後に有効期間を延長したい場合，一変申請による有効期間の延長が原則ではあるが，承認審査時点で提出された安定性試験実施に関するコミットメントに従い，承認後に長期保存試験を継続するものについては，当該試験結果に基づき，軽微変更届による有効期間の延長が可能である。ただし，次の点をすべて満たす必要がある。

・承認時点における有効期間が，先発医薬品と同等以上確保されていること。

・承認後も長期保存試験を継続し，有効期間を延長する計画である旨の申請書の備考欄への記載が審査時に認められること。

・審査時に継続中の長期保存試験の成績及び以降の実施計画を提出すること（加速試験成績のみでなく，長期保存試験成績においても経時的な変化が認められないこと等も含めて総合的に判断される）。

軽微変更届提出後，コミットメントに基づく有効期間の延長の妥当性について照会があった場合，すみやかに示すことができるようにしておくこと（参考通知：平成17年2月10日薬食審査発第0210001号）。

⑼　規格及び試験方法

① 「第十八改正日本薬局方原案作成要領について」（平成29年1月18日薬機規発第0118001号独立行政法人医薬品医療機器総合機構規格基準部長通知（一部訂正：平成29年6月30日独立行政法人医薬品医療機器総合機構規格基準部事務連絡））を参考に設定し，記載すること（MFを含む原薬の規格及び試験方法についても同様）。

② 最新の日局収載状況を確認し，日局に収載された場合はすみやかに対応すること。

③ 海外の薬局方等，日局に収載されていない試験方法を採用する場合には，調和されている項目を除き，具体的な試験方法を記載すること。

④ 試薬・試液は可能な限り日局収載品を使用し，やむを得ず日局に規定されていない試薬・試液を使用する場合，「試薬・試液」の項を設けて品質を規定すること。

⑽　原薬の製造所〜製造所情報の記載事項〜

① 製造所情報の記載に間違いがないか，申請/届出前に十分確認すること。

② 原薬の製造所について，ダミー番号を使用する場合は，その妥当性を十分確認のうえ，適切な情報を記載すること。

＜参考＞

・廃止された原薬製造所であるが，製造された原薬を使用した製剤が出荷前のため，記載せざるを得ない場合。

　許可（認定）番号：99 AZ 888888

　許可（認定）番号：平成17年4月1日

・食品・工業用製品等をやむを得ず転用する場合（妥当性が認められた場合に限る）

　許可/認定番号：99 AZ 777777/AG 99977777

　許可（認定）年月日：平成17年4月1日

第5章 医療用後発医薬品－事例に基づく実務説明－ 205

表4．製造所

申請書記載項目

【原薬の製造所】
　【名称】　　　　　　　　　　：○○工場
　【国名コード】　　　　　　　：999（日本）
　【所在地】　　　　　　　　　：東京都機構区2-2
　【許可区分又は認定区分】　　：011（医薬品 一般）
　【許可番号又は認定番号】　　：00 AZ 11111
　【許可年月日又は認定年月日】：2250101（平成25年01月01日）
【原薬等登録番号】
　【原薬等登録番号】　　　　　：226 MF 10999
　【登録年月日】　　　　　　　：2260707
　【原薬等販売名】　　　　　　：ユウコウセイブン
【適合性調査の有無】　　　　　：1 （有）
【適合性調査申請提出予定先】　：13（東京都）

【参考：関連通知等】

・「『医薬品等の承認申請等に関する質疑応答集（Q&A）』について」
　（平成18年4月27日医薬食品局審査管理課事務連絡）のQ3
・「『医薬品等の承認申請等に関する質疑応答集（Q&A）』について」
　（平成19年1月12日医薬食品局審査管理課事務連絡）のQ4

⑾　備考欄

【備考2】については，次のとおりとする。

①　人体に直接使用しない医療用医薬品たる殺菌消毒剤は，「殺虫剤・殺菌消毒剤」の申請区分に従い「殺虫剤」のコードを記載すること。

②　優先審査コードを記載して申請する場合は，その該当性について十分確認すること（誤記等についても確認すること）。

③　新添加剤を含む場合には，新添加物コードを必ず記載すること。

④　承認後にコミットメントに基づき，軽微変更届出にて有効期間を延長することを提案する場合，安定性試験の実施予定及び承認時の有効期間を記載すること。

⑤　医薬品に該当するコンビネーション製品は，「コンビネーション製品」（キット製品に該当する場合は「コンビネーション製品（キット製品）」）と記載すること。また，コンビネーション製品に該当しないキット製品については，「キット製品」と記載すること。

⑥　GMP適合性調査を省略する場合は，その理由（「GMP適合性調査申請の取扱いにつ

いて」（平成 27 年 7 月 2 日薬食審査発 0702 第 1 号，薬食監麻発 0702 第 1 号医薬食品
局審査管理課長，監視指導・麻薬対策課長通知）の記の 1 の(3)のいずれに該当するの
か）を記載すること。

・審査中に GMP 適合性調査の有無を変更する場合は，すみやかに審査担当者に連絡
すること。なお，FD 申請書差換え実施後に GMP 適合性調査の有無を変更すること
は認められない。

・GMP 適合性調査を省略する根拠資料の提出が不十分である場合や，省略理由の記
載がない場合が多いため，注意すること。

⑦　含量違い製剤の溶出試験に基づき，生物学的同等性を評価した場合，「平成 24 年 2
月 29 日審査管理課事務連絡，含量が異なる経口固形製剤の生物学的同等性試験ガイド
ライン，経口固形製剤の処方変更の生物学的同等性試験ガイドライン Q&A の Q 10 に
従い，自社同時申請の○○（販売名）を標準製剤として申請した」旨を記載すること。

表 5．備考

申請書記載項目

【備考 1】
【製造販売業許可】
　　【許可の種類】　　　：1（第一種）
　　【許可番号】　　　　：13 A 1 X 99999
　　【許可年月日】　　　：2250101（平成 26 年 01 月 01 日）
【医療用一般用等の別】：12（医療用（薬価基準））
【先発品承認番号】　　：22000 AMX 11111

【備考 2】
　　【申請区分】　　　　：185（医療用医薬品（10 の 3 ））
　　【優先審査】　　　　：○○○○
　　【新添加物】　　　　：1（有）
　　【安定性試験の継続】：1（安定性試験継続中）
　　【添付資料の有無】　：1（有）
　　【その他備考】
・コンビネーション製品（キット製品）に該当する。
・製剤の安定性試験を 36ヶ月まで実施する予定（承認時
　の有効期間は 24ヶ月）。

⑿　一変申請上の留意点

　一変申請時における承認書及び軽微変更届の写しは，CTD「1.13.1　既承認医薬品に
係る資料」に添付すること。

1）経緯と理由

　一変申請に至った経緯と理由を必ず説明すること。ただし，規格及び試験方法の変更・削除を行う場合には，抽象的な理由を述べるのではなく，十分に検証された結果を基にした説明をとりまとめること。

2）製造方法

　製造方法欄の一変申請にあたっては，申請前に使用する MF の特定と情報の確認をしたうえで申請すること。

① 「登録済み」，「登録申請中」，「登録予定」の情報を明確にすること。
② 登録完了後は，すみやかに審査担当者あてに連絡すること。

3）製造所の追加・変更

　製造所の追加・変更の一変申請において，【製造販売する品目の製造所】又は【原薬の製造所】欄に変更がない（つまり，変更する製造所が含まれない）場合，その大項目については記載を省略して差し支えない。

＜例＞
・原薬の製造所追加，変更の場合　→　【製造販売する品目の製造所】欄は省略可
・製剤の製造所追加，変更の場合　→　【原薬の製造所】欄は省略可

4）標準的事務処理期間に関する取扱い

　「医療用医薬品の承認事項一部変更承認申請に係る標準的事務処理期間の取扱いについて」（平成 21 年 5 月 22 日薬食審査発第 0522001 号医薬食品局審査管理課長通知）に基づく一変申請を行う場合，申請前に当該通知の「3．一変申請における留意点」の(1)の①，②を確認すること（申請書備考欄）。

5）変更に関する申請理由

　一変申請には，正確な新旧対照表を添付し，変更理由を必ず記載すること。また，変更に関する申請理由は，申請書の【備考2】の【その他の備考】に記載すること。

　ただし，製造方法欄に関する新旧対照表の変更前の製造方法は，記載整備後の製造方法を記載すること。

※【備考2】の【その他の備考】に必要事項が記載されているか，十分確認すること。

6）一変申請中に軽微変更届を行う際の注意点

① 審査担当者に相談すること。

② 一変申請と軽微変更届双方の FD 上の大項目が重複していると，後から提出した届出事項に，先に申請し，届出の後に承認される一変申請の承認事項が「上書き」されることになり，届出事項が無効となる。

次に示す内容は一変申請により対応すべき事例であったにもかかわらず，軽微変更届により対応していた事例である。

＜事例１＞有効期間の延長

・以前の審査時にコミットメント適用が可能と判断されていない場合，軽微変更届出での有効期間の延長はできない。

＜事例２＞日局改正に伴う記載整備について

・日局改正に伴う変更手続きについては，各種通知(「第十七改正日本薬局方の制定に伴う医薬品製造販売承認申請等の取扱いについて」(平成 28 年 3 月 31 日薬生審査発 0331 第 1 号医薬・生活衛生局審査管理課長通知)，「第十七改正日本薬局方第一追補の制定に伴う医薬品製造販売承認申請等の取扱いについて」(平成 29 年 12 月 1 日薬生薬審発 1201 第 3 号医薬・生活衛生局医薬品審査管理課長通知) 及び「第十七改正日本薬局方第二追補の制定に伴う医薬品製造販売承認申請等の取扱いについて」(令和元年 6 月 28 日薬生薬審発 0628 第 4 号医薬・生活衛生局医薬品審査管理課長通知) 等) に従い，適切な手続きを行うこと。

・「別に規定する」試験方法について，新たに試験方法を設定する場合は，一変申請を行うこと。ただし，すでに設定されている内容を変更することなく記載する場合については，軽微変更届出で対応可能である。

7）新旧対照表

① 新旧対照表（表 6）は，変更がある大項目について下線や備考欄等を用い，変更点が明確になるよう記載すること（変更がない箇所については一部省略することも可能であるが，製造方法欄において少なくとも連番及び製造所名は省略せずに記載すること）。

② 前回の承認から，軽微変更届出により変更した箇所がある場合は，変更前欄に変更内容が確認できるよう，工夫して記載すること。

第5章 医療用後発医薬品－事例に基づく実務説明－ 209

表6．新旧対照表の一例

項目	変更前	変更後	変更理由・備考
製造方法欄	【連番 001】 　○○製薬株式会社○○工場 　　（変更なし）	【連番 001】 　○○製薬株式会社○○工場 　　（変更なし）	変更なし
	【連番 002】 　●●株式会社●●倉庫 　製造工程の範囲：保管	【連番 002】 　●●株式会社●●倉庫 　製造工程の範囲：保管	（平成○○年○月○日付軽微変更届にて追加）
	【連番 003】 　××製薬株式会社××工場 　原薬カキクケコンは MF 登録番号 217 MF 10 ○○○（平成 19 年 6 月○日第 3 回 MF 登録）の製造方法による。	【連番 003】 　△△製薬株式会社△△工場 　原薬カキクケコンは MF 登録番号 222 MF 10 ○○○（平成 22 年 7 月○日第 1 回 MF 登録）の製造方法による。	製造所の変更
	【連番 004】 　□□製薬株式会社□工場 　　（変更なし）	【連番 004】 　□□製薬株式会社□工場 　　（変更なし）	変更なし
	【連番 005】 　□□製薬株式会社□工場 製造工程の範囲：溶解，pH 調整・定容，ろ過・充てん，滅菌，表示，包装，保管 カキクケコン点滴静注 1 g「□」の製造方法 重要工程 ＜第二工程＞pH 調整・定容工程 ＜第三工程＞ろ過・充てん工程 ＜第四工程＞滅菌工程 ＜第一工程＞～＜第三工程＞ 　　（変更なし） ＜第四工程＞滅菌工程 　充てんしたアンプル最大『3,600 本』を，オートクレーブにて品温 115℃，30 分を担保するようオートクレーブにて"××～××℃，×～×分間"の設定で最終滅菌を行う。 【工程管理 4】 ＜第五工程＞ 　　（変更なし）	【連番 005】 　□□製薬株式会社□工場 製造工程の範囲：溶解，pH 調整・定容，ろ過・充てん，滅菌，表示，包装，保管 カキクケコン点滴静注 1 g「□」の製造方法 重要工程 ＜第二工程＞pH 調整・定容工程 ＜第三工程＞ろ過・充てん工程 ＜第四工程＞滅菌工程 ＜第一工程＞～＜第三工程＞ 　　（変更なし） ＜第四工程＞滅菌工程 　充てんしたアンプル最大『3,600 本』を，オートクレーブにて品温 121℃，20 分を担保するようオートクレーブにて"○○～○○℃，○～○分間"の設定で最終滅菌を行う。 【工程管理 4】 ＜第五工程＞ 　　（変更なし）	変更がない場合であっても，少なくとも連番及び製造所名は記載すること。 滅菌条件等を変更

――――　本一変申請における変更箇所
-------------　平成○○年○月○日付軽微変更届における変更箇所

⒀　申請時の添付資料

　　申請時に添付すべき資料に不足がないよう，関連通知を含め，十分に確認すること。

1 ）添付資料の概要

①　2017（平成29）年3月1日以降の申請より，原則としてCTD形式（eCTDも可）による提出が必須となったため留意すること（CTDが紙媒体の場合，電子媒体もあわせて提出することが望ましい）。また，CTD作成時には，添付すべき資料に不足がないよう「医療用医薬品の承認申請の際に添付すべき資料の取扱いについて」（平成28年3月11日薬生審査発0311第3号医薬・生活衛生局審査管理課長通知）の別添にあるチェックリストにより確認すること（当該チェックリストの確認用欄に記入し，あわせて提出すること）。

②　代替新規申請，小分け申請を含む新規申請及び一変申請の場合も，原則としてCTD形式の添付資料を提出すること。一変申請の場合，変更のない項目は「該当資料なし」と記載することで差し支えない。なお，有効期間の延長等の一変申請では，製造方法や処方の変更がないため，変更点に関連する資料をCTD形式とせず，添付資料として作成することでも差し支えない（ただし，試験結果等に対する考察を添付資料中に記載すること）。

③　eCTDを利用する際は，すべての添付資料をeCTDにて作成すること（一部の資料をeCTDとし，残りの資料を紙媒体のCTDとして提出しないこと）。

④　製剤学的に特殊性を有する製剤，特に放出制御製剤や先発医薬品とは異なる製剤学的工夫・改良が施された製剤では，開発の経緯，製剤設計における検討項目，添加剤の選定理由や配合目的，製造工程に関する説明，容器及び施栓系の選定理由等をCTD「2.3.P.2　製剤開発の経緯」で説明すること。

⑤　原薬の結晶形については，結晶形を判断するに至った根拠とあわせてCTD「2.3.S.3　特性」で説明すること。また，複数のMFを利用する場合は，MFごとに資料を提出すること。

⑥　治験相談を行った場合には，当該相談記録の写しを添付すること。

【参考：関連通知等】
・「医療用医薬品の承認申請の際に添付すべき資料の取扱いについて」
　（平成28年3月11日薬生審査発0311第3号）
・「医薬品の承認申請について」
　（平成26年11月21日薬食発1121第2号）
・「医薬品の承認申請に際し留意すべき事項について」

第 5 章　医療用後発医薬品－事例に基づく実務説明－　211

（平成 26 年 11 月 21 日薬食審査発 1121 第 12 号）

表 7．主な添付資料と CTD の項目

◆**第 1 部（モジュール 1）**
　・1.3　証明書類
　➢　医薬品医療機器法施行規則第 43 条（信頼性の基準）に関する陳述・署名
　➢　製造販売業許可証（写）
　➢　製造業許可証（写）
　➢　MF 登録証（写），MF 利用に関する契約書（写）
　➢　共同開発・製造委託に係る契約書（写）
　・1.4　特許状況
　➢　特許情報に関する資料（「医薬品製造（輸入）承認申請時に添付する特許情報について」（平成 7 年 2 月 9 日薬務局審査課事務連絡）
　・1.8　添付文書（案）
　➢　先発医薬品と異なる部分を明確（赤枠囲み）にした添付文書（案）
　➢　先発医薬品との異同を示した対照表
　　　※添付文書（案）と対照表の電子媒体も添付する。
　・1.13　その他
　➢　既承認医薬品に係る資料
　➢　治験相談記録（写）
　➢　その他の資料：PMDA への提出資料
　　　●承認申請書の製造方法欄の目標値/設定値等に関する一覧表
　　　●新添加物に関する提出資料
　➢　その他の資料：厚生労働省への提出資料
　　　●安定性試験の実施に関する資料（陳述書）
　　　●再審査に係る念書（再審査結果未公示の場合）

◆**第 2 部（モジュール 2）：品質・非臨床・臨床**
　・第 3 ～ 5 部の概括評価

◆**第 3 部（モジュール 3）：品質**
　・分析法バリデーション報告書及びロット分析報告書
　・安定性試験報告書

◆**第 4 部（モジュール 4）：非臨床**
　・非臨床試験報告書

◆**第 5 部（モジュール 5）：臨床**
　・治験総括報告書
　・溶出試験報告書
　・分析法バリデーション報告書及び実試料分析報告書，並びにそれらの結果要約

※各報告書に試験実施年月日の記載や，試験実施責任者の署名があるか確認すること。

2）作成にあたっての留意事項

① 申請時に必要な添付資料が提出されていない場合，すべての資料が提出されるまで審査に着手できないので，提出漏れがあった場合は，1週間以内に提出すること。

② 一変申請に際しては，変更内容に応じた資料を提出すること。

③ 申請資料は，医薬品医療機器法施行規則第43条（申請資料の信頼性の基準）に基づき，誤記等がないよう正確に作成し，申請者の責任において申請前に十分確認すること（類似した別品目の資料が添付されていたり，FD申請書に別品目の販売名が記載されているケースが散見される）。

④ 効率的な審査の実施のため，試験結果に対する考察（申請者の見解）を記載し，結果の概要が把握できる資料とすること。例えば，安定性試験成績に関し，製剤全体としての経時的変化が明確になるよう，項目ごとにページを分けて記載するのではなく，一覧表にまとめて温度や湿度による製剤への影響等を説明すること。

3）提出にあたっての留意事項

資料の提出にあたっての留意事項は，次のとおりである。必要な情報の的確な把握と効率的な審査が可能となるよう，明瞭な資料を作成すること。

① 提出にあたっては，左側に2穴を開けて頁を綴じ，頁番号と目次を付すこと。また，項目ごとにタイトルを記載するとともに項目名のタグを付けてファイリングすること。なお，1冊にすると厚くなる場合は分冊し，各冊子に含まれる部・項目の範囲等を明記すること。

② 含量違い製剤を同時申請する場合，添付資料は含量違い製剤ごとではなく，1つにまとめて作成し，含量違い製剤間で異なる点が明確となるよう記載すること（異なる箇所や同一の箇所の把握のために，複数の資料を見比べなければならない資料構成は避けること）。

③ 業務の効率化のため，申請資料の電子媒体での提出について協力いただきたい（電子媒体での提出の際は，提出前にウイルスチェックを実施すること）。

4）規格及び試験方法

① 実測値・分析法バリデーション

・原薬及び製剤の実測値については，3ロット（1ロットにつき原則3試料）の測定データを提出し，資料中に製造年月日，製造スケール，製造場所等の情報を記載すること。

・原薬のうち，日局及び日本薬局方外医薬品規格（局外規）収載品については原則実測値を提出する必要はないが，「別に規定する」項目は，規格設定の有無にかか

わらず提出が必要である。

・一変申請において，原薬又は製剤の規格及び試験方法を変更する場合，原薬又は製剤に係る実測値を提出すること。また，製造方法等の変更にともない，規格及び試験方法の変更が必要であると審査の過程で判断された場合にも，実測値を提出すること。なお，当該資料は書面適合性調査の対象であり，手数料区分は GGA となる。

・一変申請において，製造方法又は製造所の変更もしくは追加を含む場合（製造所変更迅速審査を除く），原薬又は製剤に係る実測値を提出すること。これについては，書面適合性調査は不要であり，手数料区分は GGB で差し支えない。

② 不純物・残留溶媒の管理

・不純物及び残留溶媒の管理は各種ガイドライン（ICH Q3A（原薬の不純物），Q3B（製剤の不純物），Q3C（残留溶媒）等）に準じて管理すること。

・日局収載医薬品の残留溶媒の管理については，次の通知に基づき設定すること。
「日本薬局方収載医薬品に係る残留溶媒の管理等ついて」
（平成 27 年 11 月 12 日薬生審査発 1112 第 1 号医薬・生活衛生局審査管理課長通知）
「日本薬局方収載医薬品に係る残留溶媒の管理等に関する質疑応答集(Q&A)について（その 1）」
（平成 27 年 11 月 12 日医薬・生活衛生局審査管理課事務連絡）
「日本薬局方収載医薬品に係る残留溶媒の管理等に関する質疑応答集(Q&A)について（その 2）」
（平成 28 年 6 月 3 日医薬・生活衛生局審査管理課事務連絡）

・安全性確認の必要な閾値を超え，かつ先発医薬品の管理と異なる場合は，安全性に関する資料（遺伝毒性試験，一般毒性試験等の成績）を提出すること。

・規格及び試験方法の設定を行わない場合でも，実測値や分析法バリデーションを提出し，原薬の特性や製剤化でのリスク分析等の観点から，適切な管理が行われていることを説明するとともに，設定を不要と判断した根拠を説明すること。なお，その場合も承認後に製造方法や製造場所等，さまざまな変更が生じることが考えられるので，製品ライフサイクルを通じて品質の恒常性を担保できるよう，自社において判定基準を設定しておくこと。

・複数の製造所で製造された原薬を使用する場合，製造所（製造工程）ごとに不純物及び残留溶媒の実測値を提出し，製剤に使用する原薬として適切に管理されていることを説明すること。

③ 類縁物質の管理

・原薬及び製剤について，製造工程から理論的に想定される類縁物質をすべて列挙
し，検討された試験方法での検出の可否，実測値等を示すこと。

・定量法や溶出試験の試験条件に，類縁物質の影響がないことを分析法バリデー
ション（特異性）にて検討すること。

・想定される類縁物質の検討が不十分な場合，審査の遅延につながるため，申請前
に十分検討すること。

④ 設定根拠

・試験方法の設定根拠及び規格値の妥当性については，具体的な検討内容及び結果
を示したうえで，申請者の見解を説明すること。

・想定される不純物の確認等が不十分な場合，審査の遅延につながることになるの
で，申請前に十分検討すること。

⑤ 性状における割線

・先発医薬品の用法・用量や臨床使用実態等をふまえ，割線の必要性については適
切に判断すること。

・割線の有無については，添付文書（案）の図又は製剤写真により説明すること。

・割線を有する医薬品については，分割後の含量均一性，溶出性及び各種安定性を
担保する必要があること。

・医療用配合剤への割線の付与は認められない。

⑥ 適否の判断基準としない性状の記載

・参考情報である適否の判定基準としない「性状」の項目（溶解性等の情報）につ
いては，「適否の判断基準としない参考情報：○○」と記載すること（「医薬品の
製造販売承認書と製造実態の整合性に係る点検に関する質疑応答集（Q&A）につ
いて（その4）」（平成28年4月11日医薬・生活衛生局審査管理課事務連絡）の
No.1を参考にすること）。

5）安定性試験

① 関連通知等

平成28年3月11日薬食審査発0311第3号の記の4「安定性に関する資料の取扱
い」に基づく。

・「医薬品の製造（輸入）承認申請に際して添付すべき安定性試験成績の取扱いにつ
いて」（平成3年2月15日薬審第43号薬務局審査課長，新医薬品課長通知）又は
「安定性試験ガイドラインの改定について」（平成15年6月3日医薬審発第
0603001号医薬食品局審査管理課長通知），「安定性データ評価に関するガイドラ
インについて」（平成15年6月3日医薬審発第0603004号医薬食品局審査管理課

長通知）のどちらかに従って資料を作成すること。

② 新規申請

・製剤の安定性試験に関する資料として，加速試験成績が必要となる。ただし，長期保存試験の途中の申請に係る取扱いであり，審査の過程で長期保存試験成績の提出が求められた場合に対応できるよう，遅くとも加速試験と同時に長期保存試験を実施しておくこと。特に先発医薬品にない含量違い製剤，結晶形が異なる原薬を使用した製剤，冷所保存製剤等については提出が必要となるため，申請時から添付すること。

・安定性試験の実施にあたっては，3ロット以上の基準ロット製剤を検体とすること（基準ロットの設定については「安定性試験ガイドラインの改定について」（平成15年6月3日医薬審発第0603001号医薬局審査管理課長通知）の「2.2.3.ロットの選択」を参考にすること）。また，基準ロットのうち2ロットは，パイロットプラントスケール以上のロットとすること。

・加速試験により3年以上の安定性が推定されない製剤や，既承認製剤にない剤形追加における安定性の評価は加速試験成績のみでは認められない。長期保存試験を実施し，申請時に少なくとも12ヵ月の試験成績を提出すること。

・長期保存試験成績に基づき有効期間を設定する場合においても，輸送中に起こりうる貯蔵方法からの短期的な逸脱の影響を評価するため，加速試験成績をあわせて提出すること。

・複数の結晶多形が知られている原薬を使用する場合は，製剤の製造工程中や安定性試験において，その結晶構造の挙動を確認しておくこと。

・原薬についても安定性試験データを考慮し，有効期間又はリテスト期間を設定すること。

・開発段階において原薬の光安定性を確認するとともに，必要に応じて申請製剤についても光安定性試験の実施を検討すること。また，申請製剤の光安定性試験を実施する場合は，「新原薬及び新製剤の光安定性試験ガイドラインについて」（平成9年5月28日薬審第422号薬務局審査課長通知）を参考に試験条件を設定すること。

・水を基剤とする製剤であって，半透過性の容器を用いるものについては，安定性試験において物理的，化学的，生物学的及び微生物学的安定性に加えて，予想される水分の損失についても評価するため，平成15年6月3日医薬審発第0603001号通知の「2.2.7.3.　半透過性の容器に包装された製剤」を参考に安定性試験条件を設定すること。

③ 一変申請

製造方法を変更する場合，次の事項を記載した「安定性試験の実施に関する資料」を提出する。

・申請者の責任により，承認書に規定されている安定性を裏付けるデータを確認することに関する陳述。

・今後適切に安定性のモニタリングを実施していくことに関する陳述。

・実施済み又は実施予定の試験の保存条件，開始時期，試験期間，試験項目及び試験時期。

処方変更や容器の変更等，旧法下から安定性試験成績の提出が求められていた変更事例については，従来どおり安定性試験成績の提出が必要である。また，規格及び試験方法の変更等，製造方法又は製造所が変更されない場合は，安定性に関する資料の提出は必要ないが，審査の過程で求められた際には提出すること。

④　安定性試験に関する一般的な留意点（申請中における長期保存試験成績の追加提出）

・継続中の長期保存試験については，測定時期ごとの提出予定時期を添付資料に記載し，結果が得られた時点で申請者自らがすみやかに提出すること。

・標準的審査期間を考慮し，有効期間を担保できる安定性試験成績を提出すること。

・審査の過程で，継続中の長期保存試験成績を追加提出する場合，審査期間を考慮のうえ，遅くとも申請書差換え期日前の適切な時期（差換え期日の1ヵ月前）までに提出すること。なお，申請書差換え期日以降は，有効期間の設定変更はできないので注意すること。

・長期保存試験成績に加え，加速試験成績を利用して有効期間を設定する場合，長期保存試験成績を追加提出する際に有効期間の推定に係る結果を改めて提出すること。

・申請時に必要な安定性試験成績が提出されていない場合，審査に着手できないため，留意すること。

6）生物学的同等性試験

①　生物学的同等性試験ガイドライン（平成24年2月29日薬食審査発0229第10号）

・「後発医薬品の生物学的同等性試験ガイドライン」

・「含量が異なる経口固形製剤の生物学的同等性試験ガイドライン」

・「経口固形製剤の処方変更の生物学的同等性試験ガイドライン」

・「剤形が異なる製剤の追加のための生物学的同等性試験ガイドライン」

【参考：関連通知】

・「経口固形製剤の製法変更の生物学的同等性試験に係る考え方等について」

（平成 25 年 4 月 19 日医薬食品局審査管理課事務連絡）

・「吸入粉末剤の後発医薬品の生物学的同等性評価に関する基本的考え方について」
（平成 28 年 3 月 11 日医薬・生活衛生局審査管理課事務連絡）

・「点眼剤の後発医薬品の生物学的同等性試験実施に関する基本的考え方について」
（平成 30 年 11 月 29 日医薬・生活衛生局医薬品審査管理課事務連絡）

② Q&A（平成 24 年 2 月 29 日医薬食品局審査管理課事務連絡）

・「後発医薬品の生物学的同等性試験ガイドライン Q&A」

・「含量が異なる経口固形製剤の生物学的同等性試験ガイドライン，経口固形製剤の処方変更の生物学的同等性試験ガイドライン Q&A」

・「剤形が異なる製剤の追加のための生物学的同等性試験ガイドライン Q&A」

・「医療用配合剤の後発医薬品の生物学的同等性試験について Q&A」

・「含量が異なる医療用配合剤及び医療用配合剤の処方変更の生物学的同等性試験について Q&A」

③ 生物学的同等性を評価するためのデータパッケージ

・後発医薬品の開発において，生物学的同等性試験は検証試験であるため，予試験及び本試験の目的を十分理解したうえで，生物学的同等性を評価するためのデータパッケージを構築すること。

・同等性を判定するうえで十分な症例数で試験を行うこと。十分な症例数で検討されていない場合，仮に同等性が示されたとしても，偶発的な結果であることが否定できないので留意すること。

・本試験の症例数は予試験の結果に基づいて設定し，例数追加試験の症例数は本試験の結果に基づいて設定すること（既存の情報に基づき，適切な試験デザイン及び症例数の設定が可能な場合，予試験を実施せず，本試験を実施して差し支えない）。

・予試験のみで先発医薬品との同等性が示され，本試験を実施しない場合は，当該試験デザインが適切であり，偶発的な結果ではないことを申請時に詳細に説明すること。

・予試験において同等性が示せず，さらに本試験を実施する場合には，少なくとも予試験結果から算出された適切な被験者数での実施が必要となること。

・予試験を実施しない場合で，本試験の被験者数や採血ポイントの設定根拠が明確でない生物学的同等性試験については，試験結果の成否にかかわらず，適切な評価が行われていたかどうかが審査時に重要な論点となるので留意すること。

・経口固形製剤で溶出挙動が類似し，かつ生物学的同等性パラメータの対数値の平均値の差が $\log (0.90) \sim \log (1.11)$ である場合に同等と判断できるのは，本試験

で20例以上，本試験及び追加試験を合わせて30例以上の場合に限られる（このため，この判定基準は予試験には適用できない）。これらを下回る症例数の場合では，同等とは判断されないので注意すること。

④ 同等性の評価方法・判定基準

・客観的な指標に基づき評価すること。ガイドラインによらない評価方法を採用した場合は，試験及び評価方法（判定基準等）の設定根拠及び妥当性について科学的に説明すること。

・あらかじめプロトコールに規定した方法により判定すること（規定した判定基準を満たさない場合，同等性が確認されたとは判断できない。また，あらかじめプロトコールに規定した方法であっても，設定自体が適切ではない場合は，同等性が保証されたとは判断できない）。

・判定値について，90％信頼区間にて判定する場合は，統計学的に母数が規定された信頼区間の範囲に入るか否かという考え方であるため，判定値を四捨五入することは不適切である。なお，平均値の差で判定する場合については，判定値を四捨五入しても差し支えない。

・生物学的同等性試験については，ヒトを対象とする試験により評価を行うことが基本であり，ヒトへの外挿性が公知でない場合は，原則として動物試験による評価は認められない。動物による同等性試験を実施する場合には，その妥当性について，事前に対面助言を利用すること（特殊なDDS製剤等の場合，同等性担保のため，補完的に動物による同等性試験の実施が必要になる可能性もある）。

・内因性物質を評価指標とする場合は，薬剤投与前後の差（ベースラインからの変化量又は変化率）を評価すること。

・C_{max}を評価するための測定ポイントが適切に設定されていないケース（投与後はじめて定量下限以上になった測定時点においてC_{max}を示した被験者等）が見受けられるため，測定ポイントについては被験者間のt_{max}のばらつき等も考慮し，適切に設定すること。

・生物学的同等性試験においてクロスオーバー法を選択する場合は，先発医薬品の公表情報等を参考に，十分な休薬期間を設定する必要がある。休薬期間の妥当性は，ガイドラインに記載されている「消失半減期の5倍以上」のみではなく，適切な根拠に基づき説明すること。

・放出調節製剤や持続性注射剤等においてPartial AUCの同等性評価を求めるケースがあるため，必要に応じて対面助言を活用すること。

・特殊製剤の同等性評価においては，ヒト生物学的同等性に加え，製剤学的同等性を示す必要がある。そのため，ヒト生物学的同等性試験実施前に，製剤学的同等

性試験について対面助言を活用すること。

⑤ 試験製剤の製造スケール

・生物学的同等性試験の実施にあたっては，スケールファクターも十分考慮して試験を行うこと。なお，実生産スケールで製造した試験製剤を用いての試験実施が望まれる製剤には，次のようなものがある。

例：リポソーム製剤，マイクロスフェア製剤，吸入剤　等

・実生産スケール以外の場合，スケールファクターの影響をさまざまなレベルで確認すること。

例：製造方法，*in vitro* 試験，*in vivo* 試験　等

・承認直後にスケールアップするケースが見受けられるが，単に規格試験に適合していることを確認するのみではなく，スケール変更の影響をさまざまなレベルで検討すること。

⑥ 生物学的同等性試験が免除される製剤

・使用時に完全に溶解した（水溶液である）静脈注射用製剤については，生物学的同等性試験が免除されるが，静脈内投与以外（例えば，動脈内投与，皮下投与等）の用法・用量を有する後発医薬品を新規又は一変申請する場合は，原則として生物学的同等性試験は免除されない。

・水性点眼剤においても，平成 30 年 11 月 29 日医薬・生活衛生局医薬品審査管理課事務連絡の別添の 4 .の考え方に基づく申請の場合，同等性試験が免除される場合がある。

・同等性試験を実施しない場合には，その妥当性について事前に対面助言を利用すること。

⑦ 治験届

・治験届については医薬品医療機器法施行規則第 268 条及び医薬発第 0515017 号通知により，治験の計画の届出をする場合が規定されており，後発医薬品の生物学的同等性試験においても届出が必要な場合があるので注意すること。

⑧ 併合解析

・併合解析により生物学的同等性を示す場合は，各試験結果についての考察を示したうえで，併合解析の妥当性を十分に検討し，申請資料において説明すること。

・追加試験による併合解析を前提に，例数不足の本試験を実施していた申請が多く見受けられる。しかし，先述したように後発医薬品の開発において，生物学的同等性試験は検証試験であるため，予試験，本試験の位置づけを考慮し，特に本試験においては 1 回の試験で結論が得られるように例数設計を行うとともに，適切な試験デザインによって試験を実施する必要がある（併合解析を前提とした本試

験の例数設計は，適切ではない）。

・併合解析を行う場合，予試験を利用するか，例数追加試験を実施するかについては，いずれかを選択し，あらかじめプロトコールに規定しておくこと。なお，例数追加試験の被験者数は，本試験の結果に基づき設定すること。

⑨　溶出試験

・溶出挙動に関し，その類似性又は同等性を f_2 関数により判定する場合，算出に用いる溶出率の比較時点（$T_a / 4$，$2 T_a / 4$，$3 T_a / 4$，T_a）は内挿法による推定値ではなく，原則としてその近辺のサンプリングポイントの実測値とすること。

・溶液中で有効成分が分解する製剤（特に腸溶性製剤）の溶出試験について，適切な評価ができているかを十分に検討すること（必要に応じて対面助言を活用すること）。

⑩　複数含量を有する製剤

・生物学的同等性試験では，原則，高含量製剤を標準製剤とする（「含量が異なる経口固形製剤の生物学的同等性試験ガイドライン，経口固形製剤の処方変更の生物学的同等性試験ガイドライン Q&A」）が，安全性上の問題（副作用）や，製剤間差の検出感度の問題（血中薬物濃度の飽和等）等の適切な理由があり，かつ含量違い製剤の同等性評価に影響しない場合は，その他の含量の製剤を標準製剤とすることを検討すること（その際は，添付資料に標準製剤の設定根拠を記載すること）。

・含量違い製剤間の溶出性を比較する場合，溶出率を判定基準とするため，標準製剤と試験製剤の含量を同一とする必要はなく，例えば，50 mg 錠 1 錠と，100 mg 錠 1 錠を直接比較することは可能である（50 mg 錠 2 錠と 100 mg 錠 1 錠のように，同一用量としなくても良い）。なお，複数錠を用いて溶出試験を実施する場合には，その妥当性について説明すること。

・複数の溶出試験条件で十分な溶出が認められない製剤について，「含量が異なる経口固形製剤の生物学的同等性試験ガイドライン」を適用（ヒト生物学的同等性試験を実施せず，溶出試験のみで生物学的同等性評価を行うこと）することの妥当性は，審査上の論点となるため，含量違い製剤間の処方変更内容から，当該評価方法が適切であるかについて説明すること。

・配合剤（単層錠）の処方変更における程度の計算については，複数の有効成分をまとめて 1 つの有効成分とみなすことはできない（計算方法は生物学的同等性試験ガイドラインを参照すること）。

⑪　点眼剤

・平成 30 年 11 月 29 日医薬・生活衛生局医薬品審査管理課事務連絡に従って，実生

産スケール又は実生産スケールを反映した適切なスケールで製造された製剤を用いて試験又は評価を実施すること。

・先発医薬品と後発医薬品の物理化学的性質の評価又は比較を行う場合には，評価に用いる項目，分析方法，試験検体の選定について，その根拠及び妥当性を十分に説明すること。

⑫ 局所皮膚適用製剤

・局所皮膚適用製剤については，本試験に先立ち，定常状態に達する時間を検討する予試験を行い，本試験における製剤適用時間を設定するとともに，その設定根拠を記載すること。特に剤形追加の場合は慎重に検討すること。

⑬ 生体試料中薬物濃度分析法バリデーション（BMV）

次の通知を参照すること。

・「『医薬品開発における生体試料中薬物濃度分析法のバリデーションに関するガイドライン』について」

（平成 25 年 7 月 11 日薬食審査発 0711 第 1 号医薬食品局審査管理課長通知）

・「『医薬品開発における生体試料中薬物濃度分析法のバリデーションに関するガイドライン質疑応答集（Q&A）』について」

（平成 25 年 7 月 11 日医薬食品局審査管理課事務連絡）

・「『医薬品開発における生体試料中薬物濃度分析法（リガンド結合法）のバリデーションに関するガイドライン』について」

（平成 26 年 4 月 1 日薬食審査発 0401 第 1 号医薬食品局審査管理課長通知）

・「『医薬品開発における生体試料中薬物濃度分析法（リガンド結合法）のバリデーションに関するガイドライン質疑応答集（Q&A）』について」

（平成 26 年 4 月 1 日医薬食品局審査管理課事務連絡）

なお，後発医薬品承認申請を対象とした BMV に係る添付資料の作成については，日本ジェネリック製薬協会より記載事例が公開されているので，あわせて参照すること。

・「後発医薬品に係る CTD 第 5 部(モジュール 5)『医薬品開発における生体試料中薬物濃度分析法のバリデーションに関するガイドライン』に基づく資料記載例（モックアップ）第二版　作成について」

（平成 28 年 8 月 19 日本ジェネリック製薬協会　BMV ワーキンググループ）

⑭ ペプチド製剤の開発

・ペプチド製剤（化学合成品（化成品）を含む）に関しては，類縁物質も生物活性を有することが想定されるため，ヒト生物学的同等性試験を実施する前に，品質特性に関する同等性/同質性について慎重に検討する必要がある（必要に応じて対

面助言等を活用すること）。なお，品質特性に関する同等性/同質性については，「バイオ後続品の品質・安全性・有効性確保のための指針」（平成21年3月4日薬食審査発第0304007号医薬食品局審査管理課長通知）を参照すること。

⑮ その他

安全性に注意が必要な医薬品の生物学的同等性試験については，健康成人を対象とした単回投与試験であっても，被験者の安全確保の観点から，事前に対面助言を利用し，安全性管理の十分性について相談すること。

7) 添加剤について

① 留意事項

・添加剤については，原則日局収載品を使用すること。

・申請製剤に配合する添加剤の使用前例等の情報を示し，新添加剤に該当しないことを説明すること。

・添加剤の名称，配合目的及び配合量が「医薬品添加物事典の範囲内にある」，「他の医薬品での使用前例がある（具体的な情報を挙げる）」などの情報をとりまとめ，添付資料中で説明すること（審査時の照会事項として指摘された場合にも使用前例が示せるよう開発段階から調査し，必要であれば簡易相談で具体的な使用量を提示して相談するなど，申請前に使用前例を確認しておくこと）。

② 新添加剤の該当性

・使用前例のない添加剤を配合する場合や，使用前例があっても投与経路が異なる又は前例を上回る量（外用剤の場合は投与量及び濃度）を使用する場合は新添加剤となるため，当該添加剤の品質，安全性等に関する資料を提出すること。

・新添加剤に該当しない場合であっても，具体的な使用前例を挙げ，該当しない旨を記載すること。

（例1）

○○（製品名称）の△△（配合目的）としての1日投与量×mg（配合量）は，「医薬品添加物事典」の範囲内である。

（例2）

○○（製品名称）の△△（配合目的）としての1日投与量×mg（配合量）は，□□錠（前例となる製品の販売名）での使用前例がある。

・既承認医薬品等の添加剤の中には，個々の製剤で限定された条件下においてのみ使用可能と判断されたものがあり，これらの使用事例は一般的な前例として取り扱うものではないため注意すること。なお，特定の製剤に限定して承認された添加剤を，当該製剤の後発医薬品の添加剤として用いる場合は，その添加剤の使用

目的が先発医薬品と同様であり，製剤の機能が先発医薬品と同等に保たれるのであれば，前例と考えて差し支えない*。

*「特定の製剤や特定の条件下においてのみ使用が認められた添加物の取扱いについて」（平成21年6月23日医薬食品局審査管理課事務連絡）
「特定の製剤や特定の条件下においてのみ使用が認められた添加物リスト」（PMDAホームページ）
https://www.pmda.go.jp/review-services/drug-reviews/pharmaceutical-excipients/0001.html

③　プレミックス

＜構成成分＞

・成分，組成，分量欄に構成する個々の成分の情報（名称，規格，配合量等）を記載すること。

・個々の成分を分離定量できない場合，各成分の配合比を別紙規格中の製造方法欄に記載すること。

＜別紙規格＞

・プレミックス添加剤として必要な規格は，別紙規格欄に記載すること。

・プレミックスとしての確認試験，定量法等の必要な規格を設定し，当該規格に係る資料を提出すること。

・公定書規格に適合するなど，成分ごとに管理項目がある場合（個々の成分で管理を行っている場合），それらが明確となるよう記載すること。

④　製剤の機能を担保するうえで重要な添加剤

・特殊製剤において，製剤の機能を担保するうえで重要な添加物（放出特性を制御する添加剤，リポソーム基剤等）は，新添加剤の該当性によらず，当該添加剤の品質に関する資料（実測値，分析法バリデーション，安定性等）を提出すること。また，製剤の機能が保証されるよう，公定書の規格だけではなく，試験方法や規格値を別途設定する必要性について検討すること。

⑤　原産国記載の撤廃

乳及び骨由来ゼラチン（コラーゲンを含む）の原産国記載が撤廃されたことに伴う変更手続き（原産国の削除）は，軽微変更届出，あるいは他の理由による一変申請又は軽微変更届出を行う機会がある時にあわせて手続きすることで差し支えない（ただし，原産国の変更等があった場合には，必ずそのタイミングで対応すること）。

⑥　1日最大使用量算出のための換算係数

・新規申請及び一変申請のうち，添加剤の成分や使用量に変更が生じる場合（承認書の成分・分量，投与経路，用法及び用量等に変更が生じる場合）が対象となる。このようなケースでは，換算係数等の必要情報を記載したCSVファイルを作成し，提出すること。

・算出方法，CSVファイルの作成方法，提出時期及び提出方法については，PMDA

ホームページの医薬品添加剤のサイトを参照すること*。

*「医薬品添加剤の1日最大使用量算出のための換算係数等提出について」(平成28年10月7日薬機審マ発第1007001号独立行政法人医薬品医療機器総合機構審査マネジメント部長通知)
https://www.pmda.go.jp/review-services/drug-reviews/pharmaceutical-excipients/0001.html

8) MF 利用

① 原薬の規格及び試験方法は，原則，申請者が提出すること（通例，開示情報である）。

② MF の開示情報を利用する場合は，原則として申請者が回答する。

③ 残留溶媒や類縁物質の管理等，申請者と MF 登録業者の情報共有が十分になされていない場合，審査の遅延につながるので留意すること。また，同一原薬として複数の MF を利用する場合，それぞれの MF について残留溶媒や類縁物質の管理等が適切であるかを確認すること。

④ MF 登録証の写し及び契約書の写しを添付資料として提出すること。

⑤ MF 登録申請中の場合，申請者は登録完了後すみやかに MF 登録番号等を FD 申請書に反映させること。

⑥ MF 登録事項のうち，審査が行われるのは，原則として，製造販売承認申請に用いられる項目のみであり，全登録情報が審査されるわけではない。

⑦ MF の登録内容の審査及び確認は，その MF を引用した製剤の申請がある場合，そのつど実施される。つまり，以前に当該 MF の審査が他製剤の申請において行われたとしても，新たにその時の科学水準等により何度でも審査及び確認されることとなるので注意すること。

⑧ 審査中に MF に係る軽微変更届出や変更登録申請を行う予定がある場合，審査の進捗に影響をおよぼすため，申請者から早急に審査担当者へ連絡すること。

⑨ MF 登録回数の承認申請書への記載は不要である。

9) 安全確保措置

① 承認条件
・承認時に先発医薬品に承認条件が付されている（承認条件が解除されていない）場合，後発医薬品でも同様の条件が付される。
・承認の前提として，承認条件の履行が要件となる（個々の製造販売業者に履行義務がある）。
・添付資料には，承認条件の履行に係る具体的な方策を記載すること。
・承認条件によっては，製造販売後調査等の実施計画書の提出を求める場合がある。

② 適正使用確保のための資材
・安全管理上必要な場合，先発医薬品と同様の患者向け又は医療従事者向けの資材の作成・配布を行うこと。
・取り違い等の医療事故防止のための資材が必要な場合もある。
・添付資料として，具体的な資材案を提出すること。

10) 後発医薬品への RMP（医薬品リスク管理計画）適用

① 参考通知
・「医薬品リスク管理計画の策定について」（策定通知）
（平成 24 年 4 月 26 日薬食審査発 0426 第 2 号，薬食安発 0426 第 1 号医薬食品局審査管理課長，安全対策課長通知(一部改正：平成 25 年 3 月 4 日薬食審査発 0304 第 1 号，薬食安発 0304 第 1 号，平成 29 年 12 月 5 日薬生薬審発 1205 第 1 号，薬生安発 1205 第 1 号))
・「医薬品リスク管理計画書の公表について」
（平成 25 年 3 月 4 日薬食審査発 0304 第 1 号，薬食安発 0304 第 1 号医薬食品局審査管理課長，安全対策課長通知(一部改正：平成 30 年 10 月 29 日薬生薬審発 1029 第 1 号，薬生安発 1029 第 1 号))
・「医薬品リスク管理計画指針の後発医薬品への適用等について」
（平成 26 年 8 月 26 日薬食審査発 0826 第 3 号，薬食安発 0826 第 1 号医薬食品局審査管理課長，安全対策課長通知)
・「医薬品リスク管理計画に関する質疑応答集（Q&A）について」
（平成 29 年 12 月 5 日医薬・生活衛生局医薬品審査管理課，医薬安全対策課事務連絡）
② 後発医薬品における RMP 指針の適用範囲
・医薬品リスク管理計画書が公表通知に基づき，公表されている先発医薬品に対する後発医薬品のうち，「効能又は効果」等が先発医薬品と同一のものの承認申請を行おうとする時点。
・医薬品の製造販売後において，新たな安全性の懸念が判明した時点。
・適用範囲については，平成 29 年 12 月 5 日医薬・生活衛生局医薬品審査管理課，医薬安全対策課事務連絡を参照すること。
③ 様式，提出等の取扱い
・原則として，策定通知の内容を適用する（承認申請時及び承認後の提出等，取扱いが異なる点については，別途平成 26 年 8 月 26 日薬食審査発 0826 第 3 号，薬食安発 0826 第 1 号通知にて規定）。

・様式は新薬等と共通とし，安全性検討事項等の選定理由ならびに安全性監視活動，リスク最小化活動の選定理由についても，先発医薬品の RMP を参考にしつつ，適宜最新の情報をふまえ，後発医薬品製造販売業者としての考え方を記載すること。なお，公表されている RMP 及び RMP の記載事例については，PMDA のホームページを参照すること。

・先発医薬品の RMP が更新された場合は，平成 29 年 12 月 5 日医薬・生活衛生局医薬品審査管理課，医薬安全対策課事務連絡の Q 30 に従い，適切に対応すること。

11）共同開発

① 同時申請

＜留意点＞

・共同開発グループの構成員の 1 人が資料を作成し，共同で資料を提出しているため，FD 申請書の【添付資料の有無】は「有」となり，手数料コードは GBA（書面適合性調査「有」）となる。

・書面適合性調査の送付書は，資料を作成した共同開発グループの構成員から提出し，すべての構成員の販売名及びシステム受付番号を記載する。他の構成員からの提出は要さないが，他の構成員は共同開発グループの構成員より提出する旨を記載した回答書を提出すること。

＜添付資料＞

証明書類，その他の資料の一部は，構成員（申請者）の代表が各構成員分をまとめて提出するか，各構成員がそれぞれ提出する。

・共同開発契約書（写）

・医薬品医療機器法施行規則第 43 条に適合する旨の陳述書

・製造販売業許可証（写），製造業許可証（写）

・MF 利用に関する契約書（写），MF 登録証（写）

・特許に関する資料

・再審査に係る念書（再審査結果未公示の場合）

② 小分け

＜製造委託（小分け）＞

・既承認製剤（親）と原薬，製剤処方，製造所が同一（又は範囲内）で，実質的に同一の製剤であるもの。

・包装・表示工程等の一部の製造工程が親と異なる場合を含む（一部製造委託）。

＜添付資料＞

・親の承認書（写）

・添付資料（写）（一変申請を含む）

・軽微変更届出（写）

・親との共同開発（製造委託）に係る契約書（写）

・実測値（一部製造委託の場合）

＜適合性調査＞

・書面適合性調査は，一部製造委託の場合に必要である。

・GMP 適合性調査は，原則として必要である。

＜親が一変申請中の取扱い＞

・効能・効果，用法・用量は親の一変内容を反映して申請できる。

・その他の一変内容は，原則として反映しない（親の承認後に対応する）が，やむを得ない事情がある場合には，すみやかに審査担当者に相談すること。

表8．小分けに係る取扱いの事例

事例	製造場所	製造方法	実測値	安定性	生物学的同等性	[書面]適合性調査	[GMP]適合性調査
その1	親と同一	親と同一	写し※1	写し※1	写し※1	不要	要※2
その2	親と一部が異なる※3	親と同一	要	写し※1	写し※1	要	要※2
その3	子の簡略記載部分を親が一変したときに，子が親と同様の承認事項に変更する場合		写し※1	写し※1	写し※1	不要	要※2

※1：親の承認書と承認審査を受けた添付資料の写し，契約書等の写し

※2：他社の GMP 適合性調査結果の写しをもって，該当する製造所の調査を不要としても可

※3：一部の製造（包装（充填）工程等）を親となる製造所で行う（親の製造所を併記する場合であって，主要な製造所が親の製造所である場合，実測値及び書面適合性調査を不要としても可）

12）特殊製剤における留意点

① 持続放出製剤

・放出制御機能を有する製剤（フェンタニル貼付剤，持続性ホルモン注射剤等）では，製剤設計を説明するとともに，放出機構の同等性に関する資料を提出すること。

・生物学的同等性の評価パラメータは，持続放出性を含む臨床的同等性が保証されるよう設定すること。

② 麻薬製剤

・「麻薬製剤の製造販売承認申請に際しての留意事項について」（平成21年7月2日医薬食品局審査管理課事務連絡）を参考に対応すること。

・開発早期の段階で，地方厚生局麻薬取締部又は厚生労働省監視指導・麻薬対策課に必ず相談すること。

③　特殊な容器等

・特別な機能（吸入剤，フィルター付き点眼剤等）又は特殊な形状の容器を用いる製剤は，その特性を添付資料に記載すること。

13）優先審査・迅速審査

①　留意点

・原則，優先審査・迅速審査に係る内容以外の変更は行わない。

②　マルT申請

・「医薬品等の製造（輸入）承認の取扱いについて」（昭和61年3月12日薬発第238号薬務局長通知）に該当する承認の承継に準ずる新規承認申請（いわゆるマルT申請）において，承認希望日がある場合は，その旨をFD申請書の備考欄に記載すること。

③　マル製造所（製造所変更迅速審査）

・「医療用医薬品の製造所の変更又は追加に係る手続きの迅速化について」
（平成18年12月25日薬食審査発第1225002号，薬食監麻発第1225007号医薬食品局審査管理課長，監視指導・麻薬対策課長通知）

・「製造所変更迅速審査の申請時に添付すべき資料等について」
（平成19年1月16日医薬食品局審査管理課，監視指導・麻薬対策課事務連絡（一部改正：平成20年5月14日，平成23年6月21日））

・「製造所変更迅速審査に係る質疑応答集（Q&A）について」
（平成19年2月7日医薬食品局審査管理課，監視指導・麻薬対策課事務連絡）

14）製造所変更迅速審査の留意点

①　適用範囲

・平成18年12月25日薬食審査発第1225002号,薬食監麻発第1225007号の記の3を満たし，記の2の①から⑥を除く場合に限られる（申請後に適用対象外であることが判明し，一変申請となる事例が多いため，該当性について十分確認してから申請すること）。

・平成20年4月以降の申請についても同様に取り扱うこととされているが,製造所変更迅速審査は，必要に応じて見直しが図られるため，申請に際しては最新の通知を確認すること。

・追加・変更される製造所の製造方法は，既承認の製造方法と同一（原材料，反応

条件等を含む）であること。反応条件等が軽微変更届出の範囲であっても，品質に影響を及ぼす工程については諸条件が同一である必要がある。

② MF利用の場合
・製造所変更迅速審査への該当性は，事前に十分確認してから申請すること。
・通例，MFの製造方法は非開示であるため，製造方法の同一性が担保されないことにより，製造所変更迅速審査の対象外となる事例が多い。
・申請後に製造所変更迅速審査の対象外となった場合，通常一変申請に係る添付資料，FD申請書の差換え等が必要となり，承認時期が遅れることにもつながるため留意すること（平成19年2月7日医薬食品局審査管理課，監視指導・麻薬対策課事務連絡のQ14参照）。
・目標審査期間が変更（審査期間の延長）となる可能性が高いため，十分な準備期間をもって申請を行うこと。

15）添付文書（案）

　医薬品医療機器法の施行にともない，添付文書の届出及び公表が義務化されたことにより，申請時には添付文書（案）に加え，次の資料を電子媒体にて提出すること。

① 新規及び用法・用量，効能・効果の一変申請
・先発医薬品の添付文書と記載が異なる箇所を囲んだもの（PDFファイル）
・先発医薬品の添付文書との異同対照表（Excelファイル）

② その他（処方変更，貯法変更等）の一変申請
・既存の添付文書からの変更箇所を囲んだもの（PDFファイル）
・既存の添付文書との異同対照表（Excelファイル）

③ 留意事項
・用法・用量について，先発医薬品の添付文書上の記載と実際に承認を受けた内容の記載が異なる場合，原則として「承認を受けた内容」を記載すること。
・「後発医薬品の添付文書等における情報提供の充実について」（平成30年4月13日薬生薬審発0413第2号，薬生安発0413第1号医薬・生活衛生局医薬品審査管理課長，医薬安全対策課長通知）に示されているとおり，後発医薬品の適正使用上，特定の情報を確認することとされているものについては，先発医薬品の添付文書等における「臨床成績」の該当箇所を修正せずに引用すること。
・薬効・薬理について記載すること。
・審査にて確定した添付文書（案）とは異なる添付文書（案）で届出がなされることがないよう留意すること。また，確定前の添付文書（案）が届出されることがないよう留意すること。

・先発医薬品の添付文書において，他剤と配合した際の安定性，調製後の安定性等
に関する規定がある場合，申請製剤でも同様の規定が可能であることを示す試験
成績を取得しておくこと。

・医療用医薬品の添付文書の新記載要領（「医療用医薬品の添付文書等の記載要領に
ついて」（平成29年6月8日薬生発0608第1号医薬・生活衛生局長通知），「医療
用医薬品の添付文書等の記載要領の留意事項について」（平成29年6月8日薬生
安発0608第1号医薬・生活衛生局安全対策課長通知））については，平成31年4
月1日より適用されているが，先発医薬品の添付文書が改訂前の場合，旧記載要
領に基づく添付文書にて申請をしても差し支えないので，最新の通知，事務連絡
を確認のうえ，適切に対応すること。

・効能・効果又は用法・用量の虫食い等，先発医薬品と記載が異なる場合は「医療
用医薬品の添付文書等の新記載要領に基づく改訂相談の実施時期について」（平成
30年4月6日医薬・生活衛生局医薬安全対策課事務連絡）に従い，その対応を検
討しておくこと。

3. 書面適合性調査

(1) 書面適合性調査の対象

① 規格及び試験方法に関する資料
・原薬（別紙規格の場合），製剤
・実測値，分析法バリデーション，検体の製造記録

② 安定性に関する資料
・加速試験，長期保存試験，苛酷試験，その他
・測定値，分析法バリデーション，検体の製造記録，保存条件の記録等

③ 生物学的同等性に関する資料
・溶出試験，ヒト生物学的同等性試験，その他
・契約関連文書，試験計画書，溶出試験結果，総括報告書，症例報告書，被験薬の製
造記録，対照薬の入手記録，生体試料の分析法バリデーション等（ただし，GCP実
地調査の対象となった資料の再提出は要さない）

⑵ 書面適合性調査の留意点

① 関連通知
・「医療用後発医薬品の承認審査資料適合性調査に係る資料提出方法等について」（平成23年1月26日薬機発第0126069号独立行政法人医薬品医療機器総合機構理事長通知）

② 送付書
・申請品目の販売名及びシステム受付番号を記載する。
・原薬に係る資料をMF登録業者より提出する場合も，申請品目（製剤）の販売名及びシステム受付番号を備考欄に記載する。
・共同開発の場合，共同開発グループすべての構成員の販売名及びシステム受付番号を記載する。
・同一原薬を複数の申請者が利用している場合で，原薬に係る資料を他社が提出する場合，重複した提出は要さない。送付書の備考欄に他社が提出する旨と，提出する品目及びシステム受付番号を記載する。

③ 資料
・電子媒体での提出を求められた場合，原則，電子媒体で提出する（必ずウイルスチェックを行うこと）。
なお，電子媒体での提出が困難な場合は，その理由及び原本を提出する旨を提出前に審査担当者まで連絡すること。
・英語以外の外国語で記載された資料の場合，項目名を日本語（又は英語）で記載した資料をあわせて提出すること。
・規格及び試験方法，並びに安定性に関する資料は，試料の調製・秤量の記録，測定チャート（加工されていないもの），写真又は画像（デジタルカメラも可とするが，加工はしないこと）を含み，測定者，測定日等が確認できるものとする。
特に，紫外可視吸光度測定法，液体クロマトグラフィーなどの測定チャートについては，測定日時を後から追記せず，測定日に記入あるいは入力したものを加工せずに提出すること。

④ 過去の指導事例（実測値または安定性試験）
次に示す事例については，申請資料が正確に作成されたことが確認できないため，不適切であるといえる。
・規格を逸脱した測定値があることを添付資料に記載していなかった（平均値のみを記載していた）。
・複数回測定した平均値を1つの測定値のように記載していた（平均値であることが

分からないような記載をしていた）。

・規格及び試験方法とは異なる試験条件で測定していた（試験方法とは異なる旨が添付資料に記載されていなかった）。

4．その他の留意点

(1) 承認申請に係る留意点

① 医薬品医療機器法施行規則第43条（申請資料の信頼性の基準）を受けた平成10年12月1日医薬審第1058号に関する陳述・署名を提出すること（申請資料は，いずれも医薬品医療機器法施行規則第43条に従って収集，作成したものに相違ない旨の陳述に加え，日付，責任者の署名又は記名，役職名及び押印が必要である）。

② 審査中に申請者側担当者が変更になった場合，承認申請書の担当者欄には変更後の担当者を記載すること（旧担当者の記載のまま，承認申請書の差換えをしているケースが見受けられる）。

③ 優先審査に該当する場合，優先審査に係る内容以外の変更は行わないこと。

④ 同一企業から「効能又は用法が異なる同一成分・同一剤形である製剤」の承認申請を行う際には，製剤自体の識別が可能になるよう，色調等の差別化を図ること。

⑤ 体内薬物動態が異なる場合や，小児の用法をもつものについては，単なる外見上の差別化を図るだけではなく，医療機関への情報提供に係る方策等についても説明すること。

⑥ 外用剤（非点眼薬）で，一般的な医療用医薬品の点眼薬と類似する形態をしているものについては，点眼されないような工夫を施すこと。なお，参考資料として容器の形態を示す図面を提出すること。

⑦ 審査時の照会に対する回答の提出について

・承認申請前に，適切な資料を準備したうえで申請し，申請後は回答期日までに照会事項に対応すること（承認予定日を考慮し，照会時に設定される期限内に回答するよう留意すること）。

・未回答又は不十分な回答の多く含まれる五月雨式の回答は受領できない。

・回答期日に間に合わない場合や，郵送以外の方法で回答書を提出する場合は，事前に審査担当者まで連絡・相談すること（バイク便等の利用については，審査担当者が直接受け取れない場合があるため，極力控えること）。

・回答期日までに回答書が提出されない場合は，目標審査期間を超えるおそれがある

（承認時期に影響する）ので十分留意すること（郵送による送付の場合，期日までに審査担当者が受領できるようにすること）。

・海外製造所等が作成した日本語以外の回答書を原文のまま提出するケースがあるが，申請者又は国内管理人において回答内容を十分把握及び理解したうえで，適切な日本文にて回答書を作成し，提出すること。

・新規承認品目における回答については，紙媒体に加えてテキスト情報を含む電子媒体での提出を求めているので協力していただきたい。

・一変申請時の標準的事務処理期間（目標値）について，効能追加や承認可能時期が明らかに予測できる申請の場合，承認可能な時期から遡り，目標値を超えない時期に申請すること（一変申請の承認日は水曜日となる）。

申請品目	標準的事務処理期間（目標値）
平成 21 年 5 月 22 日薬食審査発第 0522001 号医薬食品局審査管理課長通知の記の 2 .の(2)の①	180 日
平成 21 年 5 月 22 日薬食審査発第 0522001 号医薬食品局審査管理課長通知の記の 2 .の(2)の②	300 日

⑵ 差換えに関する留意点

「医療用後発医薬品に係る承認審査及び GMP 適合性調査申請のスケジュール等について」（平成 23 年 5 月 26 日及び平成 26 年 2 月 7 日医薬食品局審査管理課，監視指導・麻薬対策課事務連絡，平成 28 年 7 月 21 日医薬・生活衛生局医薬品審査管理課，監視指導・麻薬対策課事務連絡）及び「医療用後発医薬品に係る承認審査及び GMP 適合性調査申請のスケジュールについて」（平成 31 年 2 月 26 日医薬・生活衛生局医薬品審査管理課，監視指導・麻薬対策課事務連絡）に従い，適切な時期に対応すること。

また，承認の可否，申請内容に係る審査(FD 申請書だけでなく，生物学的同等性及び安定性に関する審査を含む）は，FD 申請書差換え期日までに行うので留意すること。

なお，手続きを行う際は次の点に注意すること。

① 郵送又は窓口により差換えを行うときは，「医療用医薬品承認申請書の整備について」の写しを同封するか窓口で提示すること（「医療用医薬品承認申請書の整備について」を提示等しない場合には，差換え手続きが行えないので注意すること）。

② 差換え時に必要な書類（各 3 部）

・FD 申請書

・【添付ファイル情報】の【別紙ファイル名】に添付した資料

・申請書の鑑（※販売名を審査中に変更した場合）

③ 差換え時に必要な書類（各1部）

・【添付ファイル情報】の【添付資料ファイル名】に添付した資料

・審査により添付資料に変更，追加が生じた場合は，整備された該当部分の資料

④ その他

・FD申請書の再差換えは，原則として行わないので，審査内容の反映漏れやMF及び共同開発企業のFD申請書の記載内容と齟齬がないよう，差換え前に申請者の責任において確認すること。

・共同開発の「子」品目については，申請者の責任のもと，共同開発企業と密に連携し，「親」品目の差換えの内容を適切に反映すること。

⑶ リスク管理に関する留意点

照会事項はFAXにて送付しているが，システム上，申請者が入力したFD上の【連絡先】FAX番号に自動送信されるため，申請者側が間違ったFAX番号のまま申請や差換えを行うと，その後のFAX誤送信につながることとなる。申請者の企業情報を守るため，PMDAでは誤送信防止のための対策を講じているが，申請者においても申請時及び差換え時には，【連絡先】FAX番号に誤りがないか，提出前に再確認すること。

また，FAX番号が変更された場合は，すみやかに申請中の品目リスト（受付番号，販売名，審査担当者等を含む）とともに書面にて審査担当者まで連絡すること。

⑷ お願い

申請時の添付資料，照会事項回答書，回答書に添付する申請書の差換え案等の紙媒体については，可能な限り両面印刷にて提出すること。

5．GCP 実地調査

⑴ 後発医薬品の GCP 実地調査

次の事項等を考慮して調査対象品目を選定し，GCP実地調査を実施する。

・後発医薬品として初めて承認される成分を含有する医薬品

・治験依頼者及び実施医療機関に対するGCP実地調査の実績

なお，選定にあたっては，申請品目数を考慮のうえ，抽出品目数を決定している。

① 調査までの流れ（表9）

表9．調査までの流れ

PMDA：「医薬品 GCP 実地調査の申請書の提出について」（薬食審査発 1121 第 1 号　別紙様式 1） ↓ 申請者：「承認調査申請書」（医薬品 GCP 実地調査の申請：医薬品医療機器法施行規則　様式第 27） 　　　「医薬品 GCP 適用治験報告票」（薬食審査発 1121 第 1 号　別紙様式 8） ↓ PMDA：治験実施医療機関等の選定，調査日程の調整，調査資料の提出依頼 　　　「医薬品 GCP 実地調査実施通知書」（薬機発第 0511005 号　別紙 15, 16） ↓ 調査の実施 **関係通知** ・「医薬品 GCP 実地調査の実施要領について」 　（平成 26 年 11 月 21 日薬食審査発 1121 第 1 号医薬食品局審査管理課長通知） ・「新医薬品の承認申請資料適合性書面調査の実施要領について」 　（平成 26 年 11 月 21 日薬食審査発 1121 第 5 号医薬食品局審査管理課長通知） ・「医薬品の承認申請資料に係る適合性書面調査及び GCP 実地調査の実施手続きについて」 　（平成 28 年 5 月 11 日薬機発第 0511005 号独立行政法人医薬品医療機器総合機構理事長通知（最終改正：令和元年 5 月 7 日薬機発第 0507009 号））

② 後発医薬品の GCP 実地調査（図 2）

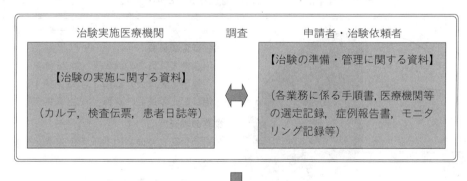

PMDA：「医薬品 GCP 実地調査結果通知書」（薬機発第 0511005 号　別紙 17, 18）

承認申請資料の信頼性保証

図 2．後発医薬品の GCP 実地調査

(2) 「改善すべき事項」として通知した事項の内訳

表10. 後発医薬品（国内調査）の治験依頼者への「改善すべき事項」の内訳（平成18～29年度）[1]

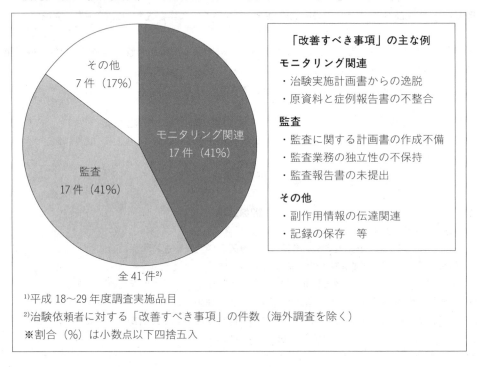

[1] 平成18～29年度調査実施品目
[2] 治験依頼者に対する「改善すべき事項」の件数（海外調査を除く）
※割合（％）は小数点以下四捨五入

表11. 実施医療機関への「改善すべき事項」の内訳（治験実施体制）
－後発医薬品に係る国内調査（平成18～29年度）－

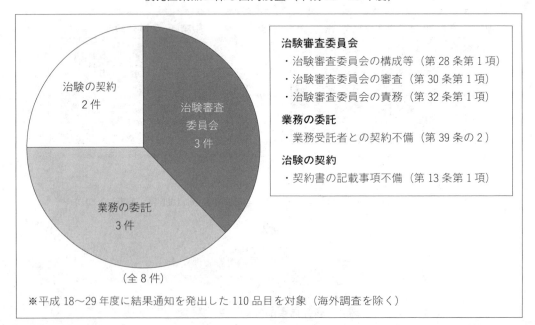

※平成18～29年度に結果通知を発出した110品目を対象（海外調査を除く）

表 12. 実施医療機関への「改善すべき事項」の内訳（個別症例）
－後発医薬品に係る国内調査（平成 18～29 年度）－

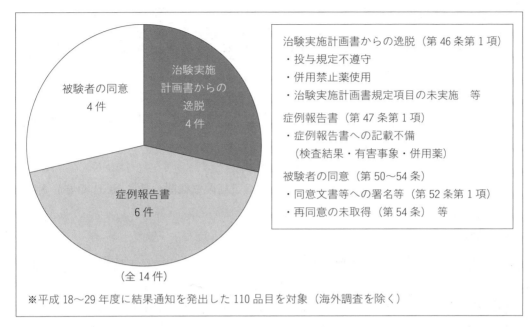

(3) 具体的な指摘事例

1) モニタリングの実施（GCP 第 21 条），モニターの責務（GCP 第 22 条）

① 手順書に従ったモニタリング業務が実施されていない。
② 治験実施医療機関における GCP 不遵守及び治験実施計画書からの逸脱に関する次の事項。
　・逸脱を把握していない。
　・逸脱を把握していたが了承していた。
　・逸脱の再発防止措置を講じていない。
③ 症例報告書と原資料との不整合を把握していない。
④ モニタリング報告書の記載不備。
⑤ モニタリングの時期が不適切。

2) 監査（GCP 第 23 条）

① 監査に関する計画書が作成されていない。
② 監査に関する計画書及び手順書に従った監査が実施されていない。
③ 監査部門の独立性が保たれていない。
④ 監査報告書が治験依頼者に提出されていない。

⑷　治験依頼者に関するその他の留意点

① 業務手順書等

治験の依頼あるいは管理に係る業務については，手順書を作成したうえで実施すること。

② 治験実施医療機関等の選定

治験を適切に実施するための要件を満たした治験実施医療機関及び治験責任医師を選定すること。

③ 治験実施医療機関の長への文書の事前提出

治験の依頼にあたっては，あらかじめ治験実施医療機関の長に GCP で規定された文書を提出すること。

④ 治験の契約

文書により適切に契約を締結すること。

GCP 基準適合性調査は，GCP 第 2 条に規定する原資料から治験の事実経過を可能なかぎり再構築し，被験者の人権，安全及び福祉の保護が図られるとともに，治験の科学的な質及び成績の信頼性が確保されているかを検証することを目的としており，形式的な照合や間違い探しといったものではない。

PMDA では，調査において確認した内容に基づき，調査対象承認申請資料が医薬品 GCP に従って収集，作成されたものであるかを評価し，その信頼性を保証する。

6．相談制度

【参考：関連通知等】

・「独立行政法人医薬品医療機器総合機構が行う対面助言，証明確認調査等の実施要綱等について」

（平成 24 年 3 月 2 日薬機発第 0302070 号独立行政法人医薬品医療機器総合機構理事長通知（最終改正：令和元年 7 月 1 日薬機発第 0701001 号））

・「独立行政法人医薬品医療機器総合機構が行う審査等の手数料について」

（平成 26 年 11 月 21 日薬機発第 1121002 号独立行政法人医薬品医療機器総合機構理事長通知（最終改正：平成 31 年 3 月 29 日薬機発第 0329005 号））

・「令和元年度下半期における後発医薬品の相談制度試行に係る日程調整依頼書の受付方法等について」

（令和元年7月9日薬機審長発第0709005号独立行政法人医薬品医療機器総合機構審査センター長通知）

(1) 簡易相談

1) 後発医薬品の簡易相談の流れと対象範囲

後発医薬品の簡易相談の流れ及び対象範囲については図3のとおりである。

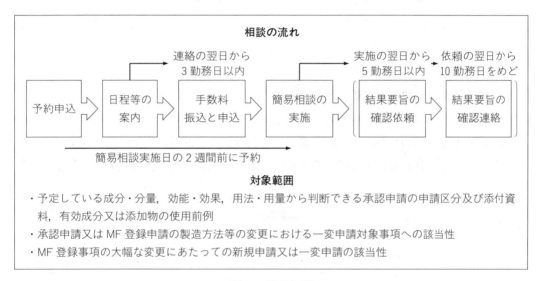

図3．簡易相談

2) 後発医薬品の簡易相談における留意点

① 相談事項は，品目名又はMF登録番号を記載したうえで，具体的かつ明確に記載すること。

② 原則として申込み時の内容を元に回答を検討するので，説明不足のないよう，事前に確認のうえ申し込むこと。なお，相談当日に追加資料を提出されても対応できないので注意すること。

③ 次の事項等をふまえ，相談事項が簡易相談の対象範囲であるかを確認して申し込むこと。
・再審査期間中の医薬品に関する相談は，後発医薬品の簡易相談の対象とはならない（新医薬品の簡易相談を利用すること）。
・治験相談（後発医薬品品質相談，後発医薬品生物学的同等性相談）の対象となる相談は，簡易相談では応じられない（例：ヒト生物学的同等性試験における標準製剤の選択，生物学的同等性の評価方法）。

④ 申込みのFAXは受付時間内に送付すること（時間外申込みには応じられない）。

⑤ 簡易相談結果要旨確認依頼書の相談結果の要旨は，簡潔に1枚以内とし，相談内容の概略を記載する場合は，表題のみとする，あるいは添付資料を割愛するなど，確認結果の送付枚数が多くならないよう配慮すること。

⑥ 簡易相談結果要旨確認依頼書には，確認結果のFAX送付先（FAX番号，相談に出席する者の名（フルネーム），担当者名（フルネーム），担当部署名等）を明記すること。

⑦ 簡易相談結果要旨確認依頼書に記載する受付番号は，PMDA審査業務部からの実施日程を通知するFAX（実施日程のお知らせFAX）を参照し，受付番号記載欄に記載すること。

3）後発医薬品変更届出事前確認簡易相談

後発医薬品変更届出事前確認簡易相談は，後発医薬品の承認事項と製造実態の相違等に関する不備のうち，製造販売業者等が当該製品の品質，有効性及び安全性に影響を与えるおそれがないと判断する事項についての相談であり，平成30年4月より実施

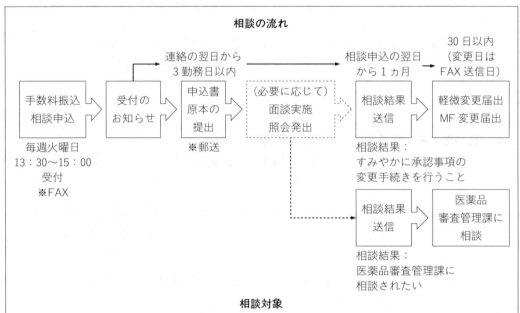

図4．後発医薬品変更届出事前確認簡易相談

されている。

相談の流れについては図4に示したとおりであり，相談結果が「軽微変更届出によりすみやかに手続きを行うこと」とされた場合，軽微変更届出を30日以内に行う必要がある。

4）後発医薬品変更管理事前確認相談

後発医薬品変更管理事前確認相談は，今後，一変申請を行う品目を対象に，事前に変更点に関する評価方針の妥当性や，これまでの変更管理及び承認書の記載に関する資料の十分性等について，指導及び助言を行うものであり，平成31年4月より実施している。

相談の流れについては図5のとおりである。

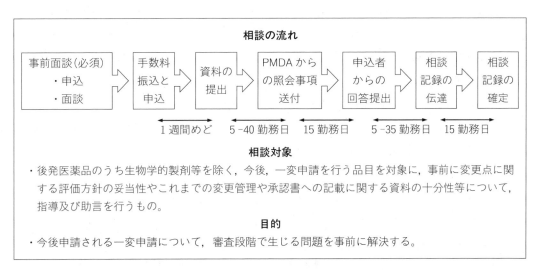

図5．後発医薬品変更管理事前確認相談

(2) 治験相談（試行期間）

PMDAでは平成24年1月より，後発医薬品の治験相談を，次の①及び②に関し試行的に実施している。現在，申込みのあった治験相談に対しては可能な限り実施するようにしているが，相談希望件数により，そのすべてを相談実施月内に実施することが困難な場合は，後発医薬品の相談制度試行に係る日程調整依頼書の受付方法を記したPMDA審査センター長通知に基づき，優先順位を決定し，治験相談の可否を判断している。

そのため，治験相談の申込みを検討している場合は，まず事前面談を利用し，相談の要否や相談時期，相談資料等について確認すること（事前面談及び治験相談の受付方法等については，PMDAのホームページで確認できる）。

また，令和元年6月実施分より，各相談実施月につき，後発医薬品品質相談及び後発

医薬品生物学的同等性相談を，1社あたり各1件ずつ（合計2件まで）として相談受付を開始した。

なお，販売名の妥当性については，医薬品手続相談での対応が可能である。

① 後発医薬品品質相談

後発医薬品*のうち，生物学的製剤等**を除くものを対象に，安定性試験等の品質に係る資料の十分性等について指導及び助言を行うもの。

② 後発医薬品生物学的同等性相談

後発医薬品*のうち，生物学的製剤等**を除くものについて指導及び助言を行うもの。

③ 相談を受ける際の留意点

資料提出後から対面助言までの時間が限られているので，相談事項及び提出資料の追加・差換えは，原則認められない。また，簡易相談と同様，承認申請中の品目についての相談には応じられない。なお，事前面談であらかじめ相談事項の整理等を行うので，治験相談で予定する相談事項や，添付資料リストを提示したうえで事前面談を申し込むこと。

④ 治験相談を実施した品目を承認申請する際の留意点

関連する相談を以前に実施している場合は，FD申請書の備考欄にその旨を記載するとともに，対面助言記録の写しを提出すること。

＜備考欄の記載例＞

後発医薬品〇〇相談，受付番号P〇，平成〇年〇月〇日実施

* 医療用医薬品のうち，平成26年11月21日薬食発1121第2号の別表2-(1)の「(8の2) 剤形追加に係る医薬品（再審査期間中でないもの）」又は「(10の3) その他の医薬品（再審査期間中でないもの）」に該当するもの。

**生物学的製剤，遺伝子組換え技術を応用して製造される医薬品及び医薬品医療機器法施行令第80条第2項第7号の規定に基づく厚生労働大臣の指定する製造管理又は品質管理に特別の注意を要する医薬品（人又は動物の細胞を培養する技術を応用して製造される医薬品，細胞組織医薬品，特定生物由来品）。

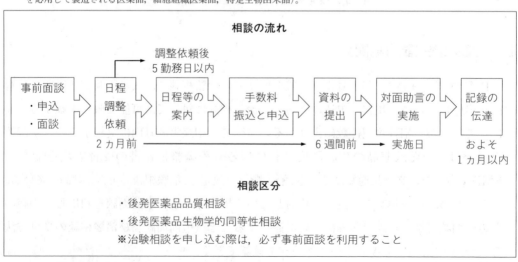

図6．治験相談（試行期間）

⑶ 軽微変更届事前確認相談（試行期間）

軽微変更届事前確認相談は，軽微変更届出事項への該当性に関して，事前のデータ評価が必須となる事案に対する相談であり，平成27年度より試行的に導入されている。

相談の流れは図7のとおりである。関連通知や手順の詳細については，PMDAホームページで確認すること。なお，相談申込みに先立った事前面談が必須となるため留意すること。

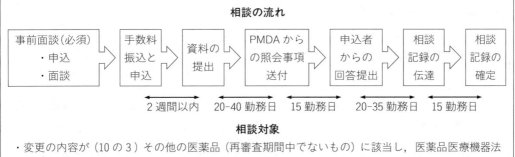

図7．軽微変更届事前確認相談（試行期間）

おわりに

後発医薬品の製造販売承認申請を行う際は，十分な検討結果及び根拠に基づいた論理的な説明による資料の作成を実践する等，効率的な審査に協力いただきたい。

また，承認申請書や添付資料の誤記載，不備は，審査の遅延だけでなく申請者の信頼性にも関わることから，申請前に十分確認することが求められる。なお，重大な誤記載等は行政指導の対象となる場合があるので，この点についても留意していただきたい。

参考

関連通知等一覧

名称	発出日・発出番号等
医薬品の製造承認に関する基本方針について	（昭和 42 年 9 月 13 日薬発 645 号薬務局長通知）
医薬品等の製造（輸入）承認の取扱いについて	（昭和 61 年 3 月 12 日薬発第 238 号薬務局長通知）
注射剤に溶解液等を組み合わせたキット製品等の取扱いについて	（昭和 61 年 3 月 12 日薬審 2 第 98 号薬務局審査第一課長，審査第二課長，生物製剤課長通知）
医薬品等の製造承認，輸入承認及び外国製造承認の取扱いについて	（昭和 62 年 9 月 21 日薬発第 821 号薬務局長通知）
医薬品の製造（輸入）承認申請に際して添付すべき安定性試験成績の取扱いについて	（平成 3 年 2 月 15 日薬審第 43 号薬務局審査課長，新医薬品課長通知）
承認審査に係る医薬品特許情報の取扱いについて	（平成 6 年 10 月 4 日薬審第 762 号薬務局審査課長通知）
医薬品製造（輸入）承認申請時に添付する特許情報について	（平成 7 年 2 月 9 日薬務局審査課事務連絡）
遺伝子治療用医薬品の品質及び安全性の確保に関する指針について	（平成 7 年 11 月 15 日薬発第 1062 号薬務局長通知）
後発医薬品の生物学的同等性試験ガイドライン	（平成 9 年 12 月 22 日医薬審第 487 号医薬安全局審査管理課長通知）
医薬品添加物規格 1998 について	（平成 10 年 3 月 4 日医薬発第 178 号医薬安全局長通知）
新医薬品等の申請資料の信頼性の基準の遵守について	（平成 10 年 12 月 1 日医薬審第 1058 号医薬安全局審査管理課長通知）
ソフトコンタクトレンズ及びソフトコンタクトレンズ用消毒剤の製造（輸入）承認申請に際し添付すべき資料の取扱い等について	（平成 11 年 3 月 31 日医薬審第 645 号医薬安全局審査管理課長通知）

名称	発出日・発出番号等
医薬品の承認申請書の記載事項について	（平成 12 年 2 月 8 日医薬審第 39 号医薬安全局審査管理課長通知）
含量が異なる経口固形製剤の生物学的同等性試験ガイドライン	（平成 12 年 2 月 14 日医薬審第 64 号医薬安全局審査管理課長通知）
経口固形製剤の処方変更の生物学的同等性試験ガイドライン	（平成 12 年 2 月 14 日医薬審第 67 号医薬安全局審査管理課長通知）
医療事故を防止するための医薬品の表示事項及び販売名の取扱いについて	（平成 12 年 9 月 19 日医薬発第 935 号医薬安全局長通知）
剤型が異なる製剤の追加のための生物学的同等性試験ガイドライン	（平成 13 年 5 月 31 日医薬審発第 783 号医薬局審査管理課長通知）
新医薬品の製造又は輸入の承認申請に際し承認申請書に添付すべき資料の作成要領について	（平成 13 年 6 月 21 日医薬審発第 899 号医薬局審査管理課長通知）
「新医薬品の製造又は輸入の承認申請に際し承認申請書に添付すべき資料の作成要領に関するQ&A」について	（平成 13 年 10 月 22 日医薬局審査管理課事務連絡）
CTD－品質に関する概括資料の原薬・製剤のモックアップ（記載例）について	（平成 14 年 8 月 13 日医薬局審査管理課事務連絡）
「新医薬品の製造又は輸入の承認申請に際し承認申請書に添付すべき資料の作成要領について」に関するQ&A について	（平成 15 年 1 月 28 日医薬局審査管理課事務連絡）
安定性試験ガイドラインの改定について	（平成 15 年 6 月 3 日医薬審発第 0603001 号医薬食品局審査管理課長通知）
安定性データ評価に関するガイドラインについて	（平成 15 年 6 月 3 日医薬審発第 0603004 号医薬食品局審査管理課長通知）
医薬品添加物規格 1998 の一部改正について	（平成 15 年 6 月 4 日医薬発第 0604001 号医薬局長通知）
コモン・テクニカル・ドキュメントの電子化仕様について	（平成 15 年 6 月 4 日医薬審査発第 0604001 号医薬局審査管理課長通知）

名称	発出日・発出番号等
「コモン・テクニカル・ドキュメントの電子化仕様について」に関するQ&Aについて	（平成15年6月4日医薬局審査管理課事務連絡）
「新医薬品の製造又は輸入の承認申請に際し承認申請書に添付すべき資料の作成要領について」に関するQ&Aについて	（平成15年6月27日医薬局審査管理課事務連絡）
「新医薬品の製造又は輸入の承認申請に際し承認申請書に添付すべき資料の作成要領について」の一部改正について	（平成15年7月1日薬食審査発第0701004号医薬食品局審査管理課長通知）
「コモン・テクニカル・ドキュメントの電子化仕様について」に関するQ&Aについて	（平成15年10月31日医薬食品局審査管理課事務連絡）
コモン・テクニカル・ドキュメントの電子化仕様の仕様変更管理プロセスについて	（平成15年10月31日医薬食品局審査管理課事務連絡）
コモン・テクニカル・ドキュメントCTD−品質に関する文書Q&A/記載箇所に関する事項について	（平成15年11月5日医薬食品局審査管理課事務連絡）
「新医薬品の製造又は輸入の承認申請に際し承認申請書に添付すべき資料の作成要領について」に関するQ&Aについて	（平成15年11月5日医薬食品局審査管理課事務連絡）
キット製品の取扱いについて	（平成16年2月13日薬食審査発第0213005号医薬食品局審査管理課長通知）
「新医薬品の製造又は輸入の承認申請に際し承認申請書に添付すべき資料の作成要領について」に関するQ&Aについて	（平成16年5月24日医薬食品局審査管理課事務連絡）
「新医薬品の製造又は輸入の承認申請に際し承認申請書に添付すべき資料の作成要領について」の一部改正について	（平成16年5月25日薬食審査発0525003号医薬食品局審査管理課長通知）
「コモン・テクニカル・ドキュメントの電子化仕様について」に関するQ&Aについて	（平成16年5月25日医薬食品局審査管理課事務連絡）
「コモン・テクニカル・ドキュメントの電子化仕様について」の一部改正について	（平成16年5月27日薬食審査発第0527001号医薬食品局審査管理課長通知）

名称	発出日・発出番号等
コモン・テクニカル・ドキュメントの電子化仕様の取扱いについて	（平成 16 年 5 月 27 日薬食審査発第 0527004 号医薬食品局審査管理課長通知）
医薬品関連医療事故防止対策の強化・徹底について（医療機関における医療事故防止対策の強化・徹底について）	（平成 16 年 6 月 2 日薬食発第 0602009 号医薬食品局長通知） （平成 16 年 6 月 2 日医政発第 0602012 号，薬食発 0602007 号医政局長，医薬食品局長通知）
薬事法及び採血及び供血あつせん業取締法の一部を改正する法律等の施行について	（平成 16 年 7 月 9 日薬食発第 0709004 号医薬食品局長通知）
「新医薬品の製造又は輸入の承認申請に際し承認申請書に添付すべき資料の作成要領について」に関する Q&A について	（平成 16 年 11 月 24 日医薬食品局審査管理課事務連絡）
「コモン・テクニカル・ドキュメントの電子化仕様について」に関する Q&A について	（平成 16 年 11 月 25 日医薬食品局審査管理課事務連絡）
コモン・テクニカル・ドキュメントの電子化仕様の仕様変更管理プロセスについて	（平成 16 年 12 月 6 日医薬食品局審査管理課事務連絡）
薬事法及び採血及び供血あつせん業取締法の一部を改正する法律等の施行についての Q&A	（平成 16 年 12 月 28 日医薬食品局審査管理課，医療機器審査管理室，安全対策課，監視指導・麻薬対策課事務連絡）
改正薬事法に基づく医薬品等の製造販売承認申請書記載事項に関する指針について	（平成 17 年 2 月 10 日薬食審査発第 0210001 号医薬食品局審査管理課長通知）
改正薬事法の施行に伴う TSE 資料の取扱いについて	（平成 17 年 3 月 25 日薬食審査発第 0325003 号医薬食品局審査管理課長通知）
薬事法及び採血及び供血あつせん業取締法の一部を改正する法律の施行に伴う医薬品，医療機器等の製造管理及び品質管理（GMP/QMS）に係る省令及び告示の制定及び改廃について	（平成 17 年 3 月 30 日薬食監麻発第 0330001 号医薬食品局監視指導・麻薬対策課長通知）
GMP 適合性調査申請の取扱いについて	（平成 17 年 3 月 30 日薬食審査発第 0330006 号，薬食監麻発第 0330005 号医薬食品局審査管理課長，監視指導・麻薬対策課長通知）

名称	発出日・発出番号等
独立行政法人医薬品医療機器総合機構が行う審査等業務に係る申請・届出等の受付等業務の取扱いについて	（平成 17 年 3 月 30 日薬機発第 0330003 号独立行政法人医薬品医療機器総合機構理事長通知）
医薬品の承認申請に際し留意すべき事項について	（平成 17 年 3 月 31 日薬食審査発第 0331009 号医薬食品局審査管理課長通知）
コモン・テクニカル・ドキュメントの電子化仕様資料提出時の取扱いについて	（平成 17 年 3 月 31 日医薬食品局審査管理課事務連絡）
医薬品等の承認又は許可等に係る申請等における電磁的記録及び電子署名の利用について	（平成 17 年 4 月 1 日薬食発第 0401022 号医薬食品局長通知）
「コモン・テクニカル・ドキュメントの電子化仕様について」に関する Q&A について	（平成 17 年 4 月 27 日医薬食品局審査管理課事務連絡）
電子化コモン・テクニカル・ドキュメント（eCTD）の取扱いについて	（平成 17 年 6 月 29 日薬機発第 0629005 号独立行政法人医薬品医療機器総合機構理事長通知）
「患者向医薬品ガイドの作成要領」について	（平成 17 年 6 月 30 日薬食発第 0630001 号医薬食品局長通知）
原薬等登録原簿に関する質疑応答集（Q&A）について	（平成 17 年 7 月 28 日医薬食品局審査管理課事務連絡）
医療用後発医薬品の承認申請にあたっての販売名の命名に関する留意事項について	（平成 17 年 9 月 22 日薬食審査発第 0922001 号医薬食品局審査管理課長通知）
一般用医薬品等の承認申請等に関する質疑応答集（Q&A）について	（平成 17 年 10 月 21 日医薬食品局審査管理課事務連絡）
原薬等登録原簿に関する質疑応答集（Q&A）について（その 2）	（平成 17 年 12 月 20 日医薬食品局審査管理課事務連絡）
原薬等登録原簿に登録された品目の整理について	（平成 18 年 2 月 8 日薬食審査発第 0208001 号医薬食品局審査管理課長通知）
医薬品添加物事典に掲載されていない医薬品添加物の使用前例について	（平成 18 年 2 月 14 日医薬食品局審査管理課事務連絡）

名称	発出日・発出番号等
後発医薬品の必要な規格を揃えること等について	（平成 18 年 3 月 10 日医政発第 0310001 号医政局長通知）
「医薬品添加物規格 1998」の一部改正について	（平成 18 年 3 月 31 日薬食発第 0331023 号医薬食品局長通知）
第十五改正日本薬局方の制定に伴う医薬品製造販売承認申請等の取扱いについて	（平成 18 年 3 月 31 日薬食審査発第 0331016 号医薬食品局審査管理課長通知）
登録免許税の課税に伴う国が行う医薬品，医療機器等の製造販売業の許可等に係る事務処理について	（平成 18 年 3 月 31 日薬食審査発第 0331025 号，薬食安発第 0331012 号医薬食品局審査管理課長，安全対策課長通知）
「医薬品添加物規格 1998 の一部改正に伴う医薬品等製造販売承認申請の取扱いについて	（平成 18 年 3 月 31 日薬食審査発第 0331030 号医薬食品局審査管理課長通知）
「改正薬事法に基づく医薬品等の製造販売承認申請書記載事項に関する指針について」の一部改正について	（平成 18 年 4 月 27 日薬食審査発第 0427002 号医薬食品局審査管理課長通知）
医薬品等の承認申請等に関する質疑応答集（Q&A）について	（平成 18 年 4 月 27 日医薬食品局審査管理課事務連絡）
「コモン・テクニカル・ドキュメントの電子化仕様について」に関する Q&A について	（平成 18 年 10 月 5 日医薬食品局審査管理課事務連絡）
「医薬品添加物規格 1998 の一部改正について」の訂正について	（平成 18 年 10 月 25 日医薬食品局審査管理課事務連絡）
医薬品等の承認申請等に関する質疑応答集（Q&A）について	（平成 18 年 11 月 16 日医薬食品局審査管理課事務連絡）
「後発医薬品の生物学的同等性試験ガイドラインに関する質疑応答集（Q&A）について」等の改正について	（平成 18 年 11 月 24 日医薬食品局審査管理課事務連絡）
医薬品等の承認申請等に関する質疑応答集（Q&A）について	（平成 18 年 12 月 14 日医薬食品局審査管理課事務連絡）
「コモン・テクニカル・ドキュメントの電子化仕様について」に関する Q&A について	（平成 18 年 12 月 22 日医薬食品局審査管理課事務連絡）

名称	発出日・発出番号等
医療用医薬品の製造所の変更又は追加に係る手続の迅速化について	（平成18年12月25日薬食審査発第1225002号，薬食監麻発第1225007号医薬食品局審査管理課長，監視指導・麻薬対策課長通知）
平成14年薬事法改正に関連する通知の改正について	（平成19年1月12日薬食審査発第0112001号医薬食品局審査管理課長通知）
医薬品等の承認申請等に関する質疑応答集（Q&A）について	（平成19年1月12日医薬食品局審査管理課事務連絡）
製造所変更迅速審査の申請時に添付すべき資料等について	（平成19年1月16日医薬食品局審査管理課，監視指導・麻薬対策課事務連絡）
製造所変更迅速審査に係る質疑応答集（Q&A）について	（平成19年2月7日医薬食品局審査管理課，監視指導・麻薬対策課事務連絡）
外国において一般用医薬品として汎用されている生薬製剤を一般用医薬品として製造販売承認申請する際の取扱いについて	（平成19年3月22日薬食審査発第0322001号医薬食品局審査管理課長通知）
外国製造業者の認定申請の取扱い等について	（平成19年6月19日薬食審査発第0619004号医薬食品局審査管理課長通知）
医薬品等の承認申請等に関する質疑応答集（Q&A）について	（平成19年6月19日医薬食品局審査管理課事務連絡）
医療用医薬品の承認申請の際に添付すべき資料の取扱いについて	（平成20年1月9日薬食審査発第0109005号医薬食品局審査管理課長通知）
医薬品等の製造所の変更又は追加に係る手続の迅速化について	（平成20年3月6日薬食審査発第0306001号，薬食監麻発第0306001号医薬食品局審査管理課長，監視指導・麻薬対策課長通知）
インスリン製剤販売名命名の取扱いについて	（平成20年3月31日薬食審査発第0331001号，薬食安発第0331001号医薬食品局審査管理課長，安全対策課長通知）
独立行政法人医薬品医療機器総合機構が行う対面助言，証明確認調査等の関連通知の改正等について	（平成20年3月31日薬機発第03311020号独立行政法人医薬品医療機器総合機構理事長通知）

名称	発出日・発出番号等
審査管理部門の組織改正に伴う関連通知の改正について	（平成 20 年 3 月 31 日薬機発第 0331023 号独立行政法人医薬品医療機器総合機構理事長通知）
製造所変更迅速審査の申請時に添付すべき資料等の改正について	（平成 20 年 5 月 14 日医薬食品局審査管理課，監視指導・麻薬対策課事務連絡）
医薬品の製造販売承認申請書における製造方法の記載に関する質疑応答集（Q&A）について	（平成 20 年 5 月 20 日医薬食品局審査管理課事務連絡）
昭和 42 年の基本方針前に承認された一般用医薬品等の取扱いについて	（平成 20 年 8 月 1 日薬食審査発第 0801001 号医薬食品局審査管理課長通知）
医薬品等の承認申請等に関する質疑応答集（Q&A）について	（平成 20 年 8 月 26 日医薬食品局審査管理課事務連絡）
医療事故防止に係る代替新規申請の取扱いについて	（平成 20 年 9 月 5 日医薬食品局審査管理課事務連絡）
医療用配合剤及びヘパリン製剤（注射剤）の販売名命名並びに注射剤に添付されている溶解液の表示の取扱いについて	（平成 20 年 9 月 22 日薬食審査発第 0922001 号，薬食安発第 0922001 号医薬食品局審査管理課長，安全対策課長通知）
一般用医薬品の承認申請について	（平成 20 年 10 月 20 日薬食発第 1020001 号医薬食品局長通知）
一般用医薬品の承認申請に際し留意すべき事項について	（平成 20 年 10 月 20 日薬食審査発第 1020002 号医薬食品局審査管理課長通知）
一般用医薬品の承認申請区分及び添付資料に関する質疑応答集（Q&A）について	（平成 20 年 10 月 20 日医薬食品局審査管理課事務連絡）
輸出用医薬品等の届出の取扱いについて	（平成 20 年 11 月 11 日薬食審査発第 1111001 号医薬食品局審査管理課長通知）
輸出用医薬品等の届出の取扱いに関する質疑応答集（Q&A）について	（平成 20 年 11 月 11 日医薬食品局審査管理課事務連絡）
バイオ後続品の承認申請について	（平成 21 年 3 月 4 日薬食発第 0304004 号医薬食品局長通知）

名称	発出日・発出番号等
医療用医薬品の製造販売承認申請書等における特定の原薬に係る製造方法の記載簡略化について	(平成 21 年 3 月 4 日薬食審査発第 0304018 号医薬食品局審査管理課長通知)
コモン・テクニカル・ドキュメントの電子化仕様資料提出時の取扱いについて	(平成 21 年 4 月 1 日医薬食品局審査管理課事務連絡)
「市販後副作用等報告及び治験副作用等報告について」の一部改正について	(平成 21 年 4 月 20 日薬食審査発第 0420002 号，薬食安発第 0420001 号医薬食品局審査管理課長，安全対策課長通知)
医療用医薬品の承認事項一部変更承認申請に係る標準的事務処理期間の取扱いについて	(平成 21 年 5 月 22 日薬食審査発第 0522001 号医薬食品局審査管理課長通知)
医療用後発医薬品の薬事法上の承認審査及び薬価収載に係る医薬品特許の取扱いについて	(平成 21 年 6 月 5 日医政経発第 0605001 号，薬食審査発第 0605014 号医政局経済課長，医薬食品局審査管理課長通知)
特定の製剤や特定の条件下においてのみ使用が認められた添加物の取扱いについて	(平成 21 年 6 月 23 日医薬食品局審査管理課事務連絡)
麻薬製剤の製造販売承認申請に際しての留意事項について	(平成 21 年 7 月 2 日医薬食品局審査管理課事務連絡)
医療用医薬品の品質再評価に係る承認条件の取扱いについて	(平成 21 年 7 月 3 日薬食審査発 0703 第 14 号医薬食品局審査管理課長通知)
新医薬品の製造販売の承認申請に際し承認申請書に添付すべき資料に関する通知の一部改正について	(平成 21 年 7 月 7 日薬食審査発 0707 第 3 号医薬食品局審査管理課長通知)
「医療用医薬品の承認事項一部変更承認申請に係る標準的事務処理期間の取扱いについて」の一部改正について	(平成 21 年 8 月 21 日薬食審査発 0821 第 14 号医薬食品局審査管理課長通知)
原薬に係る定期の GMP 適合性調査の質疑応答集 (Q&A) について	(平成 21 年 9 月 18 日医薬食品局監視指導・麻薬対策課事務連絡)
新医薬品の再審査の確認に係る再審査報告書の公表について	(平成 21 年 10 月 19 日薬食審査発 1019 第 3 号医薬食品局審査管理課長通知)

名称	発出日・発出番号等
「コモン・テクニカル・ドキュメントの電子化仕様について」に関する Q&A について	（平成 22 年 2 月 26 日医薬食品局審査管理課事務連絡）
医療用医薬品の有効成分の一般用医薬品への転用について	（平成 22 年 3 月 2 日薬食審査発 0302 第 1 号医薬食品局審査管理課長通知）
医療用医薬品と一般用医薬品の両方の効能・効果等を有する昭和 42 年の基本方針前に承認された医薬品の取扱いについて	（平成 22 年 4 月 1 日薬食審査発 0401 第 12 号医薬食品局審査管理課長通知）
外国製造業者認定一覧への業者コードの追加について	（平成 22 年 4 月 28 日医薬食品局審査管理課事務連絡）
新医薬品の総審査期間短縮に向けた申請に係る留意事項について	（平成 22 年 6 月 9 日医薬食品局審査管理課，監視指導・麻薬対策課事務連絡）
軽微変更届出の範囲の明確化に関する検討結果について	（平成 22 年 6 月 28 日医薬食品局審査管理課事務連絡）
「独立行政法人医薬品医療機器総合機構が行う審査等業務に係る申請・届出等の受付等業務の取扱いについて」の一部改正について	（平成 22 年 6 月 30 日薬機発第 0630017 号独立行政法人医薬品医療機器総合機構理事長通知）
医薬品等の規格及び試験方法に係る変更等に関する質疑応答集（Q&A）について	（平成 22 年 7 月 26 日医薬食品局審査管理課事務連絡）
副作用等報告に関する Q&A についての改訂について	（平成 22 年 7 月 29 日医薬食品局審査管理課，安全対策課事務連絡）
医薬品及び医薬部外品に関する外国製造業者の認定申請の取扱いについて	（平成 22 年 10 月 8 日薬食審査発 1008 第 1 号医薬食品局審査管理課長通知）
医薬品等の製造業の許可及び外国製造業者の認定の申請書に添付する様式等の改正について	（平成 22 年 10 月 13 日薬食発 1013 第 2 号医薬食品局長通知）
定期調査に係る医薬品適合性調査時の提出資料について	（平成 22 年 10 月 25 日独立行政法人医薬品医療機器総合機構品質管理部事務連絡）
医薬品適合性調査申請において総合機構が必要とする資料の一部改訂について	（平成 22 年 10 月 25 日独立行政法人医薬品医療機器総合機構品質管理部事務連絡）

名称	発出日・発出番号等
局所皮膚適用製剤（半固形製剤及び貼付剤）の処方変更のための生物学的同等性試験ガイドラインについて	（平成 22 年 11 月 1 日薬食審査発 1101 第 1 号医薬食品局審査管理課長通知）
「医薬部外品原料規格 2006」の収載品目における純度試験（重金属試験）の取扱いについて	（平成 22 年 11 月 19 日医薬食品局審査管理課事務連絡）
「「医薬部外品原料規格 2006」の収載品目における純度試験（重金属試験）の取扱いについて」の正誤表の送付について	（平成 22 年 12 月 3 日医薬食品局審査管理課事務連絡）
一般用漢方製剤の承認申請等に関する質疑応答集（Q&A）について	（平成 23 年 1 月 4 日医薬食品局審査管理課事務連絡）
医薬品の効能又は効果等における「妊娠高血圧症候群」の呼称の取扱いについて	（平成 23 年 1 月 11 日薬食審査発 0111 第 1 号，薬食安発 0111 第 1 号医薬食品局審査管理課長，安全対策課長通知）
新医薬品の総審査期間短縮に向けた申請に係る CTD のフォーマットについて	（平成 23 年 1 月 17 日医薬食品局審査管理課事務連絡）
医療用後発医薬品の承認審査資料適合性調査に係る資料提出方法等について	（平成 23 年 1 月 26 日薬機発第 0126069 号独立行政法人医薬品医療機器総合機構理事長通知）
医薬品の残留溶媒ガイドラインの改正について	（平成 23 年 2 月 21 日薬食審査発 0221 第 1 号医薬食品局審査管理課長通知）
薬事法施行令の一部を改正する政令について	（平成 23 年 3 月 24 日薬食発 0324 第 1 号医薬食品局長通知）
第十六改正日本薬局方の制定等について	（平成 23 年 3 月 30 日薬食発 0330 第 9 号医薬食品局長通知）
第十六改正日本薬局方の制定に伴う医薬品製造販売承認申請等の取扱いについて	（平成 23 年 3 月 30 日薬食審査発 0330 第 4 号医薬食品局審査管理課長通知）
第十六改正日本薬局方における製剤総則等の改正に伴う医薬品製造販売承認申請等の取扱いについて	（平成 23 年 3 月 30 日薬食審査発 0330 第 7 号医薬食品局審査管理課長通知）
薬事法施行規則第 284 条に基づくフレキシブルディスク申請等の取扱いについて	（平成 23 年 4 月 4 日薬食機発 0404 第 1 号医薬食品局審査管理課医療機器審査管理室長通知）

名称	発出日・発出番号等
第十六改正日本薬局方の制定に伴うコード等について	（平成 23 年 4 月 6 日医薬食品局審査管理課事務連絡）
第十六改正日本薬局方の制定に伴う医薬品等の承認申請等に関する質疑応答集（Q&A）について	（平成 23 年 4 月 8 日医薬食品局審査管理課事務連絡）
一般用漢方製剤承認基準の改正について	（平成 23 年 4 月 15 日薬食審査発 0415 第 1 号医薬食品局審査管理課長通知）
一般用漢方製剤の承認申請に関する留意事項について	（平成 23 年 4 月 15 日薬食審査発 0415 第 4 号医薬食品局審査管理課長通知）
「一般用漢方製剤承認基準の改正について」の一部訂正について	（平成 23 年 4 月 21 日医薬食品局審査管理課事務連絡）
「第十六改正日本薬局方の制定に伴うコード等について」の一部訂正について	（平成 23 年 4 月 25 日医薬食品局審査管理課事務連絡）
異なる結晶形等を有する医療用医薬品の取扱いについて	（平成 23 年 6 月 16 日薬食審査発 0616 第 1 号医薬食品局審査管理課長通知）
製造所変更迅速審査の申請時に添付すべき資料等の改正について	（平成 23 年 6 月 21 日医薬食品局審査管理課，監視指導・麻薬対策課事務連絡）
医薬品・医療機器戦略相談事業の実施について	（平成 23 年 6 月 30 日薬機発第 0630007 号独立行政法人医薬品医療機器総合機構理事長通知）
第十七改正日本薬局方原案作成要領について	（平成 23 年 12 月 15 日薬機規発第 1215001 号独立行政法人医薬品医療機器総合機構規格基準部長通知）
「独立行政法人医薬品医療機器総合機構が行う審査等業務に係る申請・届出等の受付等業務の取扱いについて」の一部改正について	（平成 24 年 1 月 4 日薬機発第 0104031 号独立行政法人医薬品医療機器総合機構理事長通知）
医療事故防止のための販売名変更に係る代替新規承認申請の取扱いについて	（平成 24 年 1 月 25 日薬食審査発 0125 第 1 号，薬食安発 0125 第 1 号医薬食品局審査管理課長，安全対策課長通知）
GMP 調査要領の制定について	（平成 24 年 2 月 16 日薬食監麻発 0216 第 7 号医薬食品局監視指導・麻薬対策課長通知）

名称	発出日・発出番号等
後発医薬品の生物学的同等性試験ガイドライン等の一部改正について	（平成24年2月29日薬食審査発0229第10号医薬食品局審査管理課長通知）
「後発医薬品の生物学的同等性試験ガイドラインに関する質疑応答集（Q&A）について」等の改正等について	（平成24年2月29日医薬食品局審査管理課事務連絡）
独立行政法人医薬品医療機器総合機構が行う対面助言，証明確認調査等の実施要綱等について	（平成24年3月2日薬機発第0302070号独立行政法人医薬品医療機器総合機構理事長通知）
「独立行政法人医薬品医療機器総合機構が行う審査等業務に係る申請・届出等の受付等業務の取扱いについて」の一部改正について	（平成24年3月21日薬機発第0321025号独立行政法人医薬品医療機器総合機構理事長通知）
後発医薬品における効能効果等に関する取扱いについて	（平成24年3月29日医政経発0329第1号，薬食審査発0329第4号医政局経済課長，医薬食品局審査管理課長通知）
医薬品リスク管理計画指針について	（平成24年4月11日薬食安発0411第1号，薬食審査発0411第2号医薬食品局安全対策課長，審査管理課長通知）
医薬品リスク管理計画の策定について	（平成24年4月26日薬食審査発0426第2号，薬食安発0426第1号医薬食品局審査管理課長，安全対策課長通知）
一般用漢方製剤承認基準の改正について	（平成24年8月30日薬食審査発0830第1号医薬食品局審査管理課長通知）
一般用漢方製剤の承認申請に関する留意事項について	（平成24年8月30日薬食審査発0830第4号医薬食品局審査管理課長通知）
第十六改正日本薬局方第一追補の制定に伴う医薬品製造販売承認申請等の取扱いについて	（平成24年9月28日薬食審査発0928第14号医薬食品局審査管理課長通知）
「第十六改正日本薬局方の制定に伴うコード等について」の一部改正について	（平成24年10月1日医薬食品局審査管理課事務連絡）
後発医薬品の相談制度試行に係る生物学的同等性相談の取扱いについて	（平成24年10月17日薬機審長発第1017001号独立行政法人医薬品医療機器総合機構審査センター長通知）

名称	発出日・発出番号等
「最終滅菌法による無菌医薬品の製造に関する指針」の改訂について	（平成 24 年 11 月 9 日医薬食品局監視指導・麻薬対策課事務連絡）
「医薬品添加物規格 1998」の一部改正について	（平成 24 年 12 月 4 日薬食発 1204 第 1 号医薬食品局長通知）
原薬等登録原簿に関する質疑応答集（Q&A）について（その 3）	（平成 24 年 12 月 28 日医薬食品局審査管理課事務連絡）
「コモン・テクニカル・ドキュメントの電子化仕様について」に関する Q&A について	（平成 25 年 1 月 21 日医薬食品局審査管理課事務連絡）
医薬品リスク管理計画書の公表について	（平成 25 年 3 月 4 日薬食審発 0304 第 1 号，薬食安発 0304 第 1 号医薬食品局審査管理課長，安全対策課長通知）
細胞・組織加工医薬品等の製造に関連するものに係る原薬等登録原簿登録申請書及びその申請書に添付すべき資料の作成要領について	（平成 25 年 3 月 8 日医薬食品局審査管理課事務連絡）
医薬品，医薬部外品，化粧品及び医療機器の製造販売後安全管理の基準に関する省令及び医薬品の製造販売後の調査及び試験の実施の基準に関する省令の一部を改正する省令の施行について	（平成 25 年 3 月 11 日薬食発 0311 第 7 号医薬食品局長通知）
細胞・組織加工医薬品等の製造に関連するものに係る原薬等登録原簿登録申請書及びその申請書に添付すべき資料の作成要領に関する Q&A について	（平成 25 年 4 月 15 日医薬食品局審査管理課事務連絡）
経口固形製剤の製法変更の生物学的同等性試験に関する考え方等について	（平成 25 年 4 月 19 日医薬食品局審査管理課事務連絡）
医薬品等輸入届取扱要領の改正について	（平成 25 年 4 月 22 日薬食監麻発 0422 第 1 号医薬食品局監視指導・麻薬対策課長通知）
薬事法施行規則の一部を改正する省令の施行及び新医療用医薬品に関する安全性定期報告制度について	（平成 25 年 5 月 17 日薬食発 0517 第 2 号厚生労働省医薬食品局長通知）

名称	発出日・発出番号等
安全性定期報告書別紙様式及びその記載方法について	（平成25年5月17日薬食審査発0517第4号，薬食安発0517第1号医薬食品局審査管理課長，安全対策課長通知）
第十六改正日本薬局方の一部改正に伴う医薬品製造販売承認申請等の取扱いについて	（平成25年5月31日薬食審査発0531第1号医薬食品局審査管理課長通知）
遺伝子治療用医薬品における確認申請制度の廃止について	（平成25年7月1日薬食発0701第13号医薬食品局長通知）
医薬品・医療機器薬事戦略相談事業の実施について	（平成25年7月1日薬機発第0701001号独立行政法人医薬品医療機器総合機構理事長通知）
「医薬品開発における生体試料中薬物濃度分析法のバリデーションに関するガイドライン」について	（平成25年7月11日薬食審査発0711第1号医薬食品局審査管理課長通知）
「医薬品開発における生体試料中薬物濃度分析法のバリデーションに関するガイドライン質疑応答集（Q&A）」について	（平成25年7月11日医薬食品局審査管理課事務連絡）
医薬品及び医薬部外品の製造管理及び品質管理の基準に関する省令の取扱いについて	（平成25年8月30日薬食監麻発0830第1号医薬食品局監視指導・麻薬対策課長通知）
「薬事戦略相談に関する実施要綱」の改正について	（平成25年9月24日薬機発第0924016号独立行政法人医薬品医療機器総合機構理事長通知）
原薬等登録原簿に関する質疑応答集（Q&A）について（その4）	（平成25年10月29日医薬食品局審査管理課事務連絡）
医薬品リスク管理計画の実施に基づく再審査期間終了後の評価報告について	（平成25年12月20日薬食安発1220第14号医薬食品局安全対策課長通知）
医療用後発医薬品に係る承認審査及びGMP適合性調査申請のスケジュール等について	（平成26年2月7日医薬食品局審査管理課，監視指導・麻薬対策課事務連絡）
第十六改正日本薬局方第二追補の制定等について	（平成26年2月28日薬食発0228第1号医薬食品局長通知）
第十六改正日本薬局方第二追補の制定に伴う医薬品製造販売承認申請等の取扱いについて	（平成26年2月28日薬食審査発0228第6号医薬食品局審査管理課長通知）

名称	発出日・発出番号等
第十六改正日本薬局方第二追補の制定に伴う医薬品等の承認申請等に関する質疑応答集（Q&A）について	（平成 26 年 2 月 28 日医薬食品局審査管理課事務連絡）
患者向医薬品ガイド等の運用について	（平成 26 年 3 月 31 日薬食安発 0331 第 1 号，薬食監麻発 0331 第 8 号医薬食品局安全対策課長，監視指導・麻薬対策課長通知）
「医薬品開発における生体試料中薬物濃度分析法（リガンド結合法）のバリデーションに関するガイドライン」について	（平成 26 年 4 月 1 日薬食審査発 0401 第 1 号医薬食品局審査管理課長通知）
「医薬品開発における生体試料中薬物濃度分析法（リガンド結合法）のバリデーションに関するガイドライン質疑応答集（Q&A）」について	（平成 26 年 4 月 1 日医薬食品局審査管理課事務連絡）
第十七改正日本薬局方原案作成要領(一部改正)について	（平成 26 年 5 月 29 日薬機規発第 0529001 号独立行政法人医薬品医療機器総合機構規格基準部長通知）
3 種類以上の有効成分を含む医薬品及び医薬部外品の製造販売承認申請書における製造方法欄の記載について	（平成 26 年 5 月 30 日薬食審査発 0530 第 8 号医薬食品局審査管理課長通知）
要指導医薬品の指定等について	（平成 26 年 6 月 6 日薬食発 0606 第 5 号医薬食品局長通知）
要指導医薬品の販売日等の届出に関する取扱いについて	（平成 26 年 6 月 12 日医薬食品局審査管理課，安全対策課事務連絡）
承認申請時の電子データ提出に関する基本的考え方について	（平成 26 年 6 月 20 日薬食審査発 0620 第 6 号医薬食品局審査管理課長通知）
「承認申請時の電子データ提出に関する基本的考え方について」に関する質疑応答集（Q&A）について	（平成 26 年 6 月 20 日医薬食品局審査管理課事務連絡）
独立行政法人医薬品医療機器総合機構が行う対面助言，証明確認調査等の実施要綱等の改正について	（平成 26 年 6 月 30 日薬機発第 0630050 号独立行政法人医薬品医療機器総合機構理事長通知）

名称	発出日・発出番号等
「医薬品開発と適正な情報提供のための薬物相互作用ガイドライン（最終案）」の公表について	（平成 26 年 7 月 8 日医薬食品局審査管理課事務連絡）
「承認基準の定められた一般用医薬品の申請書の記載及び添付資料の取扱い等について」の一部改正について	（平成 26 年 7 月 10 日薬食審査発 0710 第 4 号医薬食品局審査管理課長通知）
「医療用配合剤の販売名命名の取扱い」及び「インスリン製剤販売名命名の取扱い」の一部改正について	（平成 26 年 7 月 10 日薬食審査発 0710 第 6 号，薬食安発 0710 第 4 号医薬食品局審査管理課長，安全対策課長通知）
原薬の開発と製造（化学薬品及びバイオテクノロジー応用医薬品/生物起源由来医薬品）ガイドラインについて	（平成 26 年 7 月 10 日薬食審査発 0710 第 9 号医薬食品局審査管理課長通知）
薬事法等の一部を改正する法律等の施行等について	（平成 26 年 8 月 6 日薬食発 0806 第 3 号医薬食品局長通知）
薬事法関係手数料令等の一部改正について	（平成 26 年 8 月 12 日薬食発 0812 第 35 号医薬食品局長通知）
医薬品リスク管理計画指針の後発医薬品への適用等について	（平成 26 年 8 月 26 日薬食審査発 0826 第 3 号，薬食安発 0826 第 1 号医薬食品局審査管理課長，安全対策課長通知）
添付文書等記載事項の届出等に当たっての留意事項について	（平成 26 年 9 月 1 日薬食安発 0901 第 01 号医薬食品局安全対策課長通知）
添付文書等記載事項の届出等に関する Q&A について	（平成 26 年 9 月 1 日医薬食品局安全対策課事務連絡）
新医薬品の承認の予見性向上等に向けた承認申請の取扱い及び総審査期間の考え方について	（平成 26 年 10 月 6 日薬食審査発 1006 第 1 号，薬食監麻発 1006 第 1 号医薬食品局審査管理課長，監視指導・麻薬対策課長通知）
新医薬品承認審査予定事前面談実施要綱について	（平成 26 年 10 月 6 日薬機発第 1006001 号独立行政法人医薬品医療機器総合機構理事長通知）
GCTP 調査要領について	（平成 26 年 10 月 9 日薬食監麻発 1009 第 4 号医薬食品局監視指導・麻薬対策課長通知）

名称	発出日・発出番号等
コンビネーション製品の承認申請における取扱いについて	（平成 26 年 10 月 24 日薬食審査発 1024 第 2 号，薬食機参発 1024 第 1 号，薬食安発 1024 第 9 号，薬食監麻発 1024 第 15 号医薬食品局審査管理課長，大臣官房参事官（医療機器・再生医療等製品審査管理担当），医薬食品局安全対策課長，監視指導・麻薬対策課長通知）
フレキシブルディスク等を利用した申請等の取扱い等について	（平成 26 年 10 月 27 日薬食発 1027 第 1 号医薬食品局長通知）
フレキシブルディスク等を利用した申請等の記録項目，コード表等について	（平成 26 年 10 月 27 日薬食審査発 1027 第 1 号医薬食品局審査管理課長通知）
フレキシブルディスク申請等の取扱い等について	（平成 26 年 10 月 27 日薬食審査発 1027 第 3 号医薬食品局審査管理課長通知）
原薬等登録原簿の利用に関する指針について	（平成 26 年 11 月 17 日薬食審査発 1117 第 3 号，薬食機参発 1117 第 1 号医薬食品局審査管理課長，大臣官房参事官（医療機器・再生医療等製品審査管理担当）通知）
医薬品の承認申請について	（平成 26 年 11 月 21 日薬食発 1121 第 2 号医薬食品局長通知）
医薬品 GCP 実地調査の実施要領について	（平成 26 年 11 月 21 日薬食審査発 1121 第 1 号医薬食品局審査管理課長通知）
新医薬品の承認申請資料適合性書面調査の実施要領について	（平成 26 年 11 月 21 日薬食審査発 1121 第 5 号医薬食品局審査管理課長通知）
医薬品の承認申請に際し留意すべき事項について	（平成 26 年 11 月 21 日薬食審査発 1121 第 12 号医薬食品局審査管理課長通知）
薬事戦略相談に関する実施要綱の一部改正について	（平成 26 年 11 月 21 日薬機発第 1121001 号独立行政法人医薬品医療機器総合機構理事長通知）
独立行政法人医薬品医療機器総合機構が行う審査等の手数料について	（平成 26 年 11 月 21 日薬機発第 1121002 号独立行政法人医薬品医療機器総合機構理事長通知）
「独立行政法人医薬品医療機器総合機構が行う対面助言，証明確認調査等の実施要綱等について」の一部改正について	（平成 26 年 11 月 21 日薬機発第 1121012 号独立行政法人医薬品医療機器総合機構理事長通知）

名称	発出日・発出番号等
輸出用医薬品・輸出用医療機器等の証明書の発給に係る GMP, QMS, GCTP 調査の実施について	（平成 26 年 11 月 25 日薬食発 1125 第 9 号医薬食品局長通知）
輸出用医薬品, 輸出用医療機器等の証明書の発給について	（平成 26 年 11 月 25 日薬食発 1125 第 12 号医薬食品局長通知）
輸出用医薬品・輸出用医療機器等の証明書の発給に係る GMP, QMS, GCTP 調査の実施要領の運用等について	（平成 26 年 11 月 25 日薬食監麻発 1125 第 5 号医薬食品局監視指導・麻薬対策課長通知）
マスターファイル登録申請書類申請前チェックリストについて	（平成 26 年 12 月 11 日独立行政法人医薬品医療機器総合機構規格基準部長事務連絡）
「独立行政法人医薬品医療機器総合機構が行う対面助言, 証明確認調査等の実施要綱等について」の一部改正について	（平成 26 年 12 月 25 日薬機発第 1225025 号独立行政法人医薬品医療機器総合機構理事長通知）
「一般用医薬品の区分リストについて」の一部改正について	（平成 27 年 1 月 22 日薬食安発 0122 第 1 号医薬食品局安全対策課長通知）
「新医薬品に係る承認審査の標準的プロセスにおけるタイムライン」の改定について	（平成 27 年 1 月 30 日医薬食品局審査管理課事務連絡）
個別症例安全性報告の電子的伝送に係る実装ガイドの修正等について	（平成 27 年 2 月 2 日薬食審査発 0202 第 1 号, 薬食安発 0202 第 1 号医薬食品局審査管理課長, 安全対策課長通知）
「E2B（R3）実装ガイドに対応した市販後副作用等報告及び治験副作用等報告について」の一部改正について	（平成 27 年 2 月 16 日薬食審査発 0216 第 1 号, 薬食安発 0216 第 2 号医薬食品局審査管理課長, 安全対策課長通知）
市販後副作用等報告及び治験副作用等報告の留意点について	（平成 27 年 2 月 16 日薬機審マ発第 0216001 号, 薬機安一発第 0216001 号, 薬機安二発第 0216001 号独立行政法人医薬品医療機器総合機構審査マネジメント部長, 安全第一部長, 安全第二部長通知）
製造販売後安全性管理業務に係る社内体制等に関する自主点検について	（平成 27 年 2 月 24 日薬食安発 0224 第 2 号医薬食品局安全対策課長通知）

名称	発出日・発出番号等
再生医療等製品の製造管理及び品質管理の基準等に関する質疑応答集（Q&A）について	（平成 27 年 3 月 17 日薬食監麻発 0317 第 1 号医薬食品局監視指導・麻薬対策課長通知)
医薬品，医療機器等の品質，有効性及び安全性の確保等に関する法律施行令第 80 条第 2 項第 5 号の規定に基づき厚生労働大臣が指定する医薬品の種類等の一部を改正する件及び都道府県知事承認に係る医薬部外品の一部を改正する件について	（平成 27 年 3 月 25 日薬食発 0325 第 14 号医薬食品局長通知)
鼻炎用内服薬の製造販売承認基準について	（平成 27 年 3 月 25 日薬食発 0325 第 23 号医薬食品局長通知)
鎮咳去痰薬の製造販売承認基準について	（平成 27 年 3 月 25 日薬食発 0325 第 26 号医薬食品局長通知)
かぜ薬の製造販売承認基準について	（平成 27 年 3 月 25 日薬食発 0325 第 28 号医薬食品局長通知)
解熱鎮痛薬の製造販売承認基準について	（平成 27 年 3 月 25 日薬食発 0325 第 30 号医薬食品局長通知)
鼻炎用内服薬の製造販売承認事務の取扱いについて	（平成 27 年 3 月 25 日薬食審査発 0325 第 1 号医薬食品局審査管理課長通知)
鎮咳去痰薬の製造販売承認事務の取扱いについて	（平成 27 年 3 月 25 日薬食審査発 0325 第 3 号医薬食品局審査管理課長通知)
かぜ薬の製造販売承認事務の取扱いについて	（平成 27 年 3 月 25 日薬食審査発第 0325 第 5 号医薬食品局審査管理課長通知)
解熱鎮痛薬の製造販売承認事務の取扱いについて	（平成 27 年 3 月 25 日薬食審査発 0325 第 7 号医薬食品局審査管理課長通知)
医療用医薬品への新バーコード表示に伴う JAN/ITF コード表示の終了及び新バーコードの活用について（周知徹底及び注意喚起依頼)	（平成 27 年 3 月 31 日医政経発 0331 第 2 号，薬食安発 0331 第 6 号医政局経済課長,医薬食品局安全対策課長通知)
かぜ薬等の添付文書等に記載する使用上の注意の一部改正について	（平成 27 年 4 月 1 日薬食安発 0401 第 2 号，薬食審査発 0401 第 9 号医薬食品局安全対策課長,審査管理課長通知)

名称	発出日・発出番号等
個別症例安全性報告の電子的伝送に関する質疑応答集（Q&A）について	（平成27年4月2日医薬食品局安全対策課，審査管理課事務連絡）
「一般用医薬品の区分リストについて」の一部改正について	（平成27年4月6日薬食安発0406第1号医薬食品局安全対策課長通知）
一般用医薬品等の副作用に関する注意喚起について	（平成27年4月8日医薬食品局安全対策課事務連絡）
かぜ薬等の添付文書等に記載する使用上の注意に関するQ&Aについて	（平成27年4月23日医薬食品局安全対策課，審査管理課事務連絡）
承認申請時の電子データ提出に関する実務的事項について	（平成27年4月27日薬食審査発0427第1号医薬食品局審査管理課長通知）
「承認申請時の電子データ提出に関する実務的事項について」に関する質疑応答集（Q&A）について	（平成27年4月27日医薬食品局審査管理課事務連絡）
承認申請時の電子データ提出等に関する技術的ガイドについて	（平成27年4月27日薬機次発第0427001号独立行政法人医薬品医療機器総合機構次世代審査等推進室長通知）
「承認申請時の電子データ提出に関する実務的事項について」の一部訂正について	（平成27年5月8日医薬食品局審査管理課事務連絡）
かぜ薬等の製造販売承認事務の取扱いに関する質疑応答集（Q&A）について	（平成27年5月14日医薬食品局審査管理課事務連絡）
「独立行政法人医薬品医療機器総合機構が行う対面助言，証明確認調査等の実施要綱等について」の一部改正について	（平成27年5月15日薬機発0515001号独立行政法人医薬品医療機器総合機構理事長通知）
「独立行政法人医薬品医療機器総合機構が行う審査等の手数料について」の一部改正について	（平成27年5月15日薬機発0515005号独立行政法人医薬品医療機器総合機構理事長通知）
一般用医薬品の製造販売承認申請時における記載整備チェックリストの利用について	（平成27年5月18日薬機般発第150518001号独立行政法人医薬品医療機器総合機構一般薬等審査部長通知）

名称	発出日・発出番号等
要指導・一般用医薬品外箱等への副作用被害救済制度の表示に関する自主申し合わせ及びQ&A（改定）について	（平成27年6月15日薬食総発第0615第2号医薬食品局総務課長通知）
一般用医薬品等の製造販売承認申請時における記載整備チェックリストの利用について	（平成27年6月16日医薬食品局審査管理課事務連絡）
GILSP告示の一部を改正する件について	（平成27年6月23日薬食発0623第2号医薬食品局長通知）
遺伝子治療用製品等及び遺伝子組換え生物等に関する報告について	（平成27年6月23日薬食審査発0623第1号，薬食機参発0623第1号医薬食品局審査管理課長，大臣官房参事官（医療機器・再生医療等製品審査管理担当）通知）
生物由来原料基準の運用に関する質疑応答集（Q&A）について	（平成27年6月30日医薬食品局審査管理課，医療機器・再生医療等製品担当参事官室事務連絡）
GMP適合性調査申請の取扱いについて	（平成27年7月2日薬食審査発0702第1号，薬食監麻発0702第1号医薬食品局審査管理課長，監視指導・麻薬対策課長通知）
「PIC/SのGMPガイドラインを活用する際の考え方について」の一部改正について	（平成27年7月8日医薬食品局監視指導・麻薬対策課事務連絡）
承認事項一部変更承認後の製品切替え時期設定及びその記載方法について	（平成27年7月13日薬食審査発0713第1号，薬食監麻発0713第1号医薬食品局審査管理課長，監視指導・麻薬対策課長通知）
承認事項一部変更承認後の製品切替え時期設定に関する質疑応答集（Q&A）について	（平成27年7月13日医薬食品局審査管理課，監視指導・麻薬対策課事務連絡）
遺伝子組換え生物等の使用等の規制による生物の多様性の確保に関する法律に基づく承認の申請等の事務手続等に関する質疑応答集（Q&A）について	（平成27年7月16日医薬食品局審査管理課，医療機器・再生医療等製品担当参事官室事務連絡）
第十六改正日本薬局方第二追補で改正された医薬品各条「ステアリン酸」の凝固点の代替法について	（平成27年8月7日医薬食品局審査管理課事務連絡）

名称	発出日・発出番号等
医療用医薬品に係る CTD 作成の手引き及びモックアップ（記載例）について	（平成 27 年 9 月 7 日医薬食品局審査管理課事務連絡）
「独立行政法人医薬品医療機器総合機構が行う対面助言，証明確認調査等の実施要綱等について」の一部改正について	（平成 27 年 9 月 14 日薬機発第 0914001 号独立行政法人医薬品医療機器総合機構理事長通知）
「独立行政法人医薬品医療機器総合機構が行う審査等の手数料について」の一部改正について	（平成 27 年 9 月 14 日薬機発第 0914028 号独立行政法人医薬品医療機器総合機構理事長通知）
「独立行政法人医薬品医療機器総合機構が行う対面助言，証明確認調査等の実施要綱等について」の一部改正について	（平成 27 年 9 月 15 日薬機発第 0915003 号独立行政法人医薬品医療機器総合機構理事長通知）
薬事戦略相談に関する実施要綱の一部改正について	（平成 27 年 9 月 15 日薬機発第 0915006 号独立行政法人医薬品医療機器総合機構理事長通知）
「一般用医薬品の区分リストについて」の一部改正について	（平成 27 年 9 月 25 日薬食安発 0925 第 1 号医薬食品局安全対策課長通知）
E2B(R3)実装ガイドに対応した市販後副作用等報告及び治験副作用等報告に関する Q&A について	（平成 27 年 9 月 28 日医薬食品局審査管理課，安全対策課事務連絡）
「輸出用医薬品,輸出用医療機器等の証明書の発給について」の一部改正について	（平成 27 年 10 月 1 日薬生発 1001 第 1 号医薬・生活衛生局長通知）
「医薬品再審査・再評価申請中に当該申請書記載事項等の変更が生じた場合の取扱いについて」の一部改正について	（平成 27 年 10 月 1 日薬生審査発 1001 第 10 号医薬・生活衛生局審査管理課長通知）
「医薬品等の製造業許可事務等の取扱いについて」の一部改正について	（平成 27 年 10 月 1 日薬生審査発 1001 第 11 号医薬・生活衛生局審査管理課長通知）
「要指導医薬品の販売日等の届出に関する取扱いについて」の一部改正について	（平成 27 年 10 月 1 日医薬・生活衛生局審査管理課，安全対策課事務連絡）
麻薬，麻薬原料植物，向精神薬及び麻薬向精神薬原料を指定する政令の一部を改正する政令の施行について（通知）	（平成 27 年 10 月 2 日薬生発 1002 第 3 号医薬・生活衛生局長通知）

名称	発出日・発出番号等
第十七改正日本薬局方原案作成要領（一部改正その2）について	（平成27年10月5日薬機規発第1005001号独立行政法人医薬品医療機器総合機構規格基準部長通知）
潜在的発がんリスクを低減するための医薬品中DNA反応性（変異原性）不純物の評価及び管理ガイドラインについて	（平成27年11月10日薬生審査発1110第3号医薬・生活衛生局審査管理課長通知）
日本薬局方収載医薬品に係る残留溶媒の管理等について	（平成27年11月12日薬生審査発1112第1号医薬・生活衛生局審査管理課長通知）
日本薬局方収載医薬品に係る残留溶媒の管理等に関する質疑応答集（Q&A）について（その1）	（平成27年11月12日医薬・生活衛生局審査管理課事務連絡）
医薬品等及び毒劇物輸入監視要領について	（平成27年11月30日薬生発1130第3号医薬・生活衛生局長通知）
医薬品等輸入手続質疑応答集（Q&A）について	（平成27年11月30日医薬・生活衛生局監視指導・麻薬対策課事務連絡）
輸入届書及びNACCSシステムによる医薬品等輸入届出について	（平成27年11月30日医薬・生活衛生局監視指導・麻薬対策課事務連絡）
医薬品等輸出入手続オンラインシステム（NACCSシステム）質疑応答集（Q&A）について	（平成27年11月30日医薬・生活衛生局監視指導・麻薬対策課事務連絡）
リゾチーム塩酸塩製剤の使用にあたっての留意事項について	（平成27年12月11日薬生審査発1211第1号，薬生監麻発1211第1号医薬・生活衛生局審査管理課長，監視指導・麻薬対策課長通知）
リゾチーム塩酸塩を含有する一般用医薬品の取扱い等について	（平成27年12月11日薬生審査発1211第4号医薬・生活衛生局審査管理課長通知）
「鼻炎用内服薬の製造販売承認基準について」の一部改正について	（平成27年12月14日薬生発1214第2号医薬・生活衛生局長通知）
薬物に係る治験の計画の届出及び治験の実施等に関する質疑応答（Q&A）についての改訂について	（平成27年12月14日医薬・生活衛生局審査管理課事務連絡）

名称	発出日・発出番号等
バイオ後続品の品質・安全性・有効性確保のための指針に関する質疑応答集（Q&A）について	（平成 27 年 12 月 15 日医薬・生活衛生局審査管理課事務連絡）
後発医薬品の必要な規格を揃えること等について	（平成 27 年 12 月 21 日医政経発 1221 第 6 号医政局経済課長通知）
「後発医薬品の必要な規格を揃えること等について」の Q&A の廃止について	（平成 27 年 12 月 21 日医政局経済課事務連絡）
生薬のエキス製剤の製造販売承認申請に係るガイダンスについて	（平成 27 年 12 月 25 日薬生審査発 1225 第 6 号医薬・生活衛生局審査管理課長通知）
医薬品の製造販売承認書と製造実態の整合性に係る点検の実施について	（平成 28 年 1 月 19 日薬生審査発 0119 第 1 号医薬・生活衛生局審査管理課長通知）
医薬品の製造販売承認書と製造実態の整合性に係る点検に関する質疑応答集（Q&A）について	（平成 28 年 1 月 20 日医薬・生活衛生局審査管理課事務連絡）
優先審査等の取扱いについて	（平成 28 年 1 月 22 日薬生審査発 0122 第 12 号，薬生機発 0122 第 2 号医薬・生活衛生局審査管理課長，大臣官房参事官（医療機器・再生医療等製品審査管理担当）通知）
リゾチーム塩酸塩を含有する一般用医薬品の取扱い等に関する質疑応答集（Q&A）について	（平成 28 年 1 月 22 日医薬・生活衛生局審査管理課事務連絡）
「独立行政法人医薬品医療機器総合機構が行う対面助言，証明確認調査等の実施要綱等について」の一部改正について	（平成 28 年 1 月 22 日薬機発第 0122003 号独立行政法人医薬品医療機器総合機構理事長通知）
医薬品の製造販売承認書と製造実態の整合性に係る点検後の手続きについて	（平成 28 年 2 月 12 日薬生審査発 0212 第 4 号医薬・生活衛生局審査管理課長通知）
薬事戦略相談に関する実施要綱の一部改正について	（平成 28 年 2 月 24 日薬機発第 0224024 号独立行政法人医薬品医療機器総合機構理事長通知）
医薬品の製造販売承認書と製造実態の整合性に係る点検に関する質疑応答集（Q&A）について（その 2）	（平成 28 年 3 月 4 日医薬・生活衛生局審査管理課事務連絡）
第十七改正日本薬局方の制定等について	（平成 28 年 3 月 7 日薬生発 0307 第 3 号医薬・生活衛生局長通知）

名称	発出日・発出番号等
原薬 GMP のガイドラインに関する Q&A について	(平成 28 年 3 月 8 日医薬・生活衛生局監視指導・麻薬対策課事務連絡)
医療用医薬品の承認申請の際に添付すべき資料の取扱いについて	(平成 28 年 3 月 11 日薬生審査発 0311 第 3 号医薬・生活衛生局審査管理課長通知)
吸入粉末剤の後発医薬品の生物学的同等性評価に関する基本的考え方について	(平成 28 年 3 月 11 日医薬・生活衛生局審査管理課事務連絡)
医薬品の製造販売承認書と製造実態の整合性に係る点検に関する質疑応答集（Q&A）について（その 3）	(平成 28 年 3 月 22 日医薬・生活衛生局審査管理課事務連絡)
防除用医薬品及び防除用医薬部外品の用法用量の変更に係る手続きの迅速化について	(平成 28 年 3 月 25 日薬生審査発 0325 第 7 号医薬・生活衛生局審査管理課長通知)
リゾチーム塩酸塩を含有する一般用医薬品の取扱い等（その 2）について	(平成 28 年 3 月 25 日薬生審査発 0325 第 10 号医薬・生活衛生局審査管理課長通知)
「鎮咳去痰薬の製造販売承認基準について」の一部改正について	(平成 28 年 3 月 28 日薬生発 0328 第 10 号医薬・生活衛生局長通知)
「鼻炎用内服薬の製造販売承認事務の取扱いについて」の一部改正について	(平成 28 年 3 月 28 日薬生審査発 0328 第 13 号医薬・生活衛生局審査管理課長通知)
「承認事項一部変更承認後の製品切替え時期設定及びその記載方法について」の一部改正について	(平成 28 年 3 月 28 日医薬・生活衛生局審査管理課，監視指導・麻薬対策課事務連絡)
医薬品等の製造業許可，外国製造業者認定等に関する質疑応答集（Q&A）について	(平成 28 年 3 月 29 日医薬・生活衛生局審査管理課，監視指導・麻薬対策課事務連絡)
「新医薬品開発における環境影響評価に関するガイダンス」について	(平成 28 年 3 月 30 日薬生審査発 0330 第 1 号医薬・生活衛生局審査管理課長通知)
医薬品・医薬部外品外国製造業者認定の更新・廃止等の手続きについて	(平成 28 年 3 月 30 日薬生審査発 0330 第 4 号医薬・生活衛生局審査管理課長通知)
「医薬品等の副作用等の報告について」及び「独立行政法人医薬品医療機器総合機構に対する治験副作用報告について」の一部改正について	(平成 28 年 3 月 31 日薬生発 0331 第 4 号医薬・生活衛生局長通知)

名称	発出日・発出番号等
第十七改正日本薬局方の制定に伴う医薬品製造販売承認申請等の取扱いについて	（平成28年3月31日薬生審査発0331第1号医薬・生活衛生局審査管理課長通知）
医薬品のリスク管理計画書の概要の作成及び公表について	（平成28年3月31日薬生審査発0331第13号，薬生安発0331第13号医薬・生活衛生局審査管理課長，安全対策課長通知）
日本薬局方の医薬品各条における製剤の試験方法の取扱いについて	（平成28年3月31日医薬・生活衛生局審査管理課事務連絡）
「独立行政法人医薬品医療機器総合機構が行う対面助言，証明確認調査等の実施要綱等について」の一部改正について	（平成28年4月1日薬機発第0401003号独立行政法人医薬品医療機器総合機構理事長通知）
薬事戦略相談に関する実施要綱の一部改正について	（平成28年4月1日薬機発第0401030号独立行政法人医薬品医療機器総合機構理事長通知）
医薬品の製造販売承認書と製造実態の整合性に係る点検に関する質疑応答集（Q&A）について（その4）	（平成28年4月11日医薬・生活衛生局審査管理課事務連絡）
相互承認に関する日本国と欧州共同体との間の協定の運用について	（平成28年4月26日薬生監麻発0426第3号医薬・生活衛生局監視指導・麻薬対策課長通知）
医薬品の承認申請資料に係る適合性書面調査及びGCP実地調査の実施手続きについて	（平成28年5月11日薬機発第0511005号独立行政法人医薬品医療機器総合機構理事長通知）
医薬品の製造販売承認書に則した製造等の徹底について	（平成28年6月1日薬生審査発0601第3号，薬生監麻発0601第2号医薬・生活衛生局審査管理課長，監視指導・麻薬対策課長通知）
日本薬局方収載医薬品に係る残留溶媒の管理等に関する質疑応答集（Q&A）について（その2）	（平成28年6月3日医薬・生活衛生局審査管理課事務連絡）
防除用医薬品及び防除用医薬部外品の製造販売承認申請に係る手続きについて	（平成28年6月15日薬生審査発0615第1号医薬・生活衛生局審査管理課長通知）
遺伝子組換え生物等の使用等の規制による生物の多様性の確保に関する法律に基づく遺伝子組換え生物等の適切な使用等について	（平成28年6月17日薬生審査発0617第5号，薬生機発0617第3号医薬・生活衛生局審査管理課長，大臣官房参事官（医療機器・再生医療等製品審査管理担当）通知）

名称	発出日・発出番号等
医薬品の製造販売承認書と製造実態の整合性に係る点検に関する質疑応答集（Q&A）について（その 5）	（平成 28 年 6 月 20 日医薬・生活衛生局審査管理課事務連絡）
組織再編等に伴う輸出用医薬品，輸出用医療機器等の証明書の発給に係る対象の様式について	（平成 28 年 6 月 21 日医薬・生活衛生局医薬品審査管理課，医療機器審査管理課事務連絡）
組織再編等に伴う医薬品再審査・再評価申請中に当該申請書記載事項等の変更が生じた場合の取扱いに係る対象の様式について	（平成 28 年 6 月 21 日医薬・生活衛生局医薬品審査管理課事務連絡）
要指導・一般用医薬品の承認申請区分及び添付資料に関する質疑応答集（Q&A）について	（平成 28 年 6 月 24 日医薬・生活衛生局医薬品審査管理課事務連絡）
防除用医薬品及び防除用医薬部外品の製造販売承認申請に係る手続きに関する質疑応答集（Q&A）について	（平成 28 年 6 月 28 日医薬・生活衛生局医薬品審査管理課事務連絡）
「承認申請時の電子データ提出等に関する技術的ガイドについて」の一部改正について	（平成 28 年 6 月 30 日薬機次発第 0630001 号独立行政法人医薬品医療機器総合機構次世代審査等推進室長通知）
申請電子データシステム　利用開始日について	（平成 28 年 7 月 7 日独立行政法人医薬品医療機器総合機構次世代審査等推進室事務連絡）
医療用後発医薬品に係る承認審査及び GMP 適合性調査申請のスケジュール等について	（平成 28 年 7 月 21 日医薬・生活衛生局医薬品審査管理課，監視指導・麻薬対策課事務連絡）
「独立行政法人医薬品医療機器総合機構が行う対面助言，証明確認調査等の実施要綱等について」の一部改正について	（平成 28 年 7 月 21 日薬機発第 0721003 号独立行政法人医薬品医療機器総合機構理事長通知）
「遺伝子組換え生物等の使用等の規制による生物の多様性の確保に関する法律の施行に伴う事務取扱い等について」の一部改正について	（平成 28 年 7 月 29 日薬生薬審発 0729 第 4 号，薬生機審発 0729 第 5 号医薬・生活衛生局医薬品審査管理課長，医療機器審査管理課長通知）
スイッチ OTC 医薬品の候補となる成分の要望受け付け開始について	（平成 28 年 8 月 5 日医薬・生活衛生局医薬品審査管理課事務連絡）
「コモン・テクニカル・ドキュメントの電子化仕様の取扱いについて」の一部改正について	（平成 28 年 8 月 24 日薬生薬審発 0824 第 3 号医薬・生活衛生局医薬品審査管理課長通知）

名称	発出日・発出番号等
医薬品添加剤 GMP 自主基準について	（平成 28 年 8 月 24 日医薬・生活衛生局監視指導・麻薬対策課事務連絡）
「承認申請時の電子データ提出等に関する技術的ガイド」の一部改正について	（平成 28 年 8 月 24 日薬機次発第 0824001 号独立行政法人医薬品医療機器総合機構次世代審査等推進室長通知）
「独立行政法人医薬品医療機器総合機構が行う対面助言，証明確認調査等の実施要綱等について」の一部改正について	（平成 28 年 8 月 26 日薬機発第 0826004 号独立行政法人医薬品医療機器総合機構理事長通知）
革新的医薬品・医療機器・再生医療等製品実用化促進事業の成果に基づき策定された試験方法の公表について	（平成 28 年 8 月 31 日薬生機審発 0831 第 1 号医薬・生活衛生局医療機器審査管理課長通知）
「独立行政法人医薬品医療機器総合機構が行う審査等業務に係る申請・届出等の受付等業務の取扱いについて」の一部改正について	（平成 28 年 9 月 6 日薬機発第 0906068 号独立行政法人医薬品医療機器総合機構理事長通知）
「コンビネーション製品の承認申請における取扱いについて」の一部改正等について	（平成 28 年 9 月 15 日薬生薬審発 0915 第 1 号，薬生機審発 0915 第 1 号，薬生安発 0915 第 3 号，薬生監麻発 0915 第 3 号医薬・生活衛生局医薬品審査管理課長，医療機器審査管理課長，安全対策課長，監視指導・麻薬対策課長通知）
「一般用医薬品の区分リストについて」の一部改正について	（平成 28 年 9 月 21 日薬生安発 0921 第 1 号医薬・生活衛生局安全対策課長通知）
公定規格に収載されていない生薬の自主基準について	（平成 28 年 9 月 30 日医薬・生活衛生局医薬品審査管理課事務連絡）
医薬品添加剤の一日最大使用量算出のための換算係数等提出について	（平成 28 年 10 月 7 日薬機審マ発第 1007001 号独立行政法人医薬品医療機器総合機構審査マネジメント部長通知）
「一般用医薬品の区分リストについて」の一部改正について	（平成 28 年 10 月 19 日薬生安発 1019 第 1 号医薬・生活衛生局安全対策課長通知）
医薬品の区分等表示の変更に係る留意事項について	（平成 28 年 10 月 19 日薬生監麻発 1019 第 9 号医薬・生活衛生局監視指導・麻薬対策課長通知）

名称	発出日・発出番号等
第十八改正日本薬局方作成基本方針について	（平成 28 年 10 月 19 日医薬・生活衛生局医薬品審査管理課事務連絡）
個別症例安全性報告の電子的伝送に関する質疑応答集（Q&A）について	（平成 28 年 10 月 20 日医薬・生活衛生局医薬品審査管理課，安全対策課事務連絡）
医薬品の承認申請等に関する質疑応答集（Q&A）について	（平成 28 年 10 月 27 日医薬・生活衛生局医薬品審査管理課事務連絡）
医薬品等輸入手続質疑応答集（Q&A）について	（平成 28 年 11 月 17 日医薬・生活衛生局監視指導・麻薬対策課事務連絡）
「コンビネーション製品の承認申請における取扱いについて」の改正等について	（平成 28 年 11 月 22 日薬生薬審発 1122 第 4 号，薬生機審発 1122 第 10 号，薬生安発 1122 第 7 号，薬生監麻発 1122 第 4 号医薬・生活衛生局医薬品審査管理課長，医療機器審査管理課長，安全対策課長，監視指導・麻薬対策課長通知）
コンビネーション製品の承認申請における取扱いに関する質疑応答集（Q&A）について	（平成 28 年 11 月 22 日医薬・生活衛生局医薬品審査管理課，医療機器審査管理課，安全対策課，監視指導・麻薬対策課事務連絡）
「独立行政法人医薬品医療機器総合機構が行う対面助言，証明確認調査等の実施要綱等について」の一部改正について	（平成 28 年 11 月 28 日薬機発第 1128003 号独立行政法人医薬品医療機器総合機構理事長通知）
「新医薬品承認審査予定事前面談実施要綱について」の一部改正について	（平成 28 年 11 月 28 日薬機発第 1128004 号独立行政法人医薬品医療機器総合機構理事長通知）
第十八改正日本薬局方原案作成要領について	（平成 29 年 1 月 18 日薬機規発第 0118001 号独立行政法人医薬品医療機器総合機構規格基準部長通知）
医薬品医療機器申請・審査システムの政府共通プラットホームの利用開始について	（平成 29 年 2 月 10 日薬生薬審発 0210 第 3 号医薬・生活衛生局医薬品審査管理課長通知）
要指導・一般用医薬品の承認申請資料に係る適合性書面調査の実施手続について	（平成 29 年 3 月 6 日薬機発第 0306053 号独立行政法人医薬品医療機器総合機構理事長通知）
製造販売業者における製造販売後安全管理業務に関する法令遵守の徹底について	（平成 29 年 3 月 14 日薬生安発 0314 第 1 号医薬・生活衛生局安全対策課長通知）

名称	発出日・発出番号等
個別症例安全性報告の電子的伝送に係る実装ガイドの修正等について	（平成 29 年 3 月 15 日薬生薬審発 0315 第 6 号，薬生安発 0315 第 1 号医薬・生活衛生局医薬品審査管理課長，安全対策課長通知）
個別症例安全性報告の電子的伝送に関する質疑応答集（Q&A）について	（平成 29 年 3 月 15 日医薬・生活衛生局医薬品審査管理課，安全対策課事務連絡）
薬事戦略相談に関する実施要綱の一部改正等について	（平成 29 年 3 月 16 日薬機発第 0316001 号独立行政法人医薬品医療機器総合機構理事長通知）
「独立行政法人医薬品医療機器総合機構が行う対面助言，証明確認調査等の実施要綱等について」の一部改正について	（平成 29 年 3 月 23 日薬機発第 0323003 号独立行政法人医薬品医療機器総合機構理事長通知）
「独立行政法人医薬品医療機器総合機構が行う審査等の手数料について」の一部改正について	（平成 29 年 3 月 23 日薬機発第 0323005 号独立行政法人医薬品医療機器総合機構理事長通知）
一般用漢方製剤製造販売承認基準について	（平成 29 年 3 月 28 日薬生発 0328 第 1 号医薬・生活衛生局長通知）
医薬品，医療機器等の品質，有効性及び安全性の確保等に関する法律関係手数料令の一部改正について	（平成 29 年 3 月 29 日薬生発 0329 第 10 号医薬・生活衛生局長通知）
医薬品，医療機器等の品質，有効性及び安全性の確保等に関する法律関係手数料令の一部改正の予定について	（平成 29 年 3 月 31 日薬生薬審発 0331 第 13 号，薬生機審発 0331 第 2 号医薬・生活衛生局医薬品審査管理課長，医療機器審査管理課長通知）
承認事項一部変更承認後の製品切替え時期設定に関する質疑応答集（Q&A）について	（平成 29 年 3 月 31 日医薬・生活衛生局医薬品審査管理課，監視指導・麻薬対策課事務連絡）
Ｅ 2 Ｂ(Ｒ 3)実装ガイドに対応した市販後副作用等報告及び治験副作用等報告について	（平成 29 年 3 月 31 日薬生薬審発 0331 第 6 号，薬生安発 0331 第 1 号医薬・生活衛生局医薬品審査管理課長，安全対策課長通知）
Ｅ 2 Ｂ(Ｒ 3)実装ガイドに対応した市販後副作用等報告及び治験副作用等報告に関する Q&A について	（平成 29 年 3 月 31 日医薬・生活衛生局医薬品審査管理課，安全対策課事務連絡）
第十七改正日本薬局方の制定に伴う医薬品等の承認申請等に関する質疑応答集（Q&A）について	（平成 29 年 4 月 7 日医薬・生活衛生局医薬品審査管理課事務連絡）

名称	発出日・発出番号等
要指導医薬品の添付文書理解度調査ガイダンスに関する質疑応答集（Q&A）について	（平成29年5月19日医薬・生活衛生局医薬品審査管理課事務連絡）
医療用医薬品の添付文書等の記載要領について	（平成29年6月8日薬生発0608第1号医薬・生活衛生局長通知）
医療用医薬品の添付文書等の記載要領の留意事項について	（平成29年6月8日薬生安発0608第1号医薬・生活衛生局安全対策課長通知）
「コンビネーション製品の副作用等報告に関するQ&Aについて」の改訂について	（平成29年6月9日医薬・生活衛生局安全対策課事務連絡）
医薬品の製造販売業者における三役の適切な業務実施について	（平成29年6月26日薬生発0626第3号医薬・生活衛生局長通知）
医療用後発医薬品の販売名の一般的名称への変更に係る代替新規承認申請の取扱いについて	（平成29年6月30日医政経発0630第1号，薬生薬審発0630第5号，薬生安発0630第1号医政局経済課長，医薬・生活衛生局医薬品審査管理課長，安全対策課長通知）
「第十八改正日本薬局方原案作成要領について」の一部訂正について	（平成29年6月30日独立行政法人医薬品医療機器総合機構規格基準部事務連絡）
コデインリン酸塩水和物又はジヒドロコデインリン酸塩を含有する医薬品の小児に係る用法・用量の取扱い等について	（平成29年7月4日薬生薬審発0704号第3号，薬生安発0704第6号医薬・生活衛生局医薬品審査管理課長，安全対策課長通知）
コデインリン酸塩水和物又はジヒドロコデインリン酸塩を含有する医薬品の小児に係る用法・用量の取扱い等に関する質疑応答集（Q&A）について	（平成29年7月4日医薬・生活衛生局医薬品審査管理課，安全対策課事務連絡）
「鎮咳去痰薬の製造販売承認基準について」の一部改正について	（平成29年7月4日薬生発0704第4号医薬・生活衛生局長通知）
「かぜ薬の製造販売承認基準について」の一部改正について	（平成29年7月4日薬生発0704第2号医薬・生活衛生局長通知）
電子化コモン・テクニカル・ドキュメント（eCTD）による承認申請について	（平成29年7月5日薬生薬審発0705第1号医薬・生活衛生局医薬品審査管理課長通知）

名称	発出日・発出番号等
「電子化コモン・テクニカル・ドキュメント（eCTD）による承認申請について」に関する質疑応答集（Q&A）について	（平成 29 年 7 月 5 日医薬・生活衛生局医薬品審査管理課事務連絡）
「コモン・テクニカル・ドキュメントの電子化仕様について」に関する Q&A について	（平成 29 年 7 月 5 日医薬・生活衛生局医薬品審査管理課事務連絡）
「コデインリン酸塩水和物又はジヒドロコデインリン酸塩を含有する医薬品の小児に係る用法・用量の取扱い等について」の一部訂正について	（平成 29 年 7 月 7 日医薬・生活衛生局医薬品審査管理課，安全対策課事務連絡）
「独立行政法人医薬品医療機器総合機構が行う対面助言，証明確認調査等の実施要綱等について」の一部改正について	（平成 29 年 8 月 1 日薬機発第 0801003 号独立行政法人医薬品医療機器総合機構理事長通知）
「独立行政法人医薬品医療機器総合機構が行う審査等の手数料について」の一部改正について	（平成 29 年 8 月 1 日薬機発第 0801005 号独立行政法人医薬品医療機器総合機構理事長通知）
個別症例安全性報告の電子的伝送に関する質疑応答集（Q&A）について	（平成 29 年 8 月 8 日医薬・生活衛生局医薬品審査管理課，安全対策課事務連絡）
「PIC/S の GMP ガイドラインを活用する際の考え方について」の一部改正について	（平成 29 年 8 月 9 日医薬・生活衛生局監視指導・麻薬対策課事務連絡）
製造販売業者における製造販売後安全管理業務に関する法令遵守の徹底について（再周知徹底依頼）	（平成 29 年 9 月 29 日薬生安発 0929 第 2 号医薬・生活衛生局安全対策課長通知）
「独立行政法人医薬品医療機器総合機構が行う対面助言，証明確認調査等の実施要綱等について」の一部改正について	（平成 29 年 9 月 29 日薬機発第 0929003 号独立行政法人医薬品医療機器総合機構理事長通知）
対面助言の手数料額改定について	（平成 29 年 9 月 29 日独立行政法人医薬品医療機器総合機構事務連絡）
医薬品の製造販売後の調査及び試験の実施の基準に関する省令等の一部を改正する省令の公布について（医薬品の製造販売後の調査及び試験の実施の基準に関する省令関係）	（平成 29 年 10 月 26 日薬生発 1026 第 1 号医薬・生活衛生局長通知）

名称	発出日・発出番号等
「独立行政法人医薬品医療機器総合機構が行う対面助言，証明確認調査等の実施要綱等について」の一部改正について	（平成 29 年 11 月 1 日薬機発第 1101003 号独立行政法人医薬品医療機器総合機構理事長通知）
第十七改正日本薬局方第一追補の制定等について	（平成 29 年 12 月 1 日薬生発 1201 第 3 号医薬・生活衛生局長通知）
第十七改正日本薬局方第一追補の制定に伴う医薬品製造販売承認申請等の取扱いについて	（平成 29 年 12 月 1 日薬生薬審発 1201 第 3 号医薬・生活衛生局医薬品審査管理課長通知）
「医薬品リスク管理計画の策定について」の一部改正について	（平成 29 年 12 月 5 日薬生薬審発 1205 第 1 号，薬生安発 1205 第 1 号医薬・生活衛生局医薬品審査管理課長，医薬安全対策課長通知）
医薬品リスク管理計画に関する質疑応答集（Q&A）について	（平成 29 年 12 月 5 日医薬・生活衛生局医薬品審査管理課，医薬安全対策課事務連絡）
一般用生薬製剤製造販売承認基準について	（平成 29 年 12 月 21 日薬生発第 1221 第 4 号医薬・生活衛生局長通知）
「独立行政法人医薬品医療機器総合機構が行う対面助言，証明確認調査等の実施要綱等について」の一部改正について	（平成 29 年 12 月 25 日薬機発第 1225003 号独立行政法人医薬品医療機器総合機構理事長通知）
「独立行政法人医薬品医療機器総合機構が行う対面助言，証明確認調査等の実施要綱等について」の記載整備について	（平成 30 年 1 月 31 日独立行政法人医薬品医療機器総合機構審査マネジメント部事務連絡）
後発医薬品等の承認の予見性向上等に向けた承認申請の取扱い及び総審査期間の考え方について	（平成 30 年 2 月 23 日薬生薬審発 0223 第 1 号医薬・生活衛生局医薬品審査管理課長通知）
医薬品の品質に係る承認事項の変更に係る取扱い等について	（平成 30 年 3 月 9 日薬生薬審発 0309 第 1 号，薬生監麻発 0309 第 1 号医薬・生活衛生局医薬品審査管理課長，監視指導・麻薬対策課長通知）
「独立行政法人医薬品医療機器総合機構が行う対面助言，証明確認調査等の実施要綱等について」の一部改正について	（平成 30 年 3 月 30 日薬機発第 0330003 号独立行政法人医薬品医療機器総合機構理事長通知）
「独立行政法人医薬品医療機器総合機構が行う審査等の手数料について」の一部改正について	（平成 30 年 3 月 30 日薬機発第 0330005 号独立行政法人医薬品医療機器総合機構理事長通知）

名称	発出日・発出番号等
医療用医薬品の添付文書等の新記載要領に基づく改訂相談の実施時期について	（平成 30 年 4 月 6 日医薬・生活衛生局医薬安全対策課事務連絡）
後発医薬品の添付文書等における情報提供の充実について	（平成 30 年 4 月 13 日薬生薬審発 0413 第 2 号，薬生安発 0413 第 1 号医薬・生活衛生局医薬品審査管理課長，医薬安全対策課長通知）
「「独立行政法人医薬品医療機器総合機構が行う審査等の手数料について」の一部改正について」の新旧対照表の訂正について	（平成 30 年 4 月 27 日独立行政法人医薬品医療機器総合機構審査業務部業務第一課事務連絡）
「独立行政法人医薬品医療機器総合機構が行う審査等業務に係る申請・届出等の受付等業務の取扱いについて」の一部改正について	（平成 30 年 5 月 17 日薬機発第 0517001 号独立行政法人医薬品医療機器総合機構理事長通知）
「独立行政法人医薬品医療機器総合機構が行う対面助言，証明確認調査等の実施要綱等について」の一部改正について	（平成 30 年 5 月 29 日薬機発第 0529003 号独立行政法人医薬品医療機器総合機構理事長通知）
「医薬品リスク管理計画書の公表について」の一部改正について	（平成 30 年 10 月 29 日薬生薬審発 1029 第 1 号，薬生安発 1029 第 1 号医薬・生活衛生局医薬品審査管理課長，医薬安全対策課長通知）
「独立行政法人医薬品医療機器総合機構が行う対面助言，証明確認調査等の実施要綱等について」の一部改正について	（平成 30 年 10 月 31 日薬機発第 1031003 号独立行政法人医薬品医療機器総合機構理事長通知）
点眼剤の後発医薬品の生物学的同等性試験実施に関する基本的考え方について	（平成 30 年 11 月 29 日医薬・生活衛生局医薬品審査管理課事務連絡）
医療用後発医薬品に係る承認審査及び GMP 適合性調査申請のスケジュールについて	（平成 31 年 2 月 26 日医薬・生活衛生局医薬品審査管理課，監視指導・麻薬対策課事務連絡）
医薬品の残留溶媒ガイドラインの改正について	（平成 31 年 3 月 18 日薬生薬審発 0318 第 1 号医薬・生活衛生局医薬品審査管理課長通知）
医薬品，医療機器等の品質，有効性及び安全性の確保等に関する法律関係手数料令の一部を改正する政令等の公布について	（平成 31 年 3 月 20 日薬生発 0320 第 6 号医薬・生活衛生局長通知）

名称	発出日・発出番号等
「医薬品の承認申請資料に係る適合性書面調査及び GCP 実地調査の実施手続きについて」の一部改正について	（令和元年 5 月 7 日薬機発第 0507009 号独立行政法人医薬品医療機器総合機構理事長通知）
第十七改正日本薬局方第一追補の制定に伴う医薬品等の承認申請等に関する質疑応答集（Q&A）について	（令和元年 5 月 10 日医薬・生活衛生局医薬品審査管理課事務連絡）
ビタミン主薬製剤製造販売承認基準の一部改正について	（令和元年 5 月 30 日薬生発 0530 第 4 号医薬・生活衛生局長通知）
胃腸薬製造販売承認基準の一部改正について	（令和元年 5 月 30 日薬生発 0530 第 7 号医薬・生活衛生局長通知）
医療機器原材料の原薬等登録原簿の取扱いについて	（令和元年 5 月 30 日薬生機審発 0530 第 1 号医薬・生活衛生局医療機器審査管理課長通知）
ビタミン主薬製剤製造販売承認基準の運用及び審査上の留意点について	（令和元年 5 月 30 日医薬・生活衛生局医薬品審査管理課事務連絡）
第十七改正日本薬局方第二追補の制定等について	（令和元年 6 月 28 日薬生発 0628 第 1 号医薬・生活衛生局長通知）
第十七改正日本薬局方第二追補の制定に伴う医薬品製造販売承認申請等の取扱いについて	（令和元年 6 月 28 日薬生薬審発 0628 第 1 号医薬・生活衛生局医薬品審査管理課長通知）
「ビタミン主薬製剤製造販売承認基準の運用及び審査上の留意点について」の一部訂正について	（令和元年 6 月 28 日医薬・生活衛生局医薬品審査管理課事務連絡）
「独立行政法人医薬品医療機器総合機構が行う対面助言，証明確認調査等の実施要綱等について」の一部改正について	（令和元年 7 月 1 日薬機発第 0701003 号独立行政法人医薬品医療機器総合機構理事長通知）

医薬品承認申請ガイドブック　2019-20

2019年12月10日　第1刷発行

不　許 複　製	編　集　公益財団法人 　　　　日本薬剤師研修センター 発　行　株式会社 薬 事 日 報 社 　　　　https://www.yakuji.co.jp/ 本　社　東京都千代田区神田和泉町1番地 　　　　電話　（03）3862−2141 支　社　大阪市中央区道修町2-1-10 　　　　電話　（06）6203−4191

ISBN978-4-8408-1506-2　印刷・製本　昭和情報プロセス株式会社

落丁本，乱丁本はお取り替えします。